질환별 관리

근골격계통 질환 및 대사성 질환 개선과
과학적인 체형관리법

신 원 범 저

대경북스

│ 저자소개 │

신원범

신구대학교 물리치료과 졸업
열린사이버대학교 뷰티디자인학과 졸업
건국대학교 대학원 향장학과 졸업
건국대학교 대학원 박사과정(화장품공학)
경기대학교 대체의학대학원 외래교수
단국대학교 문화예술대학원 외래교수
열린사이버대학교 뷰티건강디자인학과 외래교수
100억샵 대표리더
대한민국 1호 미용응용실전해부학교수
대한민국 1호 근육경락통합 수기치료교수

근골격계통 질환 및 대사성 질환 개선과 과학적인 체형관리법

질환별 관리

초판발행 2017년 11월 1일
초판인쇄 2017년 11월 6일
발 행 인 민유정
발 행 처 대경북스
　　ISBN 978-89-5676-609-6

등록번호 제 1-1003호
서울시 강동구 천중로42길 45(길동 379-15) 2F
전화: (02)485-1988, 485-2586~87 · 팩스: (02)485-1488
e-mail: dkbooks@chol.com · http://www.dkbooks.co.kr

머리말

본서는『질환별관리 콱 50선』을 근간으로 하여 2년이라는 시간 동안 집필된 책이다.

이 책은 필자가 30년 동안 임상현장에서 고객의 몸을 치유하거나 관리하면서 느낀 의학적 지식과 경험을 토대로 저술한 책으로서, 사람의 몸을 치유하는 과정 중에 깨달은 인체의 구조와 치유과정에서 우선시되어야 할 포인트를 정리하고 그것을 토대로 배움에 목마른 분들을 찾아 교단에서, 또 전국을 찾아다니면서 강의한 내용을 담고 있다. 올바른 치유를 위해 해부학적 원리와 경혈경락학적 이론에 근거하여 치료패턴을 구성하고, 관리 후 운동요법과 자가케어를 통해 스스로 치유가 가능하도록 서술하였다.

그동안 300시간 이상의 해부학 연수를 주도하면서 획일화되고 정형화된 관리가 아닌 인체의 유기적인 구성을 이해하고 환자의 유전적·직업적인 요소, 나아가 생활패턴까지도 감안한 치료방법을 담은 현실적인 교재의 필요성을 절감하여 이 책을 집필하게 되었다.

고객을 관리하던 초보시절 임상에 도움이 될 책과 고객관리의 노하우가 담긴 책을 찾아 서점을 헤맸고, 그때마다 자료의 빈약함을 느끼며 쉽게 적용할 수 있는 실전 노하우가 들어 있는 책을 누군가가 집필해주기를 기대하다가 오랜 시간이 흐른 뒤에 결국 필자의 30년 임상생활의 경험과 노하우를 정리한 레퍼런스를 출간하게 된 것이다.

많은 임상가들은 금전과 시간을 아끼지 않고 한 사람의 스승을 찾아 어깨너머로라도 치유의 과정을 배우고자 한다. 저자도 올바른 치료법을 찾아 순천에서 제주도까지 단숨에 달려가 단 하나의 노하우를 배우고 밤 새워 그 치료법을 정리하며 고객에게 적용할 날이 빨리 오기를 고대하곤 했다. 평생을 고질병과도 같았던 통증을 달고 살아온 환자를 이 손으로 치료했을 때 신이 주신 이 직업을 감사히 여기기도 하였다. 이제 필자는 30년간 경험하고 가르쳐왔던 모든 것을 정리하여 실전적인 임상지도서를 집필하는 것이 숙명이라고 느끼게 되었다.

본서는   1) 독자의 이해를 돕기 위한 수많은 일러스트와 사진이 들어 있고,

2) 30년 임상가로서 저자의 경험이 풍부히 담겨 있고,

3) 고객관리와 관련된 필자의 인생철학이 담겨져 있으며,

4) 저자의 혼(魂)이 담겨져 있는 책이다.

본서는 질환의 올바른 분석과 치료를 위해 근육을 비롯한 환부의 해부학적·경혈경락학적 설명은 물론, 질환 관리의 구체적인 노하우, 그리고 관리 후 유지·개선을 위한 운동법을 사진을 첨부하여 자세하게 설명하고 있다.

본서는 피부미용인, 대체의학 전문가, 물리치료사, 수기치료 전문가, 운동치료사, 운동재활 전문가, 필라테스 및 요가 전문가 등 현업에서 고객의 몸을 관리하는 모든 분들에게 꼭 필요한 필독서이다.

본서를 고객과 만나는 임상현장에서 가장 가까운 곳에 두고 수시로 참고한다면 수월하게 고객관리가 가능하고 마음도 편안해질 것이다. 전국에서 저자의 강의를 듣고자 했던 모든 분들 앞에 속 시원한 레퍼런스를 내어놓으며 필자는 한시름 놓을 수 있게 되었다.

끝으로 30년간 임상전문가로 살아가면서 물리치료사의 길을 접고 피부미용학과 교수로, 또 대체의학대학원 교수로서 살아갈 수 있도록 도와주신 많은 분들께 감사를 드리고, 언제나 저만을 바라보며 함께해주시는 『100억샵』 맴버들에게도 깊은 감사의 뜻을 전한다. 또한 오늘의 100억샵이 피부미용인들의 혜민서 같은 곳이 될 수 있도록 같은 길을 걸어주시는 홍지유 교수님과 여러 교수님들께 머리 숙여 감사 인사를 드린다. 더불어 본서를 출간을 고민하고 있을 때 달려와 흔쾌히 도와준 대경북스 관계자 분들께도 감사의 인사를 드린다.

아무쪼록 본서를 통해 임상전문가들이 고객에게 이론과 실기를 겸비한 수기요법을 실시하고, 임상전문가 스스로 업그레이드될 수 있기를 기대한다.

2017년 10월

저 자 씀

차
례

1장 머리와 목부위의 구조와 질환별 관리

2장 어깨와 위팔 및 가슴의 구조와 질환별 관리

3장 팔꿈치 · 아래팔 · 손목 및 손의 구조와 질환별 관리

4장 등과 배부위의 구조와 질환별 관리

5장 골반·고관절 및 넙다리의 구조와 질환별 관리

8장 호흡순환계통 질환 및 비만증의 원인과 관리

1

머리와 목부위의 구조와
질환별 관리

　머리와 목은 온몸에서 특히 복잡하고 혹사되는 부위이다. 목의 통증을 살면서 한번도 경험해보지 않은 사람은 거의 없다. 목의 통증이 일어나기 쉬운 이유는 그 구조와 기능을 보면 이해할 수 있다. 반고체의 기반 위에 30~40도 기울어진 상태로 세워져 있는 하나의 봉이 약 4.5kg의 볼링공을 지지하고 있는 모습을 상상해보라. 이것이 목의 구조이다. 목을 받치는 몸통은 흉추, 늑골, 흉골로 구성되어 있다. 또 기울어진 봉은 7개의 경추와 추간판으로 이루어져 있다. 볼링공, 즉 머리의 무게는 평균 4.5~5.5kg이다(그림 1-1).

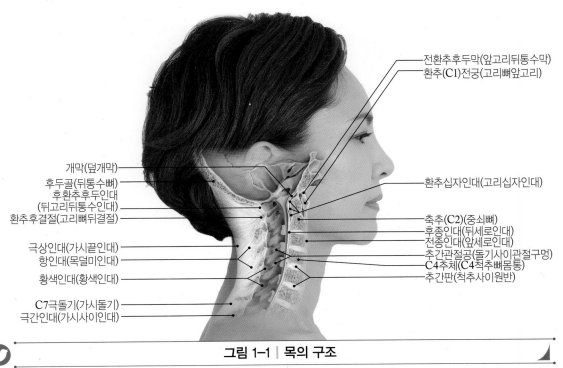

개막(덮개막)
후두골(뒤통수뼈)
후환추후두인대
(뒤고리뒤통수인대)
환추후결절(고리뼈뒤결절)

극상인대(가시끝인대)
항인대(목덜미인대)

황색인대(황색인대)

C7극돌기(가시돌기)
극간인대(가시사이인대)

전환추후두막(앞고리뒤통수막)
환추(C1)전궁(고리뼈앞고리)

환추십자인대(고리십자인대)

축추(C2)(중쇠뼈)
후종인대(뒤세로인대)
전종인대(앞세로인대)
추간관절공(돌기사이관절구멍)
C4추체(C4척추뼈몸통)
추간판(척추사이원반)

그림 1-1 | 목의 구조

　목의 구조는 펴기, 굽히기, 돌리기 및 이러한 움직임을 조합한 운동이 가능하도록 되어 있다. 이 부위에는 많은 신경·인대·근육조직 등이 있다. 목의 복잡한 근육조직은 머리를 안정시켜 균형을 유지하고, 이러한 움직임을 컨트롤하기 위하여 반드시 필요하다(그림 1-2).

　목의 척주(경추)는 혈관과 신경이 밀집되어 있기 때문에 사람에게 중요한 부위이다. 척주 주위의 움직임에서 주의할 것은 중추신경계이다. 추간공(척수사이구멍)을 관통하고 있는 척수는 강력한 동작에 의하여 압박을 받거나 손상을 입을 수 있다. 수기치료에 의해 척수가 손상되는 경우는 드물지만, 경신경총(C1~C4)이나 완신경총(C5~C8)과 같은 말초신경은 척추 밖으로 나와 있기 때문에 비교적 손상되기 쉽다.

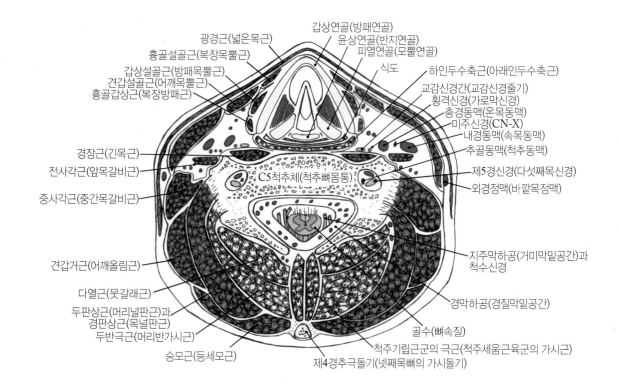

광경근(넓은목근)
흉골설골근(복장목뿔근)
갑상설골근(방패목뿔근)
견갑설골근(어깨목뿔근)
흉골갑상근(복장방패근)

갑상연골(방패연골)
윤상연골(반지연골)
피열연골(모뿔연골)
식도

하인두수축근(아래인두수축근)
교감신경간(교감신경줄기)
횡격신경(가로막신경)
총경동맥(온목동맥)
미주신경(CN-X)
내경동맥(속목동맥)
추골동맥(척추동맥)
제5경신경(다섯째목신경)
외경정맥(바깥목정맥)

경장근(긴목근)
전사각근(앞목갈비근)

중사각근(중간목갈비근)

C5척추체(척추뼈몸통)

견갑거근(어깨올림근)

다열근(뭇갈래근)

두판상근(머리널판근)과
경판상근(목널판근)
두반극근(머리반가시근)

승모근(등세모근)

지주막하공(거미막밑공간)과
척수신경

경막하공(경질막밑공간)

골수(뼈속질)

척주기립근군의 극근(척주세움근육군의 가시근)

제4경추극돌기(넷째목뼈의 가시돌기)

그림 1-2 | 목의 단면도

목은 혈관의 구조에도 주의해야 한다. 제1~6경추에는 횡돌기공(가로구멍)이 있는데, 뇌로 이어지는 추골동맥과 추골정맥이 그곳을 지나간다. 이곳은 목의 회선 등과 같은 움직임 때문에 상해위험이 높은 부위이다. 목을 돌리거나 스트레치할 때 혈관에 압박이 가해지면 실신, 오심(구역), 현기증 등이 일어날 수 있다. 추골동맥의 조임이나 압박은 회선각도가 약 45~50도일 때 발생할 수 있다. 목 앞면에는 경동맥과 경정맥이 흉쇄유돌근(목빗근) 밑에 숨겨져 있다. 이러한 혈관은 몸의 표면 가까이에 있으므로 경동맥파를 만져보면 알 수 있다. 목 앞면을 수기치료할 때에 맥박에 닿으면 손의 위치를 바꾸어야 한다(그림 1-4).

수기치료를 할 때 치료사가 환자에게 다양한 자세를 취하게 하면 목을 치료하기 쉽다. 어느 근육을 수기치료하는가에 따라 환자에게 엎드린 자세, 바로 누운 자세, 옆으로 누운 자세, 앉은 자세 중 한 자세를 취하게 하면 된다. 어느 자세라도 장점과 단점이 있다.

바로 누운 자세는 관절가동범위(ROM) 평가나 스트레치를 가장 폭넓게 실시할 수 있어 목 앞면의 근육을 치료하기 쉬울 뿐만 아니라 목 뒷면 근육의 일부도 치료할 수 있다. 바로 누운 자세에서 목 뒷면의 근육을 치료할 때에는 머리와 목의 무게를 저항력으

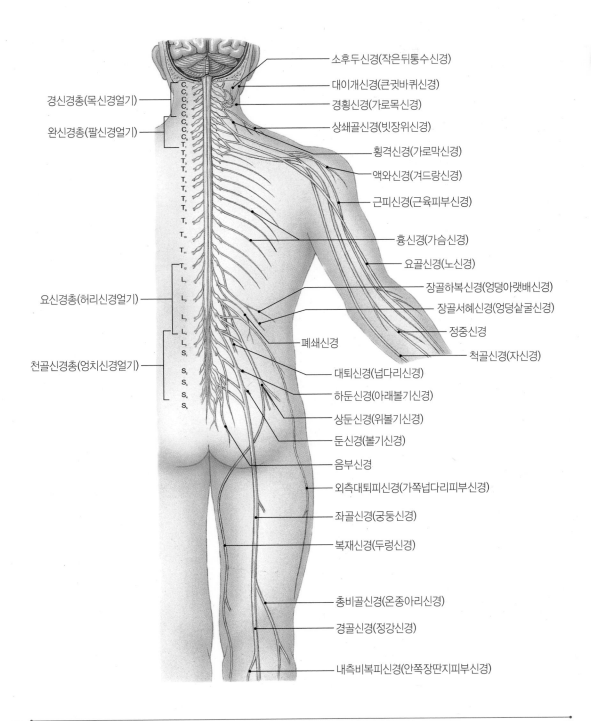

소후두신경(작은뒤통수신경)
대이개신경(큰귓바퀴신경)
경횡신경(가로목신경)
상쇄골신경(빗장위신경)
횡격신경(가로막신경)
액와신경(겨드랑신경)
근피신경(근육피부신경)
흉신경(가슴신경)
요골신경(노신경)
장골하복신경(엉덩아랫배신경)
장골서혜신경(엉덩샅굴신경)
정중신경
척골신경(자신경)
대퇴신경(넙다리신경)
하둔신경(아래볼기신경)
상둔신경(위볼기신경)
둔신경(볼기신경)
음부신경
외측대퇴피신경(가쪽넙다리피부신경)
좌골신경(궁둥신경)
복재신경(두렁신경)
총비골신경(온종아리신경)
경골신경(정강신경)
내측비복피신경(안쪽장딴지피부신경)

경신경총(목신경얼기)
완신경총(팔신경얼기)
요신경총(허리신경얼기)
천골신경총(엉치신경얼기)
폐쇄신경

그림 1-3 | 경신경총과 완신경총

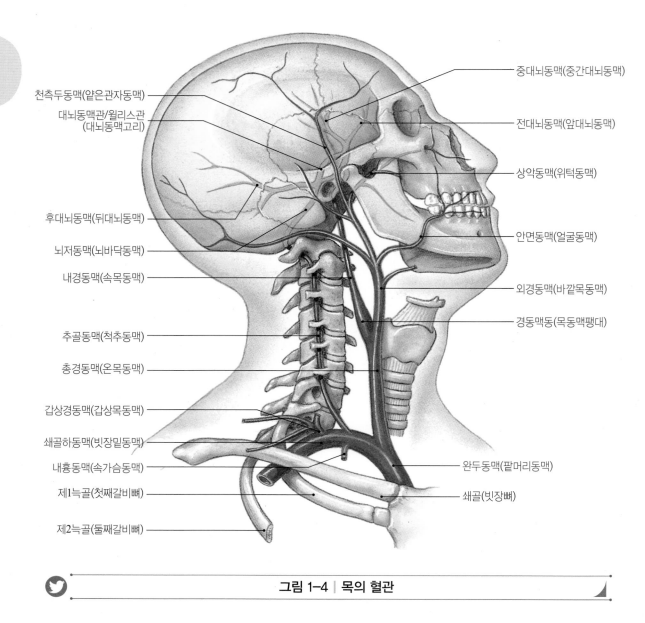

천측두동맥(얕은관자동맥)

대뇌동맥관/윌리스관
(대뇌동맥고리)

후대뇌동맥(뒤대뇌동맥)

뇌저동맥(뇌바닥동맥)

내경동맥(속목동맥)

추골동맥(척추동맥)

총경동맥(온목동맥)

갑상경동맥(갑상목동맥)

쇄골하동맥(빗장밑동맥)

내흉동맥(속가슴동맥)

제1늑골(첫째갈비뼈)

제2늑골(둘째갈비뼈)

중대뇌동맥(중간대뇌동맥)

전대뇌동맥(앞대뇌동맥)

상악동맥(위턱동맥)

안면동맥(얼굴동맥)

외경동맥(바깥목동맥)

경동맥동(목동맥팽대)

완두동맥(팔머리동맥)

쇄골(빗장뼈)

그림 1-4 │ 목의 혈관

로 이용할 수 있기 때문에 치료사가 압력을 주는 부담이 가벼워진다는 이점이 있다.

엎드린 자세를 할 때에는 목베개(face cradle)의 문제가 있다. 대부분의 목베개는 턱이나 목에 닿는 가로대가 있어서 등 위쪽이나 목 또는 머리에서 아래쪽으로 압력을 줄 때 부비강(코곁굴)이나 얼굴의 뼈에도 압력이 가해져 불쾌함이 발생할 수도 있다.

옆으로 누운 자세는 가장 이용하기 좋은 자세이다. 옆으로 누운 자세에서는 목의 앞·뒤·옆면의 근육을 치료할 수 있고, 다양한 관절운동도 할 수 있다. 옆으로 누운 자세를 효과적이고 쾌적하게 만드는 열쇠는 베개나 쿠션 등을 잘 활용하는 데 있다.

⊙ 머리의 뼈

두개골(cranium, skull, 머리뼈)은 신체의 가장 윗부분에 위치하는 굉장히 복잡한 뼈대로, 뇌·시각기관·평형기관·청각기관이 들어 있을 뿐만 아니라 소화관과 기도의 시작점을 둘러싸고 있다. 두개골은 15종 23개의 뼈로 이루어져 있다.

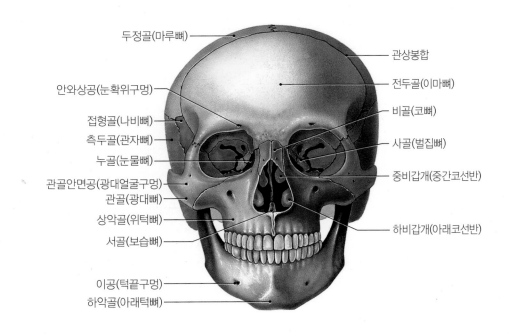

두정골(마루뼈)
안와상공(눈확위구멍)
접형골(나비뼈)
측두골(관자뼈)
누골(눈물뼈)
관골안면공(광대얼굴구멍)
관골(광대뼈)
상악골(위턱뼈)
서골(보습뼈)
이공(턱끝구멍)
하악골(아래턱뼈)

관상봉합
전두골(이마뼈)
비골(코뼈)
사골(벌집뼈)
중비갑개(중간코선반)
하비갑개(아래코선반)

그림 1-5 | 두개골의 구조(앞면)

머리의 관절은 대부분 봉합(suture) 혹은 골유합(synostosis, 뼈붙음, 뼈결합)으로 이루어져 있으며, 유일한 가동관절(윤활관절)은 악관절이다. 그리고 머리와 목부위는 환추후두관절, 환축관절, C2~C7까지의 경추관절 등 3종류의 관절로 연결되어 있다.

머리와 목부위는 척추의 운동 중에서 가장 가동성이 크다. 이 부위에 있는 각각의 관절은 머리의 자세를 유지하기 위해서 상호협력적으로 작용한다. 그래서 시선을 원하는 방향으로 향하게 하는 것, 소리를 듣는 것, 눈과 손이 협응하는 것, 신체의 평형을 잡는 것 등과 같은 중요한 역할을 할 수 있다.

⊙ 머리의 관절

악관절(temporomandibular joint, 턱관절)은 측두골과 하악골 사이에 있으며, 관절두는 하악골의 머리이고, 관절와는 측두골의 하악와(mandibular fossa, 턱관절오목)이다.

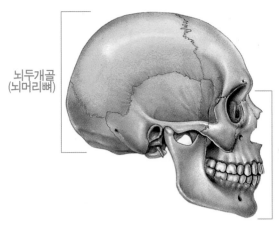

뇌두개골
(뇌머리뼈)

안면골(얼굴뼈)

뇌두개골(cerebral cranium)

후두골(occipital bone)	1개
접형골(sphenoid bone)	1개
측두골(temporal bone)	2개
두정골(parietal bone)	2개
전두골(frontal bone)	1개
사골(ethmoid bone)	1개

안면두개골(facial cranium)

상악골(maxilla)	2개
관골(zygomatic bone)	2개
구개골(palatine bone)	2개
하악골(mandible)	1개
설골(hyoid bone)	1개
하비갑개(inferior nasal concha)	2개
서골(vomer)	1개
누골(lacrimal bone)	2개
비골(nasal bone)	2개

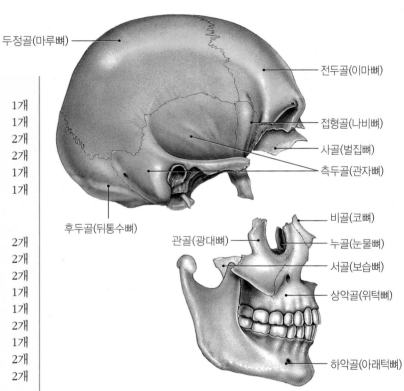

두정골(마루뼈)

전두골(이마뼈)

접형골(나비뼈)

사골(벌집뼈)

측두골(관자뼈)

후두골(뒤통수뼈)

관골(광대뼈)

비골(코뼈)

누골(눈물뼈)

서골(보습뼈)

상악골(위턱뼈)

하악골(아래턱뼈)

그림 1-6 | 두개골의 구조(뇌두개골과 안면골)

이 관절은 관절낭이 느슨할 뿐만 아니라 관절강 속에 관절원판이 들어 있기 때문에 관절두가 상당히 자유롭게 이동할 수 있다. 단순한 경첩관절 운동뿐만 아니라 굉장히 복잡한 운동을 담당한다.

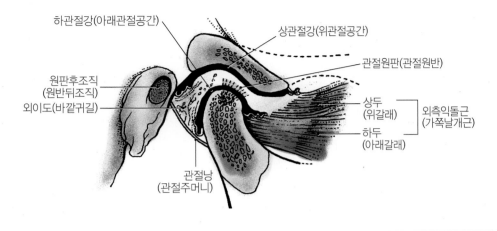

하관절강(아래관절공간)
상관절강(위관절공간)
관절원판(관절원반)
원판후조직
(원반뒤조직)
외이도(바깥귀길)
상두
(위갈래)
외측익돌근
(가쪽날개근)
하두
(아래갈래)
관절낭
(관절주머니)

그림 1-7 | 악관절의 구조

◉ 목부위의 관절

환추후두관절(atlantooccipital joint, 고리뒤통수관절)은 후두골의 후두과(occipital condyle, 뒤통수뼈관절융기)와 환추의 상관절와가 이루는 융기관절(condylar joint)로서, 약간의 전후운동이 가능하다. 이들은 환추의 전·후궁과 후두뼈 대공의 전·후연 사이를 연결하는 전·후환추후두막이 보강하고 있다.

환추후두관절은 굽히기와 펴기가 쉽게 일어날 수 있도록 되어 있다. 후두과와 그에 대응하는 환추 위쪽 관절면이 흔들의자와 비슷한 모양이라서 이러한 운동에 적합하다. 펼 때 후두과는 뒤로 돌아간다. 관절운동을 할 때 구르기와 미끄러지기는 반대방향으로 일어난다.

환축관절(atlantoaxial joint)은 제1경추인 환추(atlas, 고리뼈)와 제2경추인 축추(중쇠뼈)가 이루는 대표적인 중쇠관절로, 머리의 회전운동에 관여한다. 이 관절은 전체적으로 환추의 전궁과 축추의 중쇠뼈의 치돌기(dens)가 이루는 1개의 정중환축관절과 환추의 하관절면과 축추의 상관절돌기 사이에 이루어지는 2개의 외측환축관절의 3개 관절로 구성되어 있다.

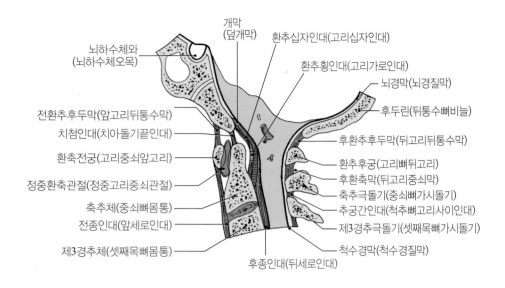

뇌하수체와
(뇌하수체오목)

개막
(덮개막)

환추십자인대(고리십자인대)

환추횡인대(고리가로인대)

뇌경막(뇌경질막)

전환추후두막(앞고리뒤통수막)

후두린(뒤통수뼈비늘)

치첨인대(치아돌기끝인대)

후환추후두막(뒤고리뒤통수막)

환축전궁(고리중쇠앞고리)

환추후궁(고리뼈뒤고리)

정중환축관절(정중고리중쇠관절)

후환축막(뒤고리중쇠막)

축추극돌기(중쇠뼈가시돌기)

축추체(중쇠뼈몸통)

추궁간인대(척추뼈고리사이인대)

전종인대(앞세로인대)

제3경추극돌기(셋째목뼈가시돌기)

제3경추체(셋째목뼈몸통)

척수경막(척수경질막)

후종인대(뒤세로인대)

그림 1-8 | 두개골과 척주의 연결(정중단면)

⊙ 머리의 근육

　머리의 근육(muscles of head)은 표면층의 표정근육인 피부근육과 깊은층의 씹기근육으로 이루어진다.

　머리표면층의 피부근육(cutaneous muscles)은 뇌두개골과 안면두개골의 표면에 있는 길고 빈약한 근육들로, 20종 정도가 있다. 대부분은 뼈에서 시작되어 피부에 부착되는 특징이 있으며, 피부를 움직여 얼굴의 표정을 만든다. 피부근육의 지배신경은 모두 얼굴신경(Ⅶ)이다.

- ⋙ **전두근** : 전두근(frontal belly, 이마힘살)은 전두골의 모상건막(머리덮개널힘줄)에서 일어나 이마에 닿는다. 이마에 주름을 만드는 작용을 한다.
- ⋙ **안륜근** : 안륜근(orbicularis oculi m., 눈둘레근)은 안열(choroid fissure, 눈술잔틈새) 주변을 고리모양으로 둘러싸는 근육으로, 눈을 감는 작용을 한다.
- ⋙ **비근** : 비근(nasalis m., 코근)은 비익(wings of nose, 콧방울)을 열고닫는 데 관여한다.
- ⋙ **협근** : 협근(buccinator m., 볼근)은 뺨을 치열로 밀어붙이는 작용을 한다.
- ⋙ **구륜근** : 구륜근(orbicularis oris m., 입둘레근)은 구열(rima of mouth, 입술틈새) 주변을 둘러싸며, 입술을 다무는 작용을 한다.

　　머리깊은층의 씹기근육(muscles of mastication)은 하악골(mandible)를 들어올려 무언가를 씹는(저작) 운동을 하는 근육으로, 교근(masseter m., 깨물근), 측두근(temporalis m., 관자근), 외측 및 내측익돌근(lateral · medial pterygoid m., 가쪽 및 안쪽날개근)의 4쌍이 있다. 모두 삼차신경절지(trigeminal ganglionic branch) 하악신경(mandibular nerve)의 지배를 받는다. 턱을 닫는 작용을 한다.

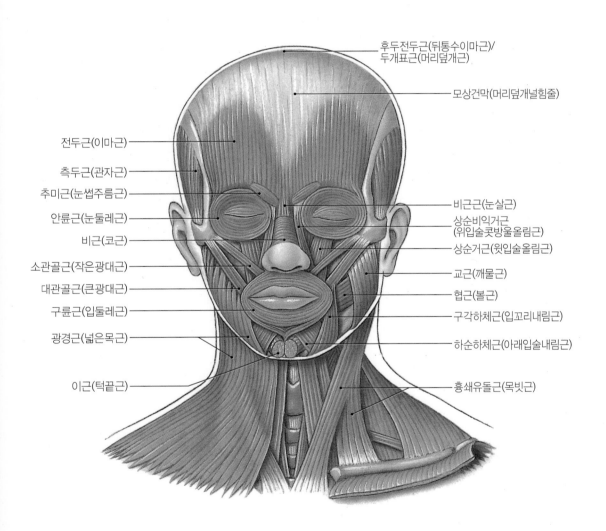

후두전두근(뒤통수이마근)/
두개표근(머리덮개근)

모상건막(머리덮개널힘줄)

전두근(이마근)

측두근(관자근)

추미근(눈썹주름근)

안륜근(눈둘레근)

비근(코근)

소관골근(작은광대근)

대관골근(큰광대근)

구륜근(입둘레근)

광경근(넓은목근)

이근(턱끝근)

비근근(눈살근)

상순비익거근
(위입술콧방울올림근)

상순거근(윗입술올림근)

교근(깨물근)

협근(볼근)

구각하체근(입꼬리내림근)

하순하체근(아래입술내림근)

흉쇄유돌근(목빗근)

그림 1-9 │ 머리의 근육(앞면)

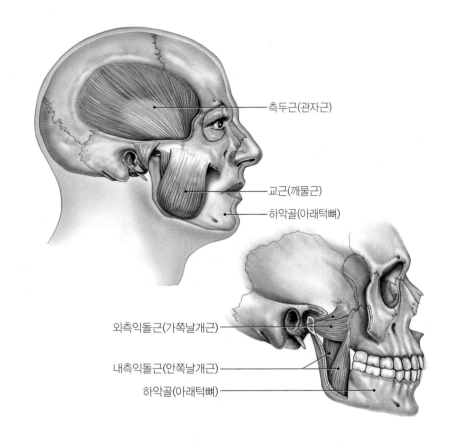

측두근(관자근)

교근(깨물근)

하악골(아래턱뼈)

외측익돌근(가쪽날개근)

내측익돌근(안쪽날개근)

하악골(아래턱뼈)

그림 1-10 │ 얼굴의 씹기근육

- ⑅ **교근** : 교근(masseter m., 깨물근)은 안팎 2층의 근육으로 되어 있다. 관골하연과 상 악골관골돌기에서 시작하여 하악골의 하악지와 하악각의 바깥면에 닿는다. 교근 신경의 지배를 받는다.
- ⑅ **측두근** : 측두근(temporalis m., 관자근)은 측두골의 측두면 전체에서 시작하여 하 악골의 근돌기와 하악지에 닿는다. 심측두신경의 지배를 받는다.
- ⑅ **내측익돌근** : 내측익돌근(medial pterygoid m., 안쪽날개근)은 접형골의 익상돌기에서 시작하여 하악각 안쪽의 익돌근조면에 닿는다. 내측익돌근신경의 지배를 받는다.
- ⑅ **외측익돌근** : 외측익돌근(lateral pterygoid m., 가쪽날개근)은 위아래 두 갈래로부터 시작된다. 상두는 접형골대익의 측두하면에서 시작되고, 하두는 익상돌기 외측판 에서 시작되어 하악골관절돌기와 관절낭에 부착된다. 외측익돌근신경의 지배를 받는다.

⊙ 목부위의 근육

목부위의 근육(muscles of neck)은 표면층의 근육군과 깊은층의 근육군으로 나누어진다. 목표면층의 근육은 다음과 같다.

- ﹥﹥ **광경근** : 광경근(platysma m., 넓은목근)은 폭이 넓은 피부근육이다. 견봉~제2늑골 앞쪽의 흉근막에서 시작하여 아래턱·입꼬리에 닿는다. 안면신경(Ⅶ) 경지의 지배를 받는다.
- ﹥﹥ **흉쇄유돌근** : 흉쇄유돌근(sternocleidomastoid m., 목빗근)은 흉골병 상연과 쇄골 안쪽 1/3 근처에서 시작하여 측두골유양돌기에 닿는다. 양쪽이 동시에 작용하면 머리를 뒤로 당겨 얼굴을 위로 올리고, 한쪽만 작용하면 머리를 작용한 쪽으로 기울어지게 만든다. 부신경(ⅩⅠ)과 경신경총 근지(C2, C3)의 지배를 받는다.

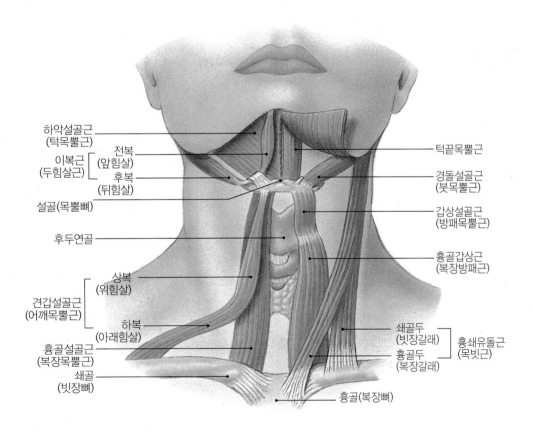

그림 1-11 | 목부위의 근육(앞쪽)

목깊은층의 근육은 다음과 같이 크게 4가지로 구분된다.

▶ **설골상근(suprahyoid muscles, 목뿔위근육)과 설골하근(infrahyoid muscles, 목뿔아래근육)** : 설골를 경계로 위쪽은 하악골, 아래쪽은 흉골병 사이에 분포되어 있다.

▶ **안쪽근육군과 가쪽근육군** : 경추횡돌기(목뼈가로돌기)에서 시작하여 목 안쪽에서 바깥쪽으로 지나고, 후두골저의 바깥면, 경추 또는 상위늑골에 닿는다.

◉ 목부위의 운동

어떤 물체로 시선을 향하거나 어떤 노래를 듣기 위해 귀를 기울이려면 머리와 목부위가 반드시 돌아가야 한다. 머리와 목부위의 돌리기는 좌우로 90도, 총 180도에 가까운 가동범위를 가지고 있다. 안구의 수평면에 대한 가동범위(150~160도)를 합하면 몸통을 움직이지 않더라도 거의 360도에 가깝다.

머리와 목부위에서 일어나는 돌리기운동의 절반은 환축관절(atlantoaxial joint)에 의한 것이다. 치돌기와 평행한 축추(C2)의 이관절면은 고리모양의 환추(C1)를 자유롭고 안전하게 좌우로 45도 돌리게 한다. 여기에서 주의할 점은 머리가 환추와 독립적으로 돌아가지 않는다는 것이다. 후두골이 깊게 자리잡고 있는 것과 같은 역할을 하는 환추후두관절(atlantooccipital joint)은 돌리기에 강하게 저항한다. 그렇기 때문에 머리의 돌리기는 환추와 두개골이 고정된 상태에서 축추 위를 돌게 된다.

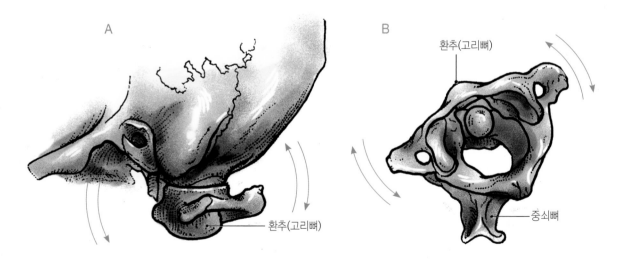

A. 환추후두관절(atlanto-occipital joint, 고리뒤통수관절) : 경추 앞뒤굽히기의 1/2을 담당한다.
B. 환축관절(atlanto-axial joint, 고리중쇠관절) : 경추 전체의 돌리기의 2/3를 담당한다.

그림 1-12 | 환추후두관절과 환축관절의 운동

C2~C7의 돌기는 주로 추간관절(zygapophysial joint)의 경사에 의해 유발된다. 그러한 관절의 움직임이 합쳐져서 좌우로 45도 돌릴 수 있고, 아주 드물기는 하지만 옆굽히기도 함께 일어난다.

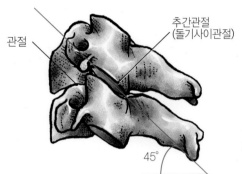

관절

추간관절
(돌기사이관절)

45°

제3경추 이하의 추간관절은 수평면에 대해 45° 경사를 이루고 있기 때문에 앞뒤굽히기를 하기 쉽다.

그림 1-13 | 중간 · 아래경추 추간관절의 운동

◉ 머리의 신경

뇌신경(cranial nerve)은 두개저(머리뼈바닥)에 있는 구멍을 지나 뇌로 출입하는 말초신경으로 모두 12쌍이 있는데, 주로 머리 · 목부위에 분포되어 있다. 여기에는 운동성과 감각성 및 양쪽을 모두 지닌 혼합성 신경이 있으며, 이 외에도 특수감각(후각, 시각, 청각, 평형감각, 미각)을 전하는 신경이 있다.

척수신경(spinal nerve)은 척수신경절(spinal ganglion)의 말초로부터 나와서 다시 척주관(vertebral canal) 속으로 들어가서 목의 추간원판(intervertebral disc) 배부위가쪽의 섬유륜, 후종인대, 추간관절, 척주관내골막, 경막 등을 지배한다. 이들 깊은부분조직이 손상되면 그 통증이 손상된 부분뿐만 아니라 척수신경을 통해 견갑골 · 어깨 · 팔로 전달된다.

각 척수(spinal cord)에서 나오는 전근(anterior root, 운동신경)와 후근(posterior root, 감각신경)은 합류하여 신경근(nerve root)이 되어 경막관으로부터 떨어져서 각 추간공(intervertebral foramen)을 지난다. C1신경근은 Oc-C1 사이에서 나오고, C2신경근은 C1-C2사이에서 나와서 후두신경(occipital nerve, 뒤통수신경)을 형성한다. C3, C4신경근은 횡격막신경(phrenic nerve)을 형성하여 호흡을 주관한다. 그리고 C4로부터 T1신경근은 완신경총(brachial plexus, 팔신경얼기)을 형성하고, 말초에서 근육피부 · 요골 · 정중 · 척골의 각 신경이 되어 주로 팔에 분포된다.

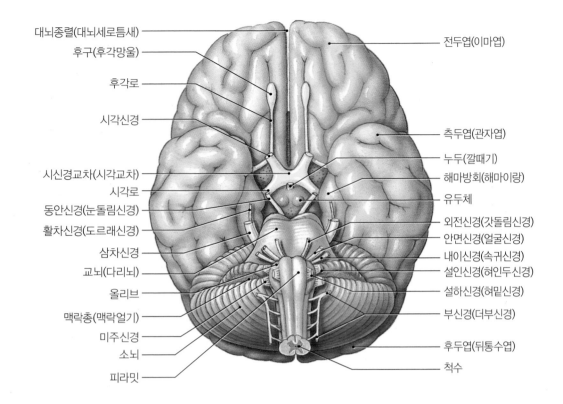

대뇌종렬(대뇌세로틈새)
후구(후각망울)
후각로
시각신경
시신경교차(시각교차)
시각로
동안신경(눈돌림신경)
활차신경(도르래신경)
삼차신경
교뇌(다리뇌)
올리브
맥락총(맥락얼기)
미주신경
소뇌
피라밋

전두엽(이마엽)
측두엽(관자엽)
누두(깔때기)
해마방회(해마이랑)
유두체
외전신경(갓돌림신경)
안면신경(얼굴신경)
내이신경(속귀신경)
설인신경(혀인두신경)
설하신경(혀밑신경)
부신경(더부신경)
후두엽(뒤통수엽)
척수

그림 1-14 | 뇌신경

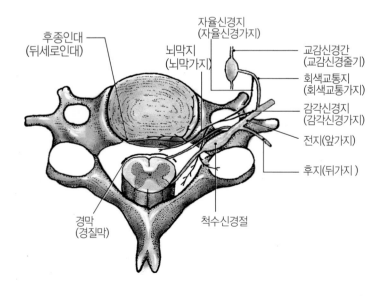

후종인대
(뒤세로인대)
뇌막지
(뇌막가지)
자율신경지
(자율신경가지)
교감신경간
(교감신경줄기)
회색교통지
(회색교통가지)
감각신경지
(감각신경가지)
전지(앞가지)
후지(뒤가지)
경막
(경질막)
척수신경절

그림 1-16 | 경수신경과 척수신경

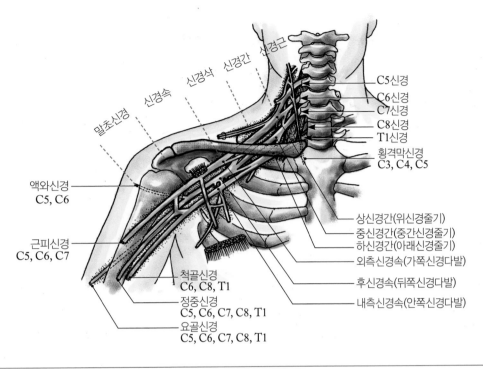

신경근

신경속 신경삭 신경간

말초신경

액와신경
C5, C6

근피신경
C5, C6, C7

척골신경
C6, C8, T1

정중신경
C5, C6, C7, C8, T1

요골신경
C5, C6, C7, C8, T1

C5신경
C6신경
C7신경
C8신경
T1신경
횡격막신경
C3, C4, C5

상신경간(위신경줄기)
중신경간(중간신경줄기)
하신경간(아래신경줄기)
외측신경속(가쪽신경다발)
후신경속(뒤쪽신경다발)
내측신경속(안쪽신경다발)

그림 1-17 | 완신경총(팔신경얼기)

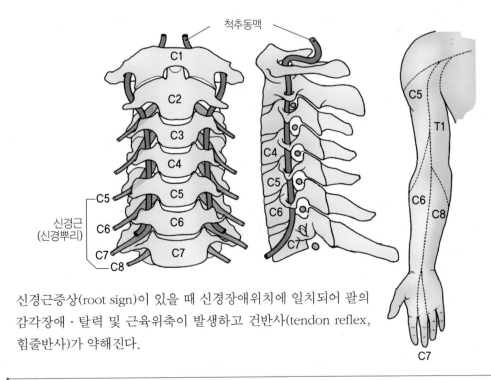

척추동맥

C1
C2
C3
C4
C5
C6
C7

신경근
(신경뿌리)

C5
C6
C7
C8

C4
C5
C6
C7

C5
T1
C6
C8
C7

신경근증상(root sign)이 있을 때 신경장애위치에 일치되어 팔의
감각장애·탈력 및 근육위축이 발생하고 건반사(tendon reflex,
힘줄반사)가 약해진다.

그림 1-18 | 신경근의 위치와 감각지배영역

두통

두통은 인구의 약 90%가 경험하는 흥미로운 증상이다. 두통은 다양한 원인으로 발생하는 머리의 통증으로 정의된다. 두통의 원인에는 환경(중독성 두통), 스트레스와 긴장, 혈관울혈, 질환(기질성 두통) 외에 운동이나 노동(노작성 또는 긴장성 두통) 등이 있다. 종류가 다른 두통이라도 원인에는 유사점이 있다는 것이 연구를 통하여 밝혀졌다.

두통의 대부분은 세로토닌량의 변화, 호르몬의 변화, 동맥의 확장 등이 원인으로 발생한다. 체내의 이러한 변화는 식품, 알레르기, 근육긴장, 몸의 뒤틀림, 화학물질의 변화 등 다양한 자극에 의하여 발생한다.

수기치료는 두통을 완화시키는 데 많은 도움이 되지만, 그것은 두통의 근본원인에 따라 다르다. 발생원인에 어떠한 질환이 있는 두통(예를 들어 기질성 두통)은 수기치료를 하기 전에 그 원인에 주의하여야 한다. 두통이 감염·종양 등과 같은 조직증식 때문에 발생하는 것이라면 수기치료를 해서는 안 된다. 그러나 두통이 긴장이나 활동 때문에 발생한 것이라면 수기치료가 효과적이다. 환자의 병력을 확실히 파악하는 것과 뛰어난 촉진기술을 가지는 것이 두통의 발생원인을 판단하는 데 도움이 된다.

1-1 두통의 종류

(1) 긴장성 두통

긴장성 두통은 물리적인 스트레스나 활동이 원인이 되어 발생한다. 이 두통은 대체로 나쁜 자세, 나쁜 인체공학적인 환경, 스트레스 등과 같은 다양한 원인으로 인하여 근육조직이 딱딱해짐으로써 발생한다. 대부분의 근육조직은 뒤틀림없는 두개골의 상태를 유지하기 위하여 움직이고 있다.

대부분의 치료사는 승모근부터 시술하는데, 실제로는 근육긴장의 근원이 후두하근육군에 있는 경우가 많다. 이 복잡한 근육군은 머리의 균형을 유지시키는 중요한 역할을 하고 있다. 즉 이 근육군이 환추(C1)와 축추(C2)와 후두골 아랫부분을 안정시키고 있다. 신체표면의 근육에 긴장이 쌓이면 머리를 뒤틀리지 않게 하려고 후두하근육군이 수축한다. 후두하근육군이 긴장하면 추골 간에 압축이 발생할 수 있는데, 그것이 두통으로 이어진다.

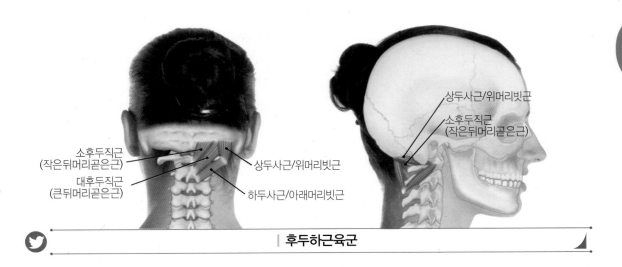

소후두직근
(작은뒤머리곧은근)
대후두직근
(큰뒤머리곧은근)
상두사근/위머리빗근
하두사근/아래머리빗근

상두사근/위머리빗근
소후두직근
(작은뒤머리곧은근)

| 후두하근육군

긴장성 두통에 관여하는 근육은 승모근, 견갑거근, 사각근, 판상근, 흉쇄유돌근, 턱에 있는 몇 가지 근육 등이다. 어느 근육이든 관련통 패턴이 있는데, 그것이 원인이 되는 근육을 발견하는 데 유용하다. 문진 단계에서 대화를 충분히 하는 것이 통증의 원인인 근육을 발견하는 데 도움이 된다.

관련통 패턴

근육	관련통 패턴
전두근	눈 위의 국부적인 불쾌감
견갑거근	목 아랫부분, 어깨 윗부분, 견갑골과 추골 사이의 통증에 관련
후두근	뒤통수의 불쾌감
사각근육군	일반적으로 어깨 윗부분, 팔 바깥쪽에서 엄지부터 중지에 걸친 통증에 관련
두판상근	두정부의 통증에 관련
경판상근	목뒷부분과 머리옆부분의 통증에 관련
흉쇄유돌근	흉골쪽은 볼 · 머리옆부분 · 귀 뒤의 통증에 관련 쇄골쪽은 귀의 통증과 눈 위의 통증에 관련
후두하근	눈 주위와 귀 위쪽의 불쾌감에 관련
승모근	상부의 섬유가 눈 · 귀 · 목 옆부분에 나타나는 불쾌감에 관련

(2) 편두통

편두통으로 인한 통증과 불쾌감은 독특하다. 환자들은 편두통으로 인한 통증이나 불쾌감은 다른 어떤 통증이나 불쾌감과도 닮지 않았다고 자주 말한다.

편두통은 혈관과 많이 관련된 두통으로, 뇌 주위의 혈관에 영향을 준다. 편두통에는 구토, 오한, 발한, 극단적인 피로, 시각장애 등이 자주 동반된다. 이러한 증상은 몸을 쇠약하게 하므로 업무에 지장을 초래하거나 몸져눕는 원인이 되기 쉽다. 편두통이 발생하면 빛과 어둠에 극단적으로 민감해지는 사람도 있다.

편두통은 대체로 식품·알코올·약품에 대한 과민증, 스트레스, 기후변화, 수면패턴, 자세 등으로 유발된다. 호르몬의 영향도 있어 남성보다 여성이 경험하기 쉽다.

🍎 **수기치료를 해서는 안 되는 두통에 관련된 질환**

혈관질환	식사로 유발된 편두통	심장질환
중증화된 당뇨병	뇌졸중의 병력	혈관성 편두통
부종	경추헤르니아	급성외상
말초혈관질환		

1-2 두통 진정시키기

두통의 발생원인이 긴장 때문이든 편두통 때문이든 수기치료를 하려면 다음과 같은 점에 주의해야 한다.

- ⫸ 수기치료는 짧게 하고, 깊고 강한 테크닉은 피해야 한다.
- ⫸ 열을 이용하는 테크닉(특히 혈관과 관계있는 두통)은 피해야 한다.
- ⫸ 엎드린 자세는 두개골에 강한 압력을 느끼게 하고, 바로 누운 자세는 치료실의 조명에 따라 불쾌감을 줄 수도 있다.
- ⫸ 빛에 과민한 환자에게는 눈가리개를 사용하면 좋다.
- ⫸ 가장 쾌적한 자세인 옆으로 누운 자세를 할 때에는 환자가 편안하게 느끼는 위치에 쿠션 등을 놓아두어 머리와 몸을 받치게 하면 좋다.

잦은 두통을 호소하는 환자에게는 통증부위, 자세, 수면습관, 식품과민증 유무, 일상의 활동 등에 대한 문진이 필요하다. 이러한 정보는 근육조직의 평가에 도움이 되고, 두통의 빈도를 줄이기 위하여 자세를 어떻게 수정해야 하는가를 아는 데 도움이 된다.

두통환자에게 실시하는 수기치료의 초점은 다음과 같다.

»» 트리거포인트·경직된 근육·골격의 뒤틀림 등을 완화시키고 목의 가동범위를 넓힌다.

»» 먼저 조직과 표면층의 근막을 따뜻하게 한다.

»» 다음으로 승모근 윗부분에서 발견되는 트리거포인트(통증유발점)나 긴장이 강한 조직을 마사지한다.

»» 그다음 견갑거근과 흉쇄유돌근에서 발견되는 뭉친 부분을 압박이나 스트리핑(stripping) 등을 이용하여 마사지한다.

»» 그 안의 판상근이나 후두하근으로 나아가면, 근막스트레치와 압박이 효과적이다.

»» 마지막은 신경근을 재교육하기 위하여 관절운동과 스트레치로 마무리한다.

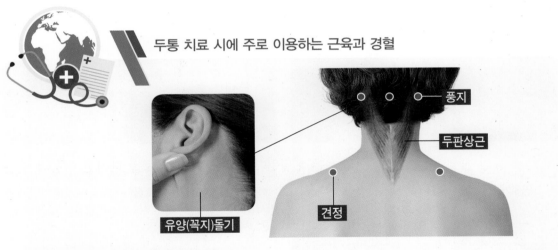

두통 치료 시에 주로 이용하는 근육과 경혈

풍지
두판상근
견정
유양(꼭지)돌기

긴장성 두통·편두통의 특징과 주요 통증부위

	긴장성 두통	편두통
원인	머리 주변의 근육 긴장, 스트레스, 잘못된 자세	머리 혈관의 신경 과민, 스트레스, 과로, 알코올 섭취
증상	조이는 듯한 통증과 압통(10분~2시간)	심장 박동에 맞춰 지끈거림(4시간 이상), 움직일 때 통증 심하고 구역·구토 동반
완화법	근육 마사지·진통제 복용	진통제·편두통 치료제(혈관수축제)복용

1-3 두통의 관리

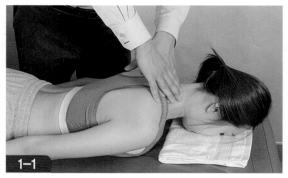

표층조직의 워밍업_
머리와 목의 조직을 쓰다듬고 가볍게 주물러준다.

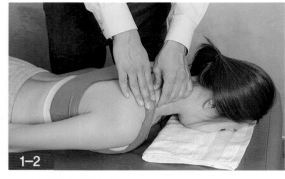

뭉친 부분과 트리거포인트_
승모근 상부의 뭉친 부분과 트리거포인트를 마사지한다.

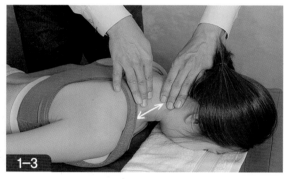

견갑거근_
견갑거근에서 뭉친 부분과 트리거포인트를 누르면서 신전
시키고 강하게 쓰다듬어준다.

흉쇄유돌근_
흉쇄유돌근에서 뭉친 부분과 트리거포인트에 스트리핑
(stripping, 떼어내기)과 꼬집기(pincement)를 이용하여
마사지한다. 유착이 있는 부분에는 마찰법이 효과적이다.

사각근_
뭉친 부분과 트리거포인트에 스트리핑과 압박법을 이용
하여 마사지한다.

> **주의**
> 흉쇄유돌근은 경동맥이나 경정맥과 인접해 있다.
> 그것들에 닿지 않도록 주의한다.

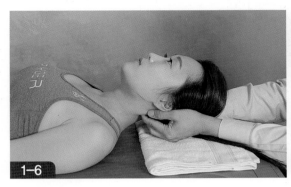

후두하근육군_
후두하근육군에는 압박법과 스트리핑이 효과적이다. 머리와 목의 무게를 저항으로 이용하면 좋다.

스트레치_
관절운동(joint movement)과 스트레치는 근육의 쿨링다운에 도움이 된다.

얼굴 마사지_
마지막으로 얼굴을 마사지하고, 두통이나 코막힘에 관련된 경혈을 눌러준다.

2 DISEASE 안정피로

2-1 안정피로의 원인

안정(pupilla, 동공, 눈동자)피로란 보는 작업(특히 PC 작업 중일 때 근거리 주시)을 과도하게 계속함으로써 눈의 조정기능이 저하되어 안정피로, 안와통, 안구건조, 두중감, 두통, 어깨결림 등의 증상을 보이는 증후군이다.

안정피로의 원인은 크게 분류하면 다음과 같다.

- ◗ 안구의 굴절이상(근시, 노안, 사시 등), 안질환(백내장, 녹내장, 안구건조, 망막증 등) 등의 시각기관에 의한 것
- ◗ 자율신경의 흐트러짐(피로, 수면부족, 스트레스 등), 소화기관장애, 심혈관장애, 신장장애 등의 전신질환 또는 체질에 의한 것
- ◗ 심신증, 신경증 등 정신적·심인적인 것
- ◗ 빛이나 소리의 자극, 화학물질의 자극, 스트레스 등 환경에 의한 것

한의학에서는 눈은 모든 오장육부와 관련되어 있는데, 그중에서 특히 간과 밀접하게 이어져 있다고 본다. 간은 피의 저장과 보급작용을 한다. 간기능이 결핍되어 간혈(肝血)이 부족해지면 눈의 건조, 지각마비, 사고력저하 등의 증상이 나타난다.

한편 '간신동원(肝腎同源)'이라고 알려져 있듯이 신장은 정을 저장하고, 신정(腎精)은 혈액을 화생(化生)시키는 데 중요한 물질이다. 간음허·간혈허·신음이 부족하면 정화혈·혈화정이 잘 이루어지지 않게 되고, 눈의 음혈의 자양이 저하되고, 안정피로증상이 나타난다.

이 병증의 임상표현은 주로 다음과 같은 형태로 나눈다.

- ◗ **간혈허형** : 눈의 피로, 눈이 침침함, 다몽, 건망, 눈의 건조, 시력이 떨어짐 등
- ◗ **간신음허형(肝腎陰虛型)** : 양쪽 눈의 건조, 두중감, 눈의 피로, 눈이 침침함, 현기증, 이명, 두통, 목적, 불면, 무력감 등
- ◗ **간기울결형(肝氣鬱結型)** : 현기증, 이명, 눈의 창통, 심계(心悸)불안, 눈의 피로, 월경통, 월경실조 등

◈ **간양상항형(肝陽上亢型)** : 목적(目赤), 불그레한 얼굴, 화를 잘 낸다, 협늑부 작열, 구갈, 초조함, 수면장애 등

관련경혈 : 찬죽, 정명, 동자료, 사백, 어요, 태양, 태충, 풍지, 신수, 삼음교, 견정(肩井) 등

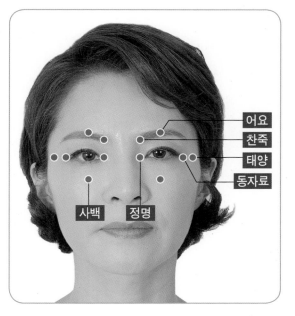

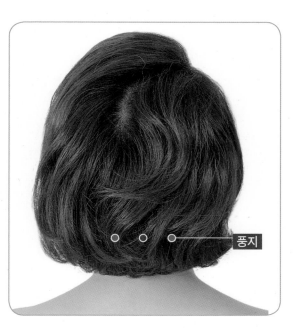

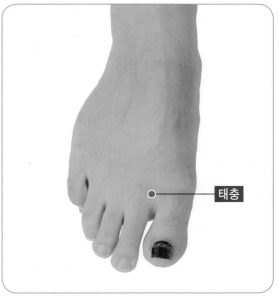

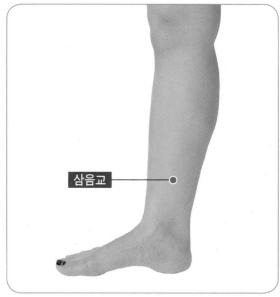

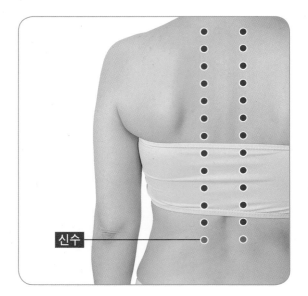

신수

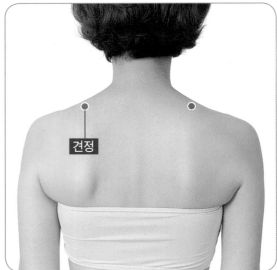

견정

2-2 안정피로의 관리

환자 | 바로 누운 자세

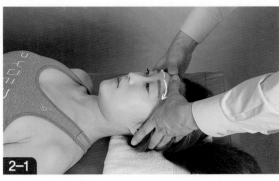

2-1 치료사는 환자의 머리쪽에 앉아 양쪽 엄지안쪽으로 앞머리쪽 독맥 라인을 따라 손가락으로 밀어준다.

2-2 양쪽 엄지와 네손가락으로 이마중앙의 미간 라인 안쪽에서 바깥쪽으로 주물러준다.

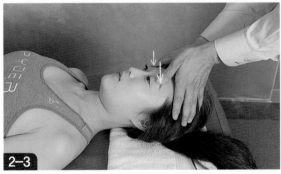

2-3 양쪽 엄지로 눈썹 중앙 위에 있는 어요혈을 가볍게 누른 다음 주물러준다.

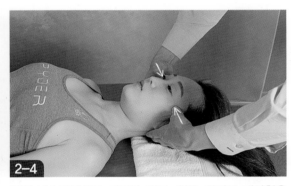

2-4 양쪽 네손가락으로 머리를 짚고, 양쪽 엄지로 태양혈을 누른 상태에서 주물러준다.

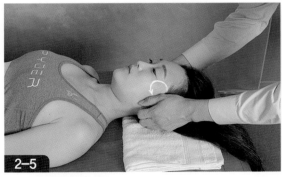

2-5 양쪽 엄지두덩으로 태양혈을 중심으로 원을 그리듯이 주물러준다.

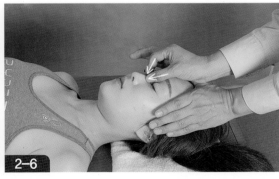

2-6 한 손으로 환자의 머리를 짚고, 정명혈을 다른 손의 엄지·검지 사이에 끼우고 주물러준다.

2-7

양쪽 엄지끝으로 찬죽혈을 누르고, 안륜근의 안쪽에서 가쪽으로 가볍게 주무르면서 누른다.

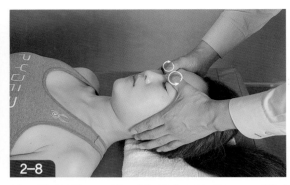

2-8

양쪽 엄지안쪽으로 윗눈꺼풀 위에서 안구쪽으로 가볍게 누른 다음 주물러준다.

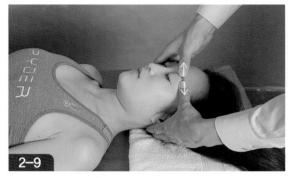

2-9

양쪽 엄지안쪽으로 눈확 위모서리(안륜근)의 중간에서 양쪽으로 가볍게 밀어준다.

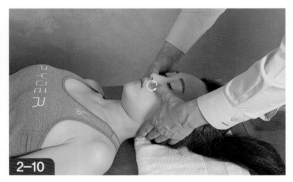

2-10

양쪽 엄지끝으로 얼굴에 있는 사백혈을 누른 다음 주무른다.

2-11

양쪽 네손가락을 귀 아래에 밀착하고, 엄지·검지·중지 안쪽으로 귓불을 주무른 다음 엄지끝으로 귓불 한가운데 있는 눈의 피로에 유효한 반사점을 눌러준다.

2-12

양쪽 손바닥으로 머리를 짚고, 양쪽 중지끝으로 풍지혈을 누르고 네손가락 앞쪽으로 후두골 아래모서리 라인을 주무른다.

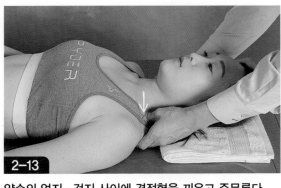

2-13

양손의 엄지 · 검지 사이에 견정혈을 끼우고 주무른다.

2-14

양쪽 엄지와 네손가락 안쪽으로 어깨의 근육군을 끼우고 꽉 쥐었다 놓기를 반복한다.

2-15

환자 앞에 서서 한 손으로 머리옆부분을 지지하고, 다른 손의 엄지안쪽으로 그림의 화살표 방향으로 눈썹 위에서 코를 거쳐 8자로 밀어준다.

증상에 따라 가감

★ 간혈허형……대충, 삼음교, 간수, 격수혈을 가볍게 누른 다음 주무른다.

★ 간신음허형……간수, 행간, 족삼리, 태충, 태계혈을 가볍게 누른 다음 주무른다.

★ 간기울결형……기문, 위수, 풍지, 내관, 양릉천, 행간혈을 누른 다음 주무른다.

★ 간양상항형……풍지, 간수, 신수, 삼음교, 용천혈을 누른 다음 주무른다.

3 DISEASE 안면신경마비 및 3차신경통

3-1 안면신경마비의 원인

안면신경마비는 알코올중독, 세균성감염, 삼복더위를 참지 못하여 선풍기나 에어컨을 켜놓고 잠들거나, 찬이슬을 맞으면서 장시간 잠든 사이에 갑자기 얼굴이 굳어져 말도 못하고 쩔쩔매는 증상이다. 이는 얼굴을 오랜 시간 차게 하거나, 심신에 극심한 피로가 계속될 때 운동신경이 둔화되어 일어나는 증상으로 체내온도와 체표온도에 심한 차이가 생겼을 때 말초신경이 마비되어 일어난다.

한편 눈꺼풀에 경련이 일어나는 듯한 얼굴의 경련은 통증·긴장·피로 등 이외에도 다른 병이 원인이 되어 발생하는 경우도 있다.

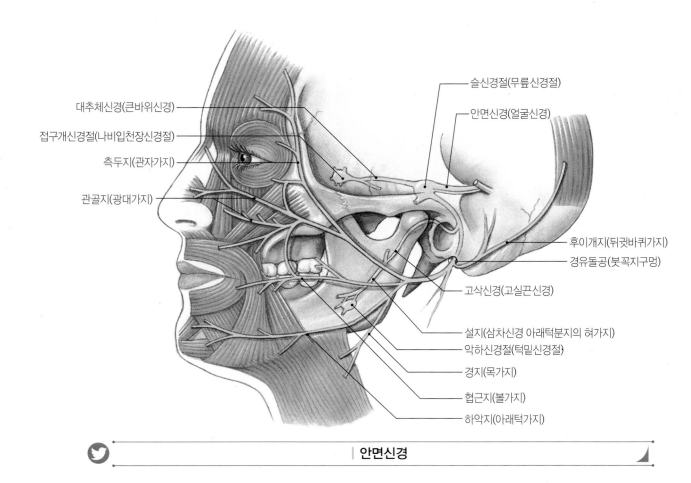

대추체신경(큰바위신경)
접구개신경절(나비입천장신경절)
측두지(관자가지)
관골지(광대가지)
슬신경절(무릎신경절)
안면신경(얼굴신경)
후이개지(뒤귓바퀴가지)
경유돌공(붓꼭지구멍)
고삭신경(고실끈신경)
설지(삼차신경 아래턱분지의 혀가지)
악하신경절(턱밑신경절)
경지(목가지)
협근지(볼가지)
하악지(아래턱가지)

| 안면신경

얼굴의 좌우 중 한쪽의 안면신경에 뒤틀림이나 마비가 돌발적으로 발생한다. 얼굴근육이 경직되어 운동장애가 발생하고, 이마의 주름이 없어지고, 눈꺼풀이 닫히지 않고, 코입술고랑(鼻脣溝)이 얕아지거나 소실되고, 입꼬리(口角)가 늘어지는 현상 등이 특징이다. 그리고 혀 앞쪽 3분의 2의 미각이 저하되고, 이명이나 청력과민 등의 증상도 동반한다.

현대의학에서는 이 증상의 발생원인을 얼굴의 표정근을 지배하는 말초신경의 안면신경이 어떠한 장애를 받아 뇌에서 근육의 수축·이완·표정 만들기와 같은 지령이 집행되지 않게 되었기 때문으로 본다.

증상에 따라 중추성 안면신경마비와 말초성 안면신경마비로 나누어진다. 중추성 안면신경마비는 중추성 마비의 일종으로 단마비, 편마비, 교대성 편마비 등의 형태로 나타나고, 뇌 속의 병변에 의한 것이 많다. 말초성 안면신경마비는 뇌신경영역의 마비 중에서 발생빈도가 가장 높은 것으로 과도한 자극 및 과로, 내분비이상에 의한 말초신경장애를 원인으로 보는 설이 있는 한편, 원인불명의 특발성인 것도 많다.

한의학에서 이 증상을 유중풍(類中風)이라고 하며, 봄과 가을에는 많이 발병하지만 여름에 발병하면 회복하기 어렵다고 알려져 있다. 기혈허약 및 방어력저하에 의하여 풍한 또는 풍열의 사기가 침입하여 얼굴의 경락이 폐쇄되어 근육이 영양을 잃고 입과 눈에 뒤틀림을 일으킨다고 생각한다. 때로는 땀을 흘려서 풍사나 한사를 맞아 이 질환이 일어나는 경우도 있다.

🍎 안면신경마비환자와 중풍환자의 구분방법

안면신경마비환자	중풍환자

안면신경마비(구안와사)환자는 이마의 주름을 잡을 수 없다.
- 간혹 마비쪽의 귀 뒤쪽이 뻐근하게 아픈 경우가 있다.
- 얼굴근육의 마비 이외에는 다른 부위에 마비가 나타나지 않는다.

중풍환자는 안면신경마비환자와는 달리 이마의 주름을 잡을 수 있다.
- 중풍인 경우에는 흔히 팔·다리가 함께 마비되는 현상이 나타난다. 이때 삼키기장애, 발음장애(어둔), 한쪽으로 기울어지는 걸음걸이 이상 등의 증상이 동반된다.

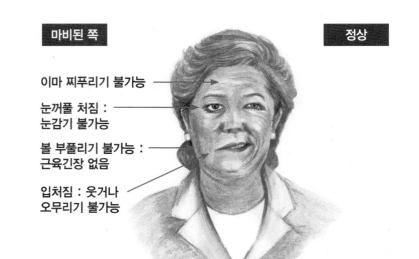

마비된 쪽   정상

이마 찌푸리기 불가능

눈꺼풀 처짐 :
눈감기 불가능

볼 부풀리기 불가능 :
근육긴장 없음

입처짐 : 웃거나
오무리기 불가능

| 벨마비

3-2 3차신경통의 원인

얼굴신경의 분포는 3차로 되어 있는데, 그 첫 번째는 안신경으로 눈을 지배하고, 두 번째는 상악신경으로 위턱을 지배하고, 세 번째는 하악신경으로 아래턱을 지배한다. 이런 신경은 뇌수신경의 제5뇌신경에서 나와서 안신경과 함께 얼굴의 모든 부분을 지배하기 때문에 3차신경이라고 한다.

평상시에는 건강한데 가끔은 발작하는 증상으로 심하게 통증을 일으키는 병이 3차신경통이다. 초기 증상은 얼굴의 한쪽에 그다지 느끼지 못하는 통증이 있을 정도이지만, 심해지면 뺨에서부터 위턱, 이마나 눈 주위, 때로는 후두부에서 어깨까지 넓은 범위에 걸쳐서 찌르는 듯한 통증이 느껴진다.

3차신경통은 안면신경통이라고도 하는데, 이는 주로 중년 여성에게 많다. 처음 증상은 얼굴의 반 정도가 둔통을 느낄 정도이다. 그러나 악화되면 몸을 움직일 때마다 얼굴에서부터 머리 뒤와 어깨까지 칼로 찌르는 듯하거나 불에 타는 듯한 격통이 있고, 입도 마음대로 벌릴 수 없으며, 식사도 할 수 없는 상태까지 이른다. 심한 경우에는 밤잠도 잘 수 없고 신경과민이 되어 쇠약해진다.

그러나 3차신경통은 안면신경마비와는 다소 다른 점이 있다. 안면신경마비는 단순히 안근이 툭툭 뛰는 것과 입이 한쪽으로 비뚤어지는 것이 보통인데, 3차신경통은 입을 벌리거나 눈을 뜰 때에 마음대로 움직여지지 않는 특징이 있다.

3-3 안면신경마비의 관리

환자 | 바로 누운 자세

관련경혈 : 찬죽, 영향, 협거, 지창, 합곡, 외관, 태양, 완골, 상관, 하관 등

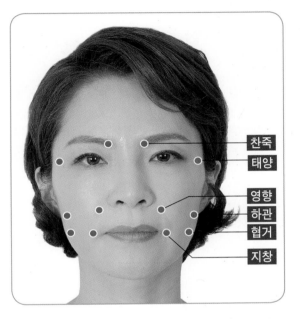

- 찬죽
- 태양
- 영향
- 하관
- 협거
- 지창

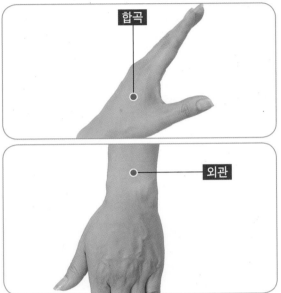

- 합곡
- 외관

- 상관

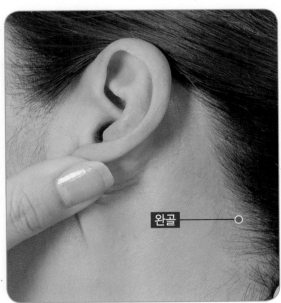

- 완골

3-1-1

치료사는 환자의 머리쪽에 앉아 한 손으로 머리를 잡고, 다른 손의 엄지·검지로 얼굴에 있는 지창혈을 잡고 주무른다.

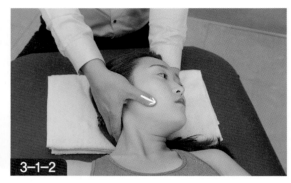

3-1-2

한 손으로 머리를 잡고, 다른 손의 엄지로 얼굴의 아래턱 모서리(하악각)의 앞쪽에 있는 협거혈을 누르고 주물러준다.

3-1-3

이어서 태양혈을 누른다. 그 후 원을 그리듯이 쓰다듬는다.

3-1-4

이어서 유양(꼭지)돌기 뒤쪽의 오목부위에 있는 완골혈을 누르고 주물러준다.

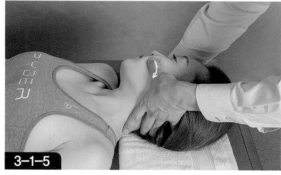

3-1-5

한 손으로 머리를 지지하고, 다른 손의 엄지로 얼굴에 있는 영향혈을 누른 다음, 상악골 라인을 따라 비벼준다.

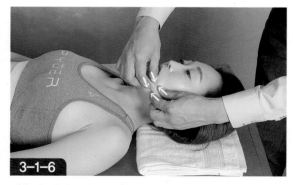

3-1-6

양손의 엄지·검지로 환부를 잡아 들어올리면서 앞으로 미끄러뜨리듯이 쥐었다 놓는다.

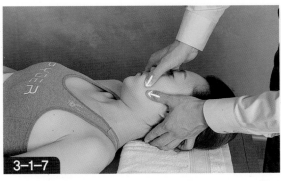

3-1-7

양쪽 네손가락으로 머리를 받치고, 양쪽 엄지끝으로 환부를 누르면서 주물러준다.

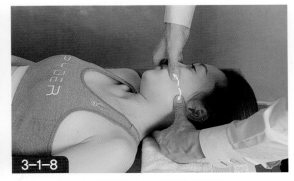

3-1-8

이어서 양쪽 엄지안쪽으로 비비면서 밀어준다.

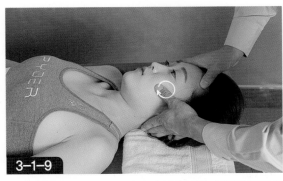

3-1-9

한 손으로 머리를 짚고, 다른 손의 엄지로 협골궁 위모서리에 있는 상관혈과 협골궁 아래에 있는 하관혈을 누른 다음 얼굴의 환부를 쓰다듬는다.

3-1-10

한 손으로 머리를 받치고, 다른 손으로 주먹을 쥐어 중절 골면으로 환부를 비벼준다.

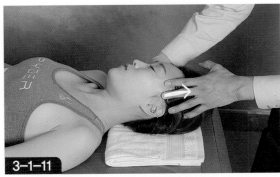

3-1-11

이어서 다른 손 네손가락끝으로 환부에 문지르듯이 비벼준다.

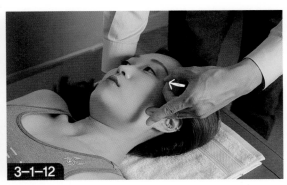

3-1-12

한 손으로 머리를 짚고, 다른 손의 엄지·중지를 겹쳐 손톱면으로 환부를 가볍게 타격한다.

3-1-13

양손 손가락끝으로 환부를 동시에 자극한 다음 번갈아가며 눌러준다.

3-1-14

한 손으로 머리를 받치고, 다른 쪽 아래팔의 척골쪽근육으로 환부 전체를 비벼준다.

3-4 안면신경마비의 운동요법

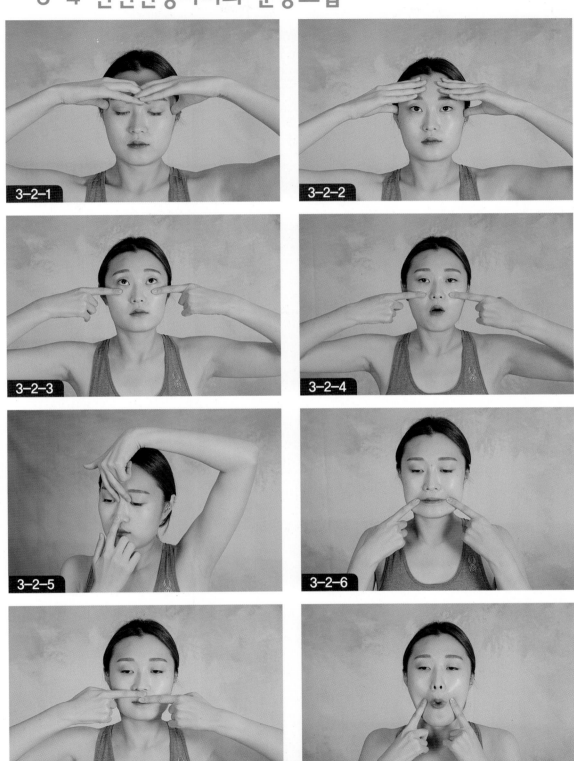

3-2-9

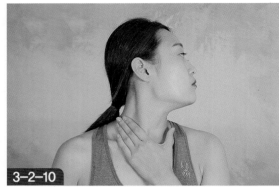

3-2-10

3-5 3차신경통의 관리

관련경혈 : 사백, 거료, 지창, 양백, 찬죽, 정명, 하관, 관료, 협거, 대영, 예풍, 천정 등

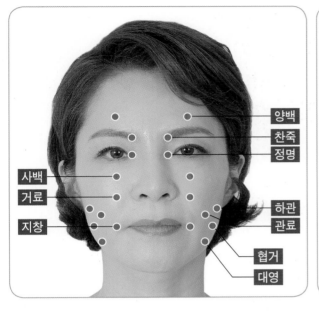

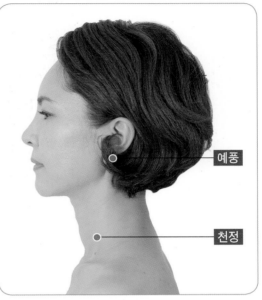

검지 또는 엄지의 볼록한 부분으로 좌우 양백혈을 꾹 누른다. 환자 자신이 혼자서 지압을 해도 좋다. 여기에서 눈안쪽까지의 라인을 잘 누르면서 주무르면 미간→눈→콧날로 이어지는 통증을 완화시킬 수 있다.

검지의 볼록한 부분으로 정명혈을 주무르듯이 누른다. 환자가 혼자서 지압할 때에는 한쪽 손의 엄지와 검지로 코를 잡듯이 누르면 된다. 콧날도 포함하여 눈 주위의 통증을 억제하고 말끔하게 한다.

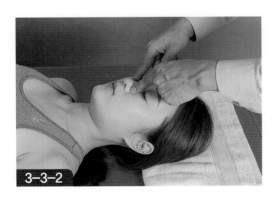

검지의 볼록한 부분으로 좌우 사백혈을
약간 세게 지압하면 뺨의 통증을 완화시키
는 효과가 있다. 이 지압과 함께 뺨 전체와
눈꼬리→귀→입술끝까지 마사지하면, 아
래 눈썹이나 윗입술의 통증도 완화시킬 수
있다.

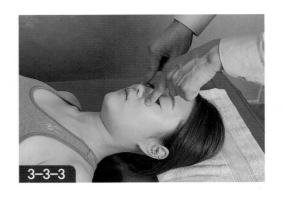

3-3-3

안면마비(안면신경마비, 삼차신경통)

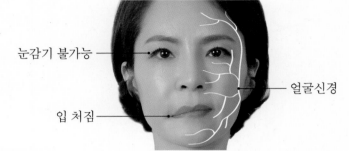

눈감기 불가능

얼굴신경

입 처짐

⫸ 껌씹기, 얼굴을 따뜻하게,
안구 건조 예방하기

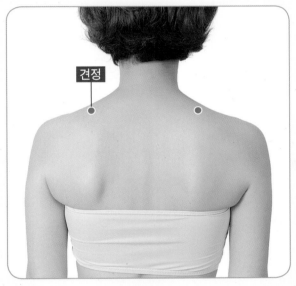

견정

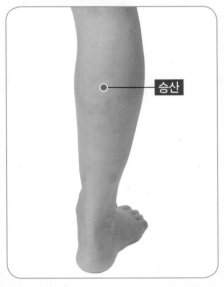

승산

흉쇄유돌근의 트리거포인트는 엄지와 손가락만으로 쉽게 자가치료할 수 있다. 거울을 보면 근육의 두 가지를 볼 수 있을 것이다. 이를 위해 턱을 살짝 밀어 넣는다. 복장뼈에 있는 하나 또는 양쪽 다른 가지의 시작점을 볼 수 있어야 한다.

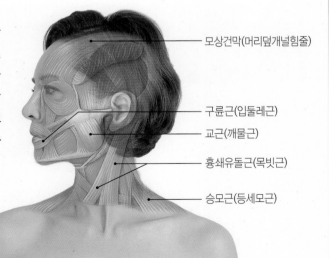

모상건막(머리덮개널힘줄)

구륜근(입둘레근)

교근(깨물근)

흉쇄유돌근(목빗근)

승모근(등세모근)

뇌혈관질환의 진단과 반응

| 미국 : FAST

Ⓕ 얼굴 약화(Facial weakness)

환자에게 웃어보게 한다. 한쪽 얼굴이 쳐지는가?

Ⓐ 팔의 약화(Arm weakness)

환자에게 두 팔을 들어보게 한다. 한 팔이 아래로 떨어지는가?

Ⓢ 언어능력 문제(Speech problems)

환자에게 간단한 문장을 반복하게 한다. 환자가 말을 할 수 없거나, 말하는 것이 이상하거나, 발음이 불분명한가?

Ⓣ 조치 취하기(Time to act)

빨리 움직일 것. 이 중 한 가지 증상이라도 나타난다면 119에 신고한다.

| 한국 : STR

Ⓢ Smile : 웃지 못한다.

Ⓣ Talking : 주제가 다른 말을 한다.

Ⓡ Raise : 팔을 올리지 못한다.

④ DISEASE 경추염좌

4-1 경추염좌의 원인

잠을 잘못 자거나 갑자기 목을 비틀면 삐긋하는 현상은 일상생활에서 자주 보이는 증상이다. 이것은 승모근이나 흉쇄유돌근 등 목덜미부위의 근육이 경련되어 목을 돌리거나 옆으로 굽히는 기능이 제한되는 것이다.

주된 증상은 사소한 동작을 할 때나 기상 시 목에 갑자기 나른한 통증 발생, 회전불능, 근육강직, 목덜미근육군의 과도한 긴장 등이다.

경추염좌가 되면 머리·목부분이 한쪽으로 기운 채 고정된 상태가 되어 아픈 쪽으로 돌릴 수 없고, 움직이면 목과 등부위에 통증이 발생한다. 통증은 가벼운 통증부터 격심한 통증까지 폭넓은데, 특히 목과 어깨의 경계부위를 누르면 통증이 심하다. 목덜미근육의 경련에 의해 경결(단단해지는 것)이 나타나기도 한다.

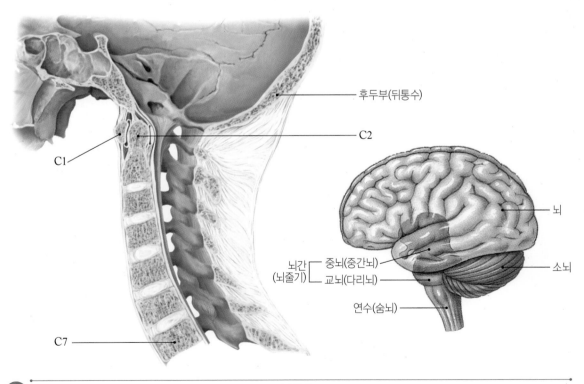

후두부(뒤통수)

C2

C1

뇌

뇌간
(뇌줄기) 중뇌(중간뇌)

교뇌(다리뇌)

소뇌

연수(숨뇌)

C7

4-2 경추염좌의 관리

관련경혈 : 풍지, 견정, 대추, 천종, 견중수 등

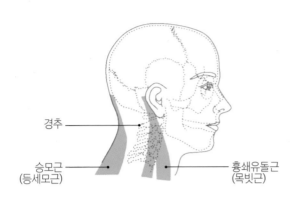

경추

승모근
(등세모근)

흉쇄유돌근
(목빗근)

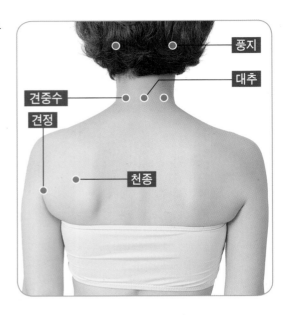

풍지

대추

견중수

견정

천종

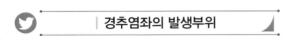

| 경추염좌의 발생부위

4-1-1

치료사는 환자 뒤쪽에 서서 한 손으로 머리 앞쪽을 받치고, 다른 손으로 목 옆쪽 근육 전체를 당기면서 주물러 준다.

4-1-2

한 손으로 머리 앞쪽을 받치고, 다른 손의 엄지·검지로 풍지혈을 누른다.

4-1-3

환자 앞쪽에 서서 한 손으로 머리 앞쪽을 받치고, 다른 손의 엄지·검지 안쪽으로 흉쇄유돌근을 따라 가볍게 주물러준다.

4-1-4

한 손으로 머리 앞쪽을 받치고, 다른 손의 엄지와 네손가락 사이에 흉쇄유돌근을 끼우고 당겼다 놓는다.

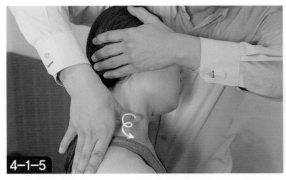

4-1-5

한 손으로 머리를 지지하고, 다른 손의 엄지로 목옆부분의 근육군을 주무른다.

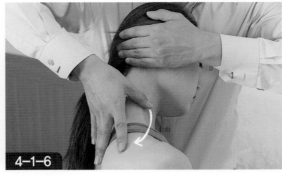

4-1-6

환자 옆쪽에 서서 한 손으로 머리옆부분을 지지하고, 다른 손의 엄지안쪽으로 목옆부분의 근육군을 쓰다듬는다.

4-1-7

한 손으로 머리옆부분을 지지하고, 다른 손으로 어깨에서 목까지 주무른다.

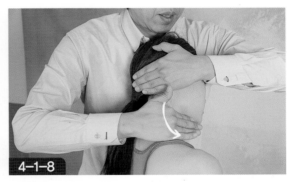

4-1-8

계속해서 다른 손으로 목에서 어깨 사이의 근육군을 쓰다듬는다.

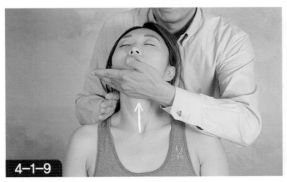

4-1-9

양손으로 뒤통수와 턱을 지지한 채로 목을 위쪽으로 천천히 당겼다 놓는다.

4-1-10

한 손으로 환자의 어깨를, 다른 손으로 머리옆부분을 지지한 채 목근육 전체를 스트레치한다.

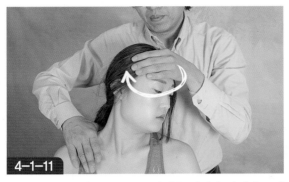

한 손으로 목을, 다른 손으로 머리를 가볍게 지지하고 좌우로 2회씩 회전시킨다.

한 손으로 머리옆부분을 지지하고, 다른 손으로 아래턱을 지지하고 화살표 방향으로 비튼다.

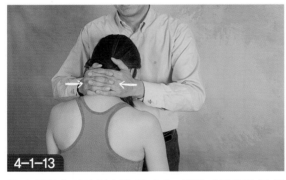

환자 앞쪽에 서서 양손을 깍지끼고 양쪽 손목으로 목 전체를 끼우고 누르면서 당겨준다.

환자 뒤쪽에 서서 양손 손바닥으로 목 양쪽의 근육군을 부드럽게 비벼준다.

한 손으로 목아래쪽을 지지하고, 다른 손은 머리옆부분에 두고 가동범위를 확인한 후에 한 방향으로 비튼다.

양손의 손날로 어깨 · 목부분을 가볍게 두드린다.

4-3 목의 자세와 운동법

(1) 저항운동

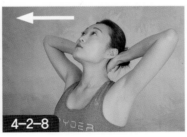

(2) 목운동

돌리기　　　　　옆으로 굽히기　　　　앞으로 굽히기　　　　젖히기

(3) 목 당기기

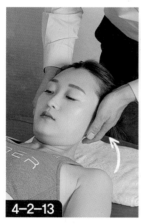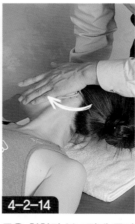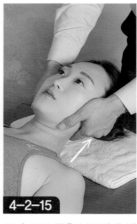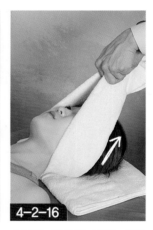

환자의 뒤통수를 양손으로 살짝 들어올려 받쳐준다.

목을 천천히 부드럽게 돌려준다. 왼쪽·오른쪽으로 번갈아가면서 돌려준다.

두 손으로 목을 부드럽게 감싸안고 당긴다. 약 15도 위쪽으로 당기는 것이 효과적이다.

수건을 반으로 접은 다음 뒷머리에 대고 턱을 가볍게 틀게 한 뒤 당겨준다. 처음에는 살짝 당기다가 아픔을 느끼지 않는 범위에서 조금씩 더 힘주어 당긴다.

상경추

　머리와 목을 이어주는 1번과 2번 목뼈를 상경추라 한다. 이곳은 뇌에서 나온 640만조가 넘는 모든 신경들이 통과하는 관문이자 뇌의 가장 아래쪽에 위치한 중요한 생명중추인 뇌간(brain stem)이 위치하는 곳이다.

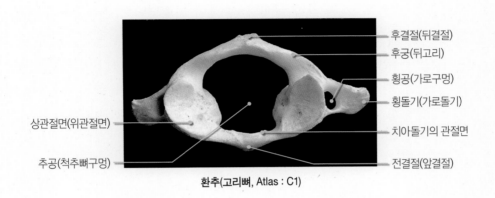

환추(고리뼈, Atlas : C1)

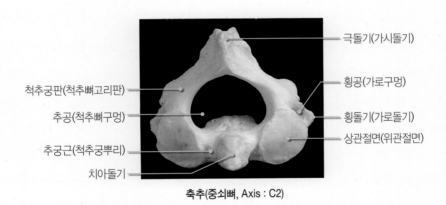

축추(중쇠뼈, Axis : C2)

　상경추가 출산 시의 손상, 교통사고, 각종 외상, 잘못된 자세, 심리적 요인, 턱관절 장애, 만성 알레르기성비염 등의 질환에 의해 아주 작게 어긋나면(subluxation) 뇌간에서 신체 각 부위로 가는 신경이 압박을 받거나 비틀리게 된다. 이 때문에 근육과 혈관에 영향을 미치는 신경의 흐름이 원활하지 못하게 되면서 전체 척추의 자연스런 밸런스가 무너져 신체 여러 부위의 통증이 생긴다. 장기적으로 볼 때 여러 장기와 세포들이 점점 정상적이지 않게 되고 장부의 기능이 약해져 질병에 걸리기 쉽게 된다.

5 DISEASE 경추디스크

5-1 경추디스크의 원인

경추디스크는 경추추간판의 퇴행변성에 의하여 발생하는데, 특징적인 증상은 목의 통증, 근육경직, 팔동통, 저린 감각 등이다. 증상이 진행되면 경추추간판의 변성·정렬이상·추골골극 형성, 경추관협착·추간공협착 등이 발생하고, 척수·신경근·추골동맥·교감신경에 대한 자극이나 압박을 일으킨다. 증상이 많고 원인이 복잡하다는 점에서 경추디스크는 '경추증후군'이나 '경추종합증'이라고도 불리며, 한의학에서는 비증(痺症), 두경통(頭頸痛), 현훈(眩暈) 등의 범주에 귀속시켜 치료하게 된다.

- ⫸ 경추 1번과 3번은 얼굴신경과 시신경 및 뇌간이 연관되어 있다. 얼굴경련, 시력저하 등이 동반된다.
- ⫸ 경추 4번에서 7번에 증상이 생기면 팔의 근육힘이 빠지거나 저림현상이 동반된다.
- ⫸ 목 양쪽의 근육과 상완신경총을 풀어주면서 관리해야 한다.

경추디스크는 발증의 원인 및 부위에 따라 다음과 같은 증상이 나타난다.
- ⫸ **신경근압박** : 운동 시 목의 통증, 가동범위제한, 팔의 방산통·저림·무력감, 엄지두덩이나 새끼두덩의 위축 등
- ⫸ **척수 자극** : 손가락 전체의 감각둔마·저림, 팔의 운동기능상실, 다리의 운동장애나 보행곤란 등
- ⫸ **추골동맥압박** : 운동 시 머리나 목의 통증, 두통, 어지럼증(현훈), 이명 등
- ⫸ **교감신경자극** : 운동 시 머리나 목의 통증, 목의 중압감, 심계항진(두근거림), 토기(吐氣, 욕지기), 위장실조, 자율신경실조 등

5-2 경추디스크의 관리

관련경혈 : 합곡, 양계, 양곡, 곡지, 소해, 천정, 결분, 풍지, 태양, 신정, 인당 등

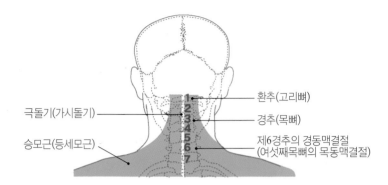

환추(고리뼈)

극돌기(가시돌기)

경추(목뼈)

승모근(등세모근)

제6경추의 경동맥결절
(여섯째목뼈의 목동맥결절)

| 경추디스크의 발생부위

환자 | 앉은 자세

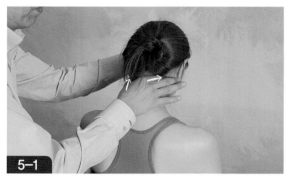

5-1

치료사는 환자 옆에 서서 한 손으로 머리를 지지하고, 다른 손의 엄지·검지로 후두골 아래모서리에 있는 풍지혈을 천천히 2·3회 누르면서 주물러준다.

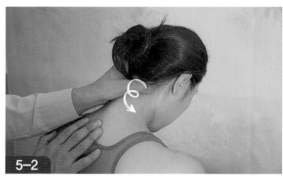

5-2

한 손으로 환자의 머리를 지지하고, 다른 손으로 풍지혈을 주물러준 다음 양쪽 목근육군을 꽉 쥐었다 놓는다.

5-3

환자 뒤쪽에 서서 한 손으로 어깨를 지지하고, 다른 손의 엄지두덩으로 경추 옆부분의 근육군을 누른다.

5-4

환자 옆에 서서 양쪽 손가락으로 경추 양쪽의 근육군을 반복하여 주물러준다. 그 후 양손의 엄지와 검지를 겹쳐 위쪽에서 아래쪽으로 같은 근육군을 눌러준다.

5-5

양쪽 네손가락으로 목 옆쪽을 지지하고, 양쪽 엄지로 경반극근이나 경판상근의 라인을 따라 번갈아 가볍게 눌러준다.

5-6

양손으로 환자의 머리를 지지하고, 다른 손의 네손가락은 목을 지지하고, 엄지끝으로 경추관절 사이를 순서대로 가볍게 누르면서 머리를 젖혀준다.

5-7

한 손으로 머리를, 다른 손의 엄지안쪽으로 목 옆쪽을 지지하고, 목 옆부분의 근육군라인을 따라 누르면서 머리를 옆으로 굽혀준다.

5-8

환자 뒤쪽에 서서 한 손으로 어깨를 지지하고, 머리를 건강한 쪽으로 향하게 하고, 다른 손 엄지를 굽혀 아픈 극돌기에 둔다.

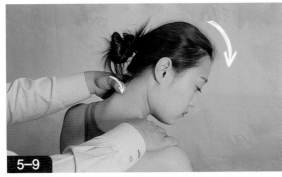

5-9

아픈 쪽의 극돌기에 둔 엄지를 천천히 펴면서 목의 근육군을 밀어주면서 환자에게 머리를 아픈 쪽으로 돌리게 한다.

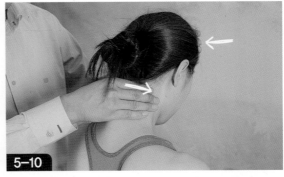

5-10

환자 옆에 서서 한 손의 손가락으로 목뒷부분을 지지하고, 다른 손 손바닥을 두정부에 대고 목을 앞으로 굽혀준다.

5-11

이어서 머리를 젖히면서 손으로 목을 끼우듯이 잡고 앞으로 움직여준다.

5-12

환자 뒤에 서서 양손으로 머리옆부분을 짚고 위쪽으로 당긴 후 천천히 좌우로 돌려준다.

5-13

양손 손가락으로 아래턱과 뒤통수를 지지하여 당기면서 조금 앞으로 펴준다. 당길 때 손가락으로 목을 압박하지 않도록 주의한다.

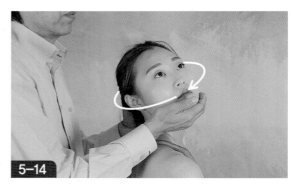

5-14

환자 옆에 서서 한 손으로 뒤통수를, 다른 손으로 아래턱을 지지하고, 머리를 조금 젖혀 가볍게 당긴 후 좌우로 천천히 회전시킨다.

5-15

한쪽 팔로 아래턱을, 다른 팔로 머리와 목을 지지하고, 위 팔과 가슴에 얼굴을 얹듯이 감싸안고 위쪽으로 당겨준다.

5-16

환자 뒤에 서서 한 손으로 머리옆부분을 지지하고, 다른 손 엄지를 극돌기부의 관절에 대고 비튼다.

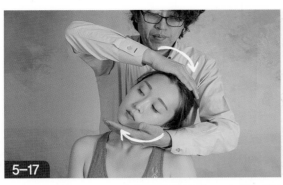

5-17

한 손은 아래턱에, 다른 손은 두정부에 대고 머리를 좌우로 회전시킨 후 동시에 한 방향으로 비튼다.

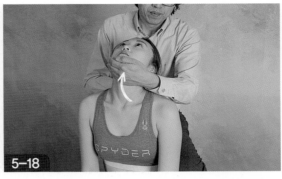

5-18

치료사의 무릎으로 환자의 옆구리를 지지하고, 양손으로 뒤통수와 아래턱을 잡고, 목을 위쪽으로 천천히 당기면서 조금 앞으로 늘려준다.

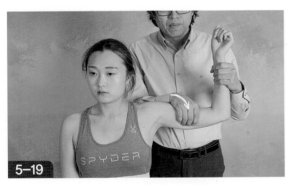

5-19

환자 옆에 서서 한 손으로 환자의 아래팔을 잡고, 다른 손의 네손가락끝으로 위팔 안쪽의 신경총을 튕겨준다.

환자 | 바로 누운 자세

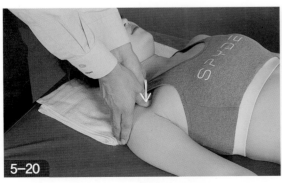

5-20

환자 옆에 서서 양손 엄지를 겹쳐 쇄골하와의 가쪽에 있는 중부혈을 누른다. 팔에 저림이나 위축이 있을 때 많이 실시한다.

5-21

한 손으로 손목을 잡고 다른 손의 엄지로 주와횡문(팔오금가로주름) 가쪽끝의 오목부위에 있는 곡지혈을 눌러준다. 그다음 같은 혈을 엄지로 가볍게 누르면서 아래팔을 돌려주고 굽혔다폈다 한다.

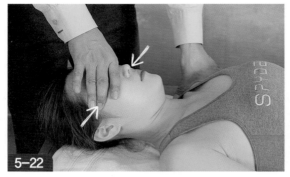

한 손으로 어깨를 가볍게 짚고, 다른 손의 엄지·중지로 외안각 뒤의 오목부위에 있는 태양혈을 누른 후 주물러 준다.

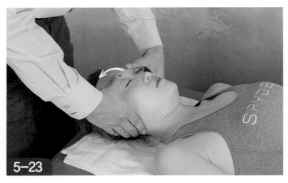

양손 엄지끝으로 가볍게 미간 중앙부에 있는 인당혈부터 이마 정중선상 전발제 뒤쪽에 있는 신정혈까지 독맥을 따라 밀어준다.

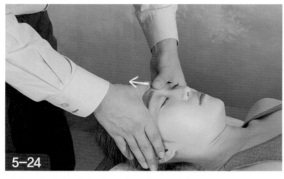

양손 엄지안쪽(엄지두덩)으로 이마의 인당혈에서 신정 혈 사이의 독맥을 따라 번갈아 손가락으로 누르면서 밀 어준다.

환자 머리쪽에 앉아 양손으로 뒤통수와 아래턱을 지지하 고, 목을 위쪽으로 천천히 당긴 후 천천히 되돌려준다.

한 손으로 뒤통수를 지지하고, 다른 손으로 목의 근육군 을 주무른다. 그 후 엄지와 네손가락 사이에 극돌기 양쪽 을 가볍게 끼고 밀어준다.

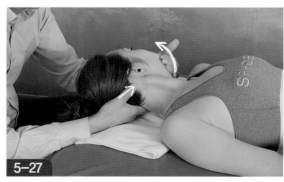

양손으로 뒤통수와 아래턱을 지지하고 목을 위쪽으로 당 기면서 한 방향으로 비튼다.

견갑골 안쪽

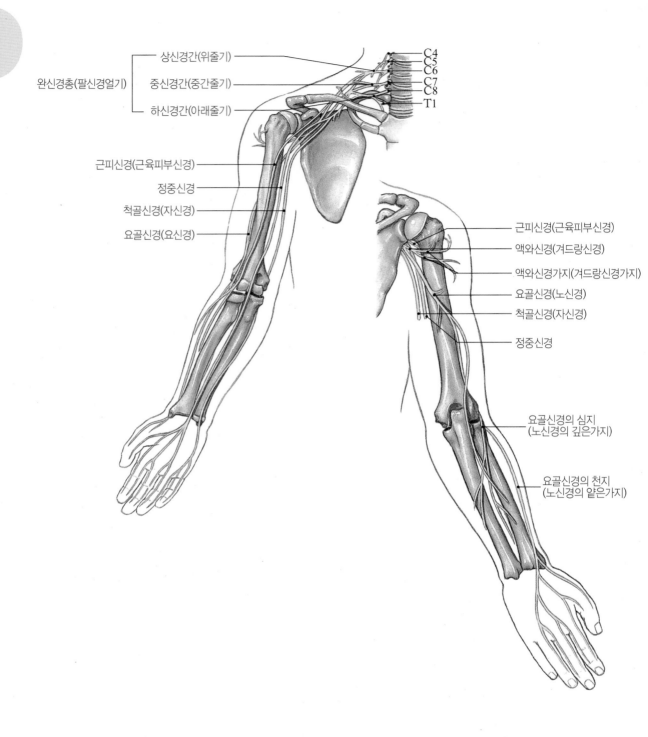

상신경간(위줄기)

완신경총(팔신경얼기)　　중신경간(중간줄기)

하신경간(아래줄기)

C4
C5
C6
C7
C8
T1

근피신경(근육피부신경)

정중신경

척골신경(자신경)

요골신경(요신경)

근피신경(근육피부신경)

액와신경(겨드랑신경)

액와신경가지(겨드랑신경가지)

요골신경(노신경)

척골신경(자신경)

정중신경

요골신경의 심지
(노신경의 깊은가지)

요골신경의 천지
(노신경의 얕은가지)

상완신경

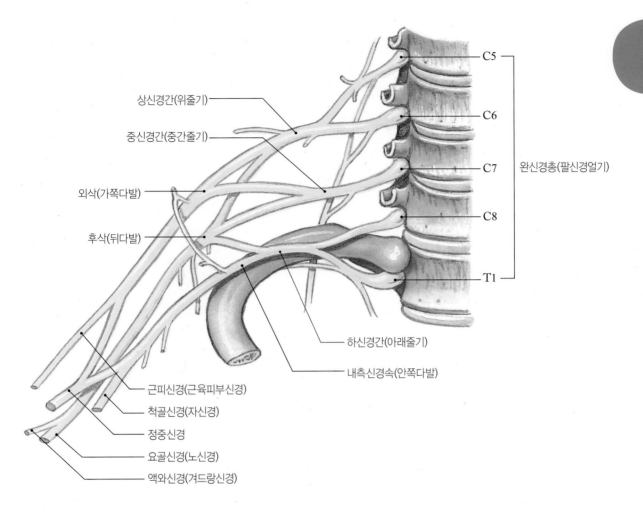

상신경간(위줄기)

중신경간(중간줄기)

외삭(가쪽다발)

후삭(뒤다발)

근피신경(근육피부신경)

척골신경(자신경)

정중신경

요골신경(노신경)

액와신경(겨드랑신경)

C5

C6

C7

C8

T1

완신경총(팔신경얼기)

하신경간(아래줄기)

내측신경속(안쪽다발)

| 상완신경총

6 DISEASE 악관절장애

6-1 악관절장애의 원인

악관절(temporomandibular joint, 턱관절)장애는 측두골과 하악골(턱) 사이에 있는 관절의 기능이상을 나타내는 일반적인 단어이다. 의사들은 이 관절에 관련된 증상, 근육·골격의 기능이상, 일반적 징후 등을 총칭하여 이 용어로 나타낸다.

이 관절에는 독특한 특징이 있어서 관절 주위에 여러 문제가 발생하기 쉽다. 악관절은 진짜 경첩관절이 아니다. 이 관절은 상하, 전후, 좌우 어느 쪽으로도 움직일 수 있다. 이러한 넓은 가동범위가 관절이 손상되거나 반복사용으로 인한 장애를 일으키기 쉬운 원인이다. 게다가 외측익돌근이 직접 이 관절의 관절원판과 이어져 있는 독특한 구조를 하고 있다.

턱을 움직일 때 악관절에 직접 영향을 주는 근육은 측두근, 교근, 외측 및 내측익돌근, 악이복근의 5개이다. 측두근은 주로 하악골의 뒤쪽 및 위쪽 이동을 돕고, 음식물을 씹거나 말할 때에도 항상 사용된다. 교근은 하악골의 위쪽과 앞쪽 이동을 돕는데, 교근의 깊은갈래는 하악골이 뒤쪽으로 이동하는 것을 돕는다. 이러한 두 개의 근육은 쉽게 만져지며, 턱과 관자놀이 주변의 통증에 관련된다.

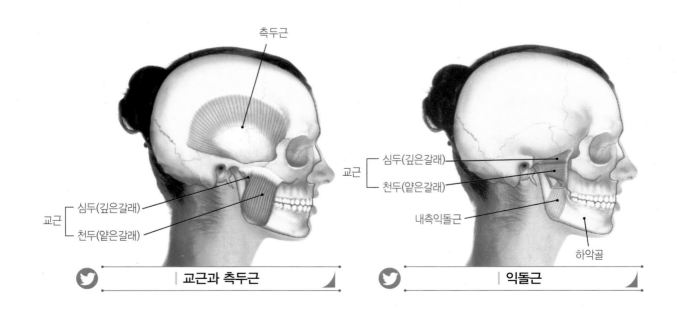

측두근

교근 ⎧ 심두(깊은갈래)
     ⎩ 천두(얕은갈래)

교근 ⎧ 심두(깊은갈래)
     ⎩ 천두(얕은갈래)

내측익돌근

하악골

| 교근과 측두근 | 익돌근 |

뇌혈관질환의 진단과 반응

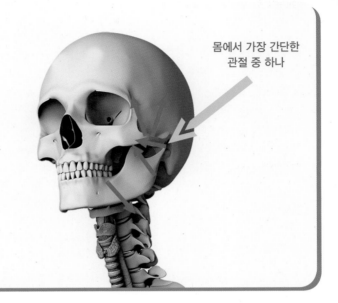

몸에서 가장 간단한
관절 중 하나

악관절장애는 턱의 과도한 사용, 식사습관, 부정교합, 턱을 괴는 습관, 불량한 수면자세, 잘못된 습관, 스트레스로 인한 근육 긴장으로 이를 꽉 무는 습관 등으로 목뼈(경추)의 틀어짐과 척추측만, 두통 등 여러 증상을 유발할 수 있다.

외측익돌근은 악관절의 통증과 기능이상에 가장 직접적으로 영향을 미친다. 이 근육은 하악경(턱뼈목)에 부착되어 관절원판에 직접 부착된다. 이 근육은 하악골의 앞쪽과 좌우 움직임을 돕는다. 얼굴의 근골격 구성상 이 근육을 수기치료하기 위해서는 입안에서 만지는 테크닉이 가장 효과적이다. 내측익돌근은 하악골의 위쪽·앞쪽·좌우 움직임을 돕는다. 이 근육도 입안에서 가장 만지기 쉬우나, 하악골각 속면의 부착부는 외측의 피부표면에서 만질 수 있다.

악관절장애는 발생원인이 다양하므로 환자의 주치의와 상담한 후에 수기치료 계획을 세우는 것이 바람직하다. 반복적인 사용, 계속적인 수축, 자세 등을 제외한 여러 요인이 이러한 근육군의 기능에 영향을 주고 턱의 통증·교합이상·관절연골의 아탈구 등을 일으키기도 한다. 환자가 경험하고 있는 것이 이러한 증상이라고 하여도 반드시 의사의 진단을 받게 해야 한다. 그런 후에 불쾌감이 치아교정 때문이거나 이상한 조직의 증식 및 뼈의 형성 때문인 경우, 의사가 특별한 치료계획을 세운 경우 등에는 수기치료를 하지 않는 것이 좋다.

🍎 악관절장애의 징후와 증상

입맛다심

관절가동범위(ROM) 축소

근육긴장

이갈이

교경(咬痙, lock-jaw, trismus, 개구불능)

개구장애

저작 및 하품에 동반된 통증

두통

6-2 악관절장애의 관리

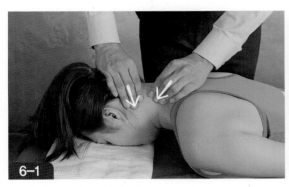

머리와 목조직의 워밍업_
머리와 목의 주변조직을 워밍업한다.

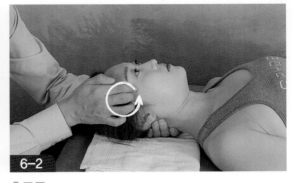

측두근_
측두근에서 뭉친 부분과 트리거포인트를 마사지한다. 시
작부에서 정지부까지 원을 그리는 고타법과 스트리핑을
실시하고 정지부를 쓰다듬는다.

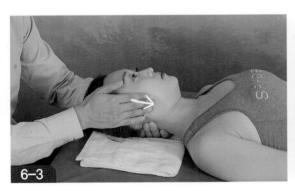

교근_
압박법, 스트리핑, 고타법으로 교근을 완화시킨 다음 뭉
친 부분을 마사지한다.

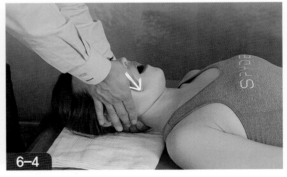

외측익돌근_
외측익돌근의 트리거포인트를 마사지한다. 환자에게 통
증의 허용범위 내에서 입을 벌렸다 닫게 하여 스스로 이
완하게 한다.

> ### 주의
> 외측익돌근의 트리거포인트는 극단적으로 민감한
> 경우가 있다. 통증의 허용범위를 넘지 않도록 하고,
> 압력의 강도는 환자 스스로 결정하게 한다.

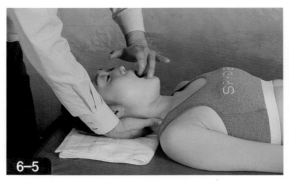

6-5

내측익돌근_
내측익돌근의 트리거포인트를 마사지한다. 환자에게 통증의 허용범위 내에서 입을 벌렸다 닫게 하여 스스로 이완하게 한다.

6-6

신연(관절을 떼어놓는 테크닉, distraction)과 근막 테크닉
악관절(턱관절)에 근막 스트레치와 신연을 실시한다.

주의
내측익돌근의 트리거포인트는 극단적으로 민감한 경우가 있다. 통증의 허용범위를 넘지 않도록 하고, 압력의 강도는 환자 스스로 결정하게 한다.

2

어깨와 위팔 및 가슴의 구조와
질환별 관리

⊙ 어깨와 견갑대의 개요

어깨는 근육·뼈조직·인대 등으로 구성된 복잡한 부위이다. 이 부위는 가동범위가 넓기 때문에 손상 및 반복적인 사용에 의한 외상, 근육파열, 피로 등이 발생하기 쉽다.

견갑대(shoulder girdle, pectoral girdle, 팔이음뼈)란 팔이 흉쇄관절에 의하여 몸통과 연결된 부분이다.

견갑대손상은 대부분 근육, 힘줄, 인대 중 하나가 손상되어 발생한다. 견갑대손상은 스포츠선수에게 흔한 것이었으나, 최근에는 연령증가에 따른 손상으로 일반인에게도 많다.

견갑대에는 3개의 주요관절과 1개의 관절모양 구조가 있다.

- ◍▶ 흉쇄(sternoclavicular)관절(복장빗장관절)은 그것들 중에서 가장 안정되고 강하며, 손상되는 경우가 드물다. 이 관절이 손상되었다면 그 이전에 쇄골이 골절되거나 견쇄관절이 손상된 것이 보통이다.
- ◍▶ 견쇄(acromioclavicular)관절(견봉쇄골관절)은 쇄골의 가쪽끝을 견갑골의 견봉돌기와 연결된다. 이 관절은 관절주머니가 약하고, 2개의 인대로 매달린 상태에서 위치가 유지된다.
- ◍▶ 견갑상완관절(어깨위팔관절)은 일반적으로 '어깨관절'이라고 불리는 구관절이다. 이 관절의 얕은 관절면은 관절낭과 여러 개의 인대로 연결되어 있다. 이 관절도 이러한 구조 때문에 손상되기 쉽다.
- ◍▶ 견갑늑골관절(어깨갈비관절)은 진짜관절은 아니지만, 견갑골과 늑골 사이의 움직임을 설명하기 위하여 이 용어를 사용한다. 이곳은 어깨를 안정시키면서 견갑대의 넓은 가동범위를 유지하는 데 도움을 주는 중요한 부위이다.

⊙ 어깨의 뼈

어깨는 3개의 주요한 뼈(쇄골/clavicle, 견갑골/scapula, 상완골/humerus)가 연결된 부위이다. 상완골두의 구(球)부와 견갑골의 절구(소켓)에 의해 견갑상완관절이 이루어진다.

견갑골은 쇄골(빗장뼈)과 견봉쇄골(봉우리빗장)관절(견봉과 쇄골이 만나는 관절)로, 통상적으로 견쇄관절(acromioclavicular joint, A-C관절이라고도 함)·봉우리빗장관절에 의해 연결되어 있다. 이들 2개의 주요한 관절에 덧붙여 쇄골과 흉골을 연결하는 흉쇄관절(복장빗장관절)이라는 작은 관절도 있다.

어깨의 뼈는 비교적 약한 인대에 의해 연결되어 있기 때문에 근력을 향상시켜 안정성을 높이는 것이 중요하다.

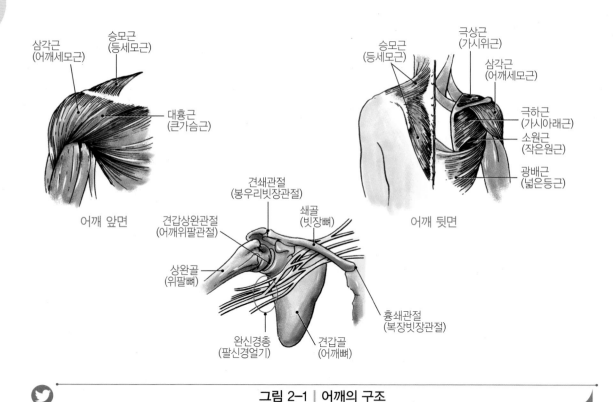

그림 2-1 | 어깨의 구조

⊙ 어깨의 관절

어깨는 흉쇄관절, 흉골견갑관절, 견봉쇄골관절, 관절상완관절(오목위팔관절) 등의 상호작용으로 움직인다.

앞면

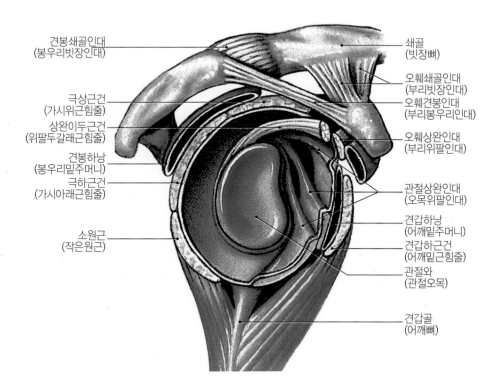

견봉쇄골인대
(봉우리빗장인대)

오훼견봉인대
(부리봉우리인대)

견봉하낭
(봉우리밑주머니)

극상근건
(가시위근힘줄)

삼각근하낭
(세모근밑주머니)

견갑하근건
(어깨밑근힘줄)

상완이두근건
(위팔두갈래근힘줄)

오훼쇄골인대
(부리빗장인대)

오훼돌기
(부리돌기)

오훼하낭
(부리밑주머니)

오훼상완인대
(부리위팔인대)

관절상완인대
(오목위팔인대)

견갑하낭
(어깨밑주머니)

견갑골
(어깨뼈)

가쪽면

견봉쇄골인대
(봉우리빗장인대)

극상근건
(가시위근힘줄)

상완이두근건
(위팔두갈래근힘줄)

견봉하낭
(봉우리밑주머니)

극하근건
(가시아래근힘줄)

소원근
(작은원근)

쇄골
(빗장뼈)

오훼쇄골인대
(부리빗장인대)

오훼견봉인대
(부리봉우리인대)

오훼상완인대
(부리위팔인대)

관절상완인대
(오목위팔인대)

견갑하낭
(어깨밑주머니)

견갑하근건
(어깨밑근힘줄)

관절와
(관절오목)

견갑골
(어깨뼈)

그림 2-2 | 어깨의 인대와 건

어깨와 위팔 및 가슴의 구조와 질환별 관리

2

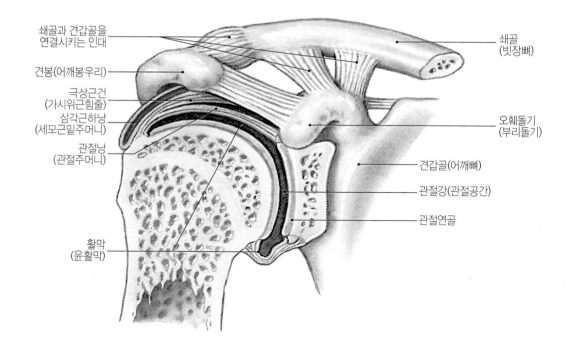

쇄골과 견갑골을
연결시키는 인대

견봉(어깨봉우리)

극상근건
(가시위근힘줄)

삼각근하낭
(세모근밑주머니)

관절낭
(관절주머니)

활막
(윤활막)

쇄골
(빗장뼈)

오훼돌기
(부리돌기)

견갑골(어깨뼈)

관절강(관절공간)

관절연골

그림 2-3 | 어깨의 인대와 관절(수직단면)

흉쇄관절

흉쇄관절(sternoclavicular joint, 복장빗장관절)은 쇄골(빗장뼈) 안쪽에서 흉골(복장뼈)과 관절을 이룬다. 이 관절은 팔에서 유일하게 몸통과 직접 연결되어 있다. 팔의 큰 운동을 감당해야 하므로 관절이 안정될 필요가 있다. 흉쇄관절은 굵은 인대, 관절원판, 관절낭 등이 지지하고 있다. 이 부위에서는 흉쇄관절의 탈구보다는 쇄골의 골절이 잘 일어난다.

흉쇄관절은 안장관절이며, 볼록한 모양과 오목한 모양의 관절면이 있다. 이 구조에 의해 쇄골은 올리기와 내리기, 내밀기와 들이기, 축회전운동 등을 한다. 기본적으로 상지대(견갑골과 쇄골 등)의 모든 운동에는 흉쇄관절이 관여한다. 그러므로 흉쇄관절이 유착되면 쇄골과 견갑골의 운동이 제한되어 어깨 전체의 운동이 제한된다.

관절면

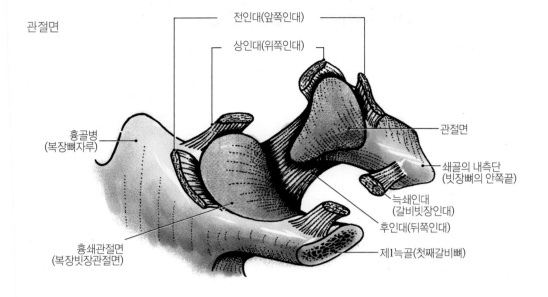

전인대(앞쪽인대)

상인대(위쪽인대)

흉골병
(복장뼈자루)

관절면

쇄골의 내측단
(빗장뼈의 안쪽끝)

늑쇄인대
(갈비빗장인대)

후인대(뒤쪽인대)

흉쇄관절면
(복장빗장관절면)

제1늑골(첫째갈비뼈)

이마면

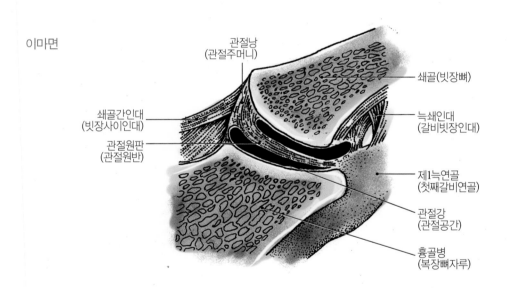

관절낭
(관절주머니)

쇄골간인대
(빗장사이인대)

관절원판
(관절원반)

쇄골(빗장뼈)

늑쇄인대
(갈비빗장인대)

제1늑연골
(첫째갈비연골)

관절강
(관절공간)

흉골병
(복장뼈자루)

그림 2-4 | 흉쇄관절

2

흉골견갑관절

흉골견갑관절(sternoscapular joint, 복장어깨관절)은 흉곽(가슴우리) 뒷벽과 견갑골 앞면이 닿는 부위이다. 흉골견갑관절의 운동은 흉곽 뒷벽을 이동하는 견갑골의 움직임을 나타낸다. 흉골견갑관절의 기본적인 운동과 위치는 어깨의 기본적인 기능에 꼭 필요하다.

흉골견갑관절의 운동은 올리기와 내리기, 내밀기와 들이기, 위쪽돌리기와 아래쪽돌리기이다. 모든 운동은 어깨부위를 이루는 다른 세 개 관절의 운동에도 관련된다.

견봉쇄골관절

견봉쇄골관절(acromioclavicular joint, 봉우리빗장관절, 견쇄관절)은 활주관절(arthrodial articulation, 전동관절) 혹은 평면관절로, 쇄골의 가쪽과 견갑골의 봉우리로 이루어진다. 견봉쇄골관절은 쇄골가쪽끝에서 견갑골에 닿고, 견갑골과 상완골의 운동에 관여한다. 견봉쇄골관절에는 강한 힘이 가해지기 때문에 몇 개의 인대가 관절을 안정시키고 있다.

견봉쇄골관절은 어깨관절의 일부를 구성하고, 팔의 무게에 따른 견봉의 가쪽아래 견

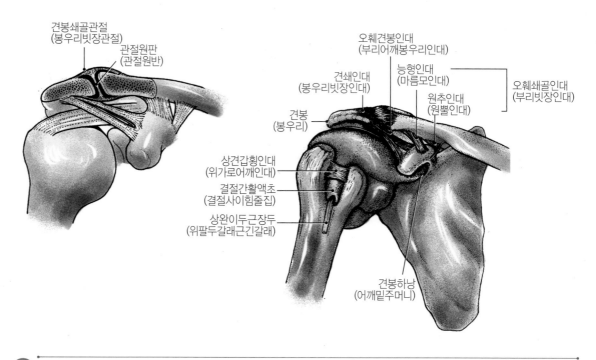

그림 2-5 | 견봉쇄골관절(견쇄관절)

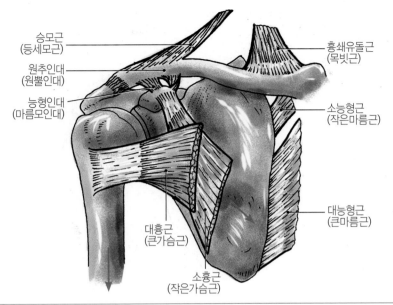

승모근
(등세모근)

원추인대
(원뿔인대)

능형인대
(마름모인대)

흉쇄유돌근
(목빗근)

소능형근
(작은마름근)

대능형근
(큰마름근)

대흉근
(큰가슴근)

소흉근
(작은가슴근)

그림 2-6 | 견봉쇄골관절에 작용하는 근육

인, 소흉근(pectoralis minor m.), 대·소능형근(rhomboid major/minor m.), 승모근(trapezius m.)중하부섬유 등에 따른 견갑골안쪽아래 견인, 더욱이 흉쇄유돌근(sternocleidomastoid m.), 승모근상부섬유 등에 따른 쇄골안쪽위 견인 등의 작용을 받고 있는 불안정한 관절이다. 그 때문에 한 번 탈구되면 교정자세의 유지가 곤란하다.

견봉쇄골관절은 위쪽돌리기와 아래쪽돌리기, 수평면에서 돌리기, 시상면에서 돌리기 등 세 가지 운동을 한다. 이 관절의 운동범위는 좁지만 견갑골과 상완골 사이의 미세조정에 중요한 역할을 한다. 또한 견갑골이 흉곽 뒷벽에 단단히 접촉되도록 돕기도 한다.

관절상완관절

관절상완관절(glenohumeral joint, 오목위팔관절)은 어깨뼈의 관절와에서 상완골두와 관절을 이룬다. 상완골두는 큰 반구모양이며, 관절와는 비교적 편평하다.

이 관절은 세 가지 운동면에서 가동범위는 넓지만 안정성은 높지 않다. 이 관절의 인대와 관절낭은 비교적 얇고, 보조적으로만 관절을 안정시킬 수 있다. 이 관절을 안정시키는 힘은 주로 주위의 근육조직, 특히 회전근개(rotator cuff, 돌림근띠)로부터 얻는다.

관절상완관절은 구상관절로, 주요한 운동은 벌리기, 모으기, 굽히기, 펴기, 안쪽돌리기, 가쪽돌리기이다. 수평벌리기와 수평모으기라는 용어는 어깨의 특별한 움직임을 표현할 때 사용한다.

⊙ 어깨와 위팔 및 가슴부위의 근육

견갑골과 관절은 실제로는 주위의 근육만큼 중요하지 않다. 예를 들면 구상관절이라는 견갑상완관절(scapulohumeral joint)은 뼈와 같은 안정성을 가지고 있지 않아서 복잡한 기능과 마찬가지로 안정성도 주위의 근육에 완전히 의존하고 있다. 어깨의 근육이 손상되면 관절은 통상적으로 상완골두의 구(球)부가 소켓인 절구에서 벗어나 내려가는 아랫방향탈구(변위)가 일어나게 된다.

목부분과 몸통에서 시작하는 4개의 강한 근육(삼각근/deltoid m., 승모근/trapezius m., 대흉근/pectoralis major m., 광배근/latissimus dorsi m.)은 어깨에서 팔을 들어올리고 던지는 동작을 가능하게 한다.

다른 4개의 작은 근육군(견갑하근/subscapular m., 극상근/supraspinatus m., 극하근/infraspinatus m., 소원근/teres minor m.)은 회전근개의 구성근육으로 알려져 있으며, 골두(뼈머리)를 절구에 확실히 고정시키는 특별한 역할을 수행한다. 회전근개의 근육이 상해를 입으면 어깨의 기능을 약화시킨다.

어깨근육을 움직이려면 완신경총이라는 복잡한 신경다발을 통해 명령을 내려야 한다. 이 신경다발은 5개의 굵은 신경(제5·6·7·8경신경/cervical nerve과 제1흉신경/first thoracic nerve)에서 시작되어 여러 개의 어깨근육에 많은 미세신경을 보내고 있다. 어깨근육의 지배에 더해서 완신경총(brachial plexus)은 팔에서 내려와 손에 이르는 3개의 굵은 신경(요골신경/radial nerve, 척골신경/ulnar nerve, 정중신경/median nerve)의 시작점(origin)이 되고 있다.

삼각근

삼각근(deltoid m., 어깨세모근) 앞쪽섬유는 어깨 벌리기를 보조한다. 또한 무거운 문을 밀어서 열 때처럼 미는 운동을 할 때에 적극적으로 움직인다.

삼각근 중간섬유는 어깨의 위치관계에 따라 삼각근의 다른 갈래를 보조한다. 어깨가 안쪽으로 돌리는 자세이면 앞쪽에서 안쪽-가쪽방향의 회전축이 되어 삼각근 앞쪽섬유와 함께 어깨를 굽힐 때 작용한다. 반대로 어깨가 가쪽으로 돌리는 자세이면 뒤쪽에서 안쪽-가쪽방향의 회전축이 되어 삼각근 뒤쪽섬유와 함께 어깨를 펼 때 작용한다.

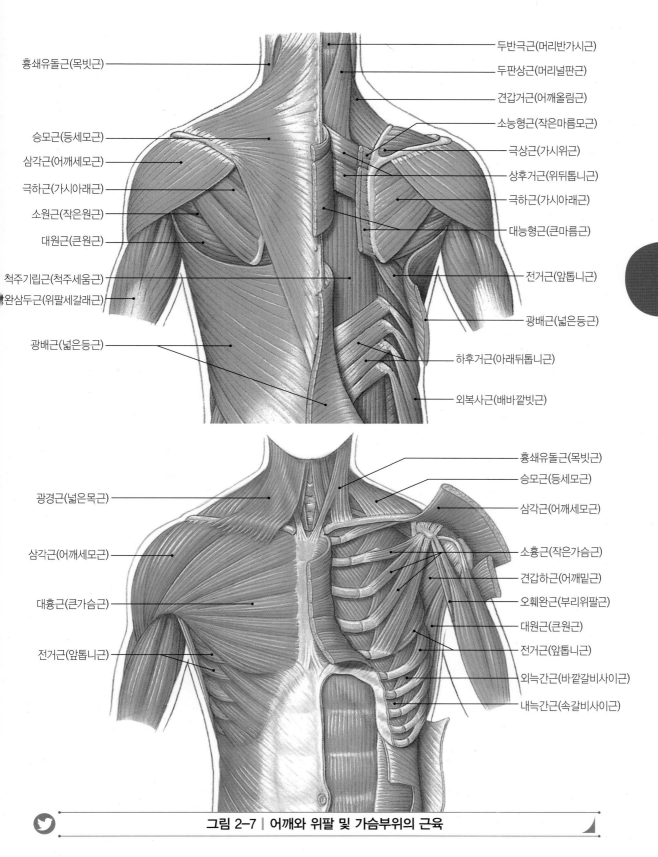

흉쇄유돌근(목빗근)

승모근(등세모근)
삼각근(어깨세모근)
극하근(가시아래근)
소원근(작은원근)
대원근(큰원근)

척주기립근(척주세움근)
완삼두근(위팔세갈래근)

광배근(넓은등근)

두반극근(머리반가시근)
두판상근(머리널판근)
견갑거근(어깨올림근)
소능형근(작은마름모근)
극상근(가시위근)
상후거근(위뒤톱니근)
극하근(가시아래근)
대능형근(큰마름근)

전거근(앞톱니근)

광배근(넓은등근)

하후거근(아래뒤톱니근)

외복사근(배바깥빗근)

광경근(넓은목근)

삼각근(어깨세모근)

대흉근(큰가슴근)

전거근(앞톱니근)

흉쇄유돌근(목빗근)
승모근(등세모근)
삼각근(어깨세모근)

소흉근(작은가슴근)
견갑하근(어깨밑근)
오훼완근(부리위팔근)
대원근(큰원근)
전거근(앞톱니근)
외늑간근(바깥갈비사이근)
내늑간근(속갈비사이근)

그림 2-7 | 어깨와 위팔 및 가슴부위의 근육

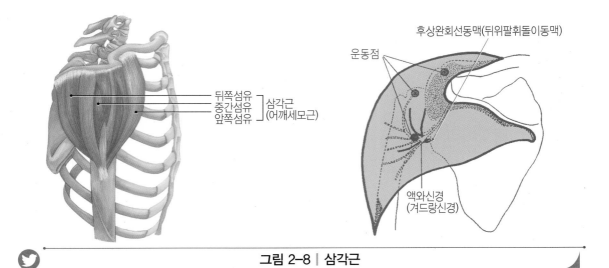

그림 2-8 | 삼각근

승모근

승모근(trapezius m., 등세모근) 위섬유의 주요 운동의 하나는 어깨 올리기이며, 어깨를 위쪽으로 돌리는 짝힘으로서도 중요한 역할을 한다. 또한 승모근 위섬유는 견갑골과 늑골을 고정시킴과 동시에 경추의 옆굽히기와 대칭되는 회전을 한다.

승모근 중간섬유는 어깨의 뒤당김을 일으킴과 동시에 어깨를 앞쪽으로 돌출시키는 강력한 전거근 등의 다른 견갑흉곽에 있는 관절 주위 근육에 의하여 발생하는 강력한 힘에 대항함으로써 어깨의 안정에 가장 중요한 역할을 담당하고 있다.

승모근 아래섬유는 세 가지 승모근의 섬유 중 가장 큰 근육이다. 어깨를 내리는 주요 근육임과 동시에 어깨의 위쪽돌리기와 뒤당기기를 할 때에도 꼭 필요하다.

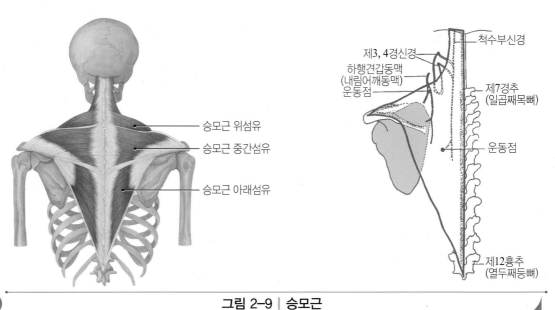

그림 2-9 | 승모근

대흉근

대흉근(pectoralis major m., 큰가슴근)의 쇄골두는 굽히기, 안쪽돌리기, 수평모으기를 하는 삼각근 앞쪽섬유와 같은 작용을 한다. 쇄골두는 팔굽혀펴기, 벤치프레스에서 밀어 올리기, 무거운 문을 당겨서 열기 등과 같이 밀거나 당기는 운동을 수행한다.

대흉근의 흉골두는 어깨위팔관절의 근육 중에서 유일하게 견갑골 및 쇄골에 부착되지 않는 근육이다.

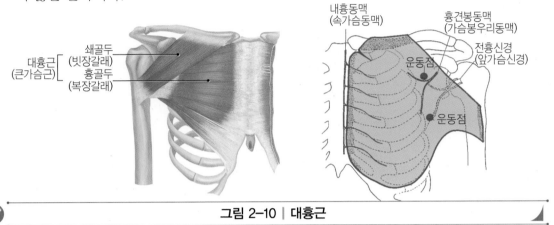

그림 2-10 | 대흉근

광배근

광배근(latissimus dorsi m., 넓은등근)의 부착점은 상완골과 견갑골이기 때문에 어깨를 모으고 펼 때 운동역학적인 조정이 가능하다.

위팔을 모으고 펴는 복합운동 및 어깨의 아래쪽돌리기는 보트의 노를 젓는 동작이나 팔을 넓게 벌리고 턱걸이를 하는 것과 같은 복합적인 당기는 운동을 가능하게 한다.

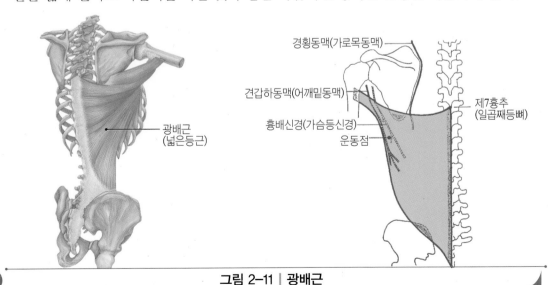

그림 2-11 | 광배근

견갑하근

견갑하근(subscapularis m., 어깨밑근)은 다른 회전근개근육, 특히 극하근과 소원근을 바깥으로 돌리는 힘에 대한 균형을 잡으면서 견갑상완관절의 앞쪽부분을 안정시킨다.

이러한 상호작용에 의하여 회전근개(돌림근띠) 전체가 상완골두를 관절와에 단단히 고정시킬 수 있다.

견갑하근은 벌림자세의 안쪽·가쪽돌림중간자세에서 앞쪽제동효과를 발휘하지만, 벌림가쪽돌림자세에서는 극하근, 소원근, 극상근이 앞쪽제동효과를 발휘한다.

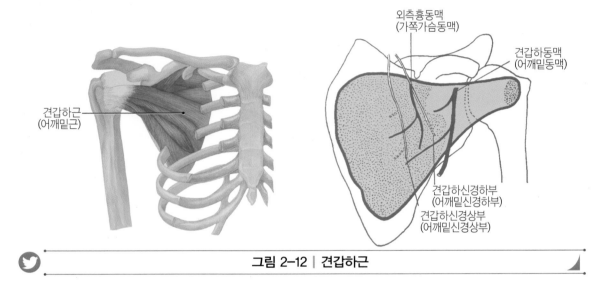

그림 2-12 | 견갑하근

극상근

극상근(supraspinatus m., 가시위근)은 회전근개를 이루는 근육의 하나이다. 상완골두 위에 위치하고 있어 견갑상완관절의 위쪽을 안정시킨다. 이 근육은 어깨를 벌리기 시작할 때 중요한 역할을 한다.

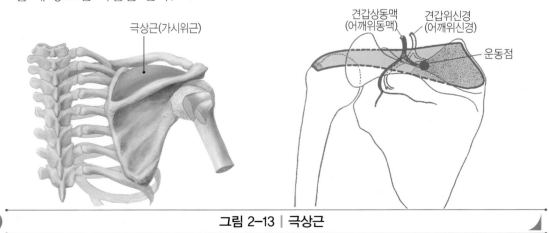

그림 2-13 | 극상근

극하근

극하근(infraspinatus m.)과 소원근 모두 어깨를 가쪽으로 돌리는 역할을 한다. 야구의 피칭이나 배구의 스파이크에서는 강력한 안쪽돌림 토크가 발생하지만, 이러한 강력한 토크는 극하근과 소원근의 원심성 수축에 의하여 감소한다.

강력한 힘에 대해 저항을 할 때 때때로 이러한 근육의 한쪽 또는 양쪽이 손상 또는 파열되는 경우가 있는데, 이것이 회전근개파열이다.

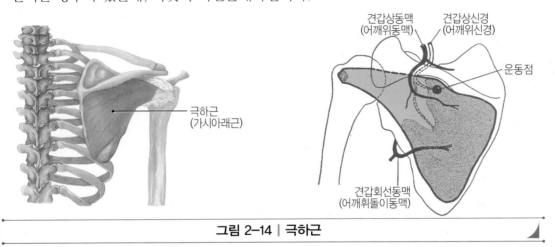

그림 2-14 | 극하근

소원근

견갑상완관절의 정상적인 운동에는 극하근과 소원근(작은원근)의 안쪽아래로 향하는 주행이 중요하다. 어깨를 굽히거나 바깥으로 돌릴 때에는 견갑상완관절의 충돌을 피하기 위하여 이 근육이 상완골 아래쪽으로 미끄러진다.

또한 극하근과 소원근은 가쪽으로 돌릴 때 큰결절이 봉우리의 아래를 지나가도록 상완골을 바깥으로 돌려준다.

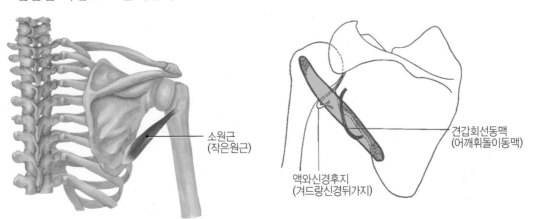

그림 2-15 | 소원근

오훼상완근

오훼상완근(coracobrachialis m., 부리위팔근)은 견갑상완관절의 굽힘근이지만, 관절의 회전축에서 매우 가깝게 주행하기 때문에 견갑상완관절의 안정성 유지에도 작용한다.

이 작용에 의하여 어깨가 여러 방향으로 움직일 때 상완골두를 관절와에 안정시킬 수 있게 된다.

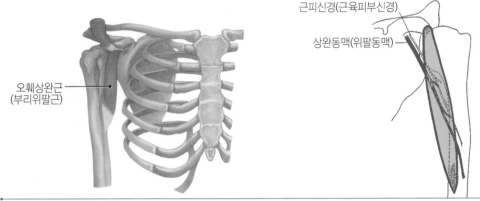

그림 2-16 │ 오훼상완근

상완이두근

상완이두근(biceps brachii m., 위팔두갈래근)은 주요 팔꿈굽힘근이지만 두 개의 갈래가 어깨의 앞면에서 안쪽 축을 따라 주행하기 때문에 이 근육은 어깨의 굽힘근으로도 작용한다.

상완이두근장두(긴갈래)의 몸쪽부분 힘줄은 상완골두 위쪽을 넘어 주행하기 때문에 어깨의 충돌에 의하여 손상을 입기 쉽다. 상완골의 결절간구를 주행하는 힘줄을 촉진하면 이두근건염을 확인할 수 있다.

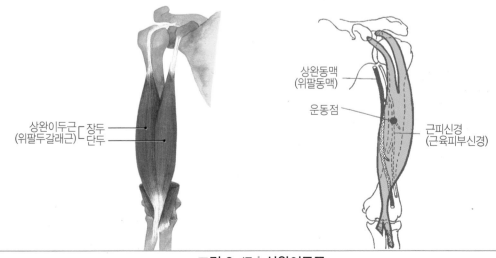

그림 2-17 │ 상완이두근

상완근

상완근(brachialis m., 위팔근)은 같은 팔꿈치굽힘근인 상완이두근보다 단면적이 크기 때문에 팔꿈치를 굽히는 동작을 할 때 크게 기여한다. 상완이두근과 같이 요골이 아닌 척골에 부착되어 있기 때문에 아래팔이 엎치거나 뒤친 자세에서도 근육의 길이나 발휘하는 힘은 영향을 받지 않는다.

게다가 상완근은 팔꿈치를 굽힐 때만 가능하기 때문에, 예를 들어 상완이두근과 같은 다른 팔꿈치굽힘근이 활동하는 데 필요한 고정근의 작용 및 아래팔의 불필요한 움직임을 방지할 필요가 없다. 따라서 상완근은 엎치기 및 뒤치기에 관계없이 모두 팔꿈치를 굽힐 때 작용한다.

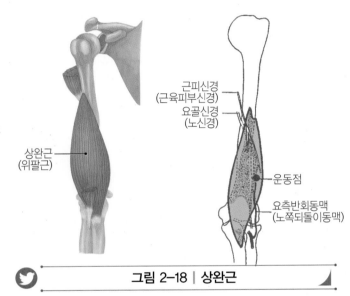

그림 2-18 | 상완근

상완삼두근

상완삼두근(triceps brachii m., 위팔세갈래근)의 모든 갈래는 팔꿈치를 펴게 할 수 있다. 또한 어깨에 걸쳐 있는 장두(긴갈래)는 어깨와 팔꿈치를 펼 때 작용한다.

이 2관절에 걸친 근육은 무거운 문을 밀어서 열 때처럼 미는 동작에 대한 근육의 최적길이와 장력관계를 조절한다.

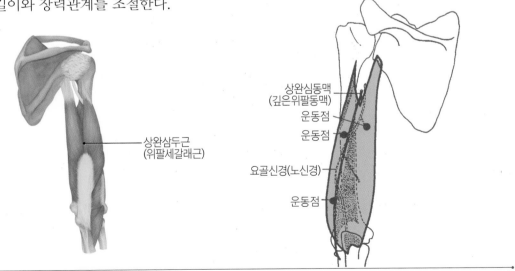

그림 2-19 | 상완삼두근

회전근개

회전근개(rotator cuff, musculotendious cuff, 돌림근띠)는 대결절에 부착된 극상근·극하근·소원근·소결절에 부착된 견갑하근의 4개 힘줄로 이루어진다.

견갑하근(subscapularis m.)은 견갑상완관절의 안쪽돌리기, 극하근(subspinatus m.)과 소원근(teres minor m.)은 가쪽돌리기, 극상근(supraspinatus m.)은 벌리기를 주로 한다.

그러나 4개의 회전근개는 협조해서 수축하고, 평소에 골두가 관절와 속에서 가장 안정된 자세에 놓여지도록 조절한다.

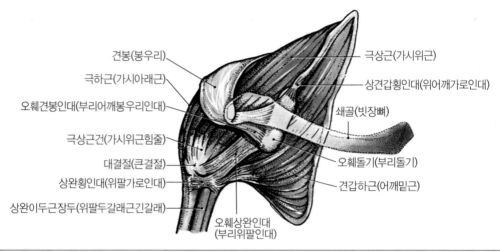

그림 2-20 | 회전근개(돌림근띠)

⊙ 어깨와 위팔의 신경

견갑상신경(suprascapular nerve, 어깨위신경)은 완신경총의 상신경간(위신경줄기)에서 시작된다. 이 신경은 뒤가쪽으로 뻗은 좁은 견갑골절흔(어깨뼈패임)을 통과한 후 극상와에 이르러 극상근(supraspinatus m.)에 근육가지를 내보내고, 극하와에 이르러서는 극하근(infraspinatus m.)을 지배한다. 이것들의 근육가지 외에 극상와에서는 견쇄관절과 견갑상완관절의 윗부분에 관절가지를 내보내고, 극하와에서는 견갑상완관절의 뒷면에 관절가지를 내보낸다.

액와신경(axillary nerve, 겨드랑신경)은 완신경총의 뒤쪽신경다발에서 시작된다. 후상완회선동맥(posterior circumflex humeral artery)과 함께 네모공간(quadrilateral space : 소원근, 대원근, 상완삼두근장두와 상완골로 만들어진 네모모양의 빈틈)을 통과해 뒤쪽에 도달한다. 여기에서 전후의 2가지로 나뉘어져 뒷가지는 소원근과 삼각근의 뒤쪽 1/3을 지배하고 어깨관절가쪽의 피부신경(cutaneous nerve)에 있는 외측상완피신경(lateral cutaneous nerve of arm)이 된다.

앞가지는 삼각근의 앞쪽 2/3을 지배하면서 네모공간 사이의 틈을 통과하는 앞뒤로 관절가지를 내고, 견갑상완관절 아래쪽의 감각을 담당한다.

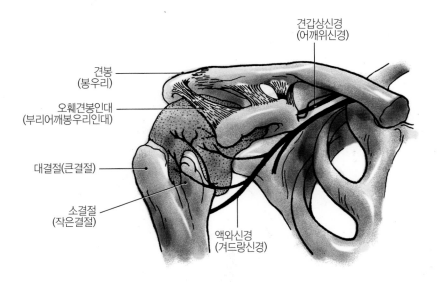

앞에서 본 모습

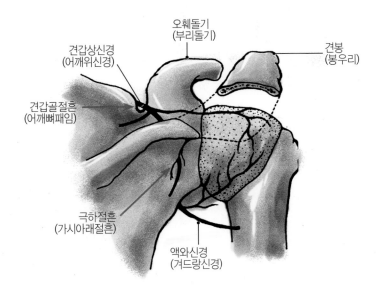

뒤에서 본 모습

그림 2-21 | 어깨관절주위의 신경

어깨와 위팔 및 가슴의 구조와 질환별 관리

⊙ 어깨의 관리지침

다음은 어깨의 기능을 회복시키기 위한 기본 관리지침이다.

- ⫸ 척추, 견갑골 및 어깨관절(견갑상완관절)의 정렬 및 동적 안정성에는 다음과 같은 근육의 유연성과 근력의 균형이 관여한다.
  - * 견갑골의 전방돌출근육군과 후퇴의 근육군
  - * 소흉근과 승모근 하부섬유/전거근
  - * 어깨관절의 안쪽돌림근육군과 가쪽돌림근육군
  - * 목가슴부위의 굽힘근육군과 폄근육군
- ⫸ 어깨관절의 가동성 및 결합조직의 유연성
- ⫸ 견갑골과 어깨관절의 협조에 의한 신경근 제어는 다음과 같은 영향을 준다.
  - * 견갑상완리듬
  - * 삼각근−회선근건판기구
  - * 상완골을 들어올릴 때 상완골두 상부공간(상완골두와 견봉밑의 공간)의 충돌 (impingement)을 최소한으로 억제하기 위한 적절한 가쪽돌리기
- ⫸ 관련한 신체시스템 및 영역은 다음의 기능을 포함한다.
  - * 심폐지구력
  - * 몸통 및 다리의 근력과 안정화

⊙ 어깨의 가동범위 증대를 위한 운동

| 관절 모빌리제이션

목적 : 종합적인 가동성 향상을 위한 어깨관절의 신연

방법 : 상완골 신연법

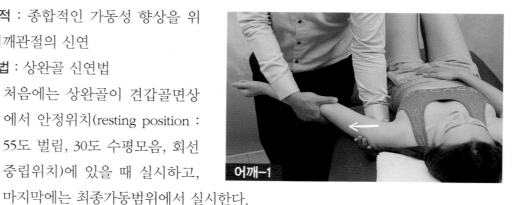

- ⫸ 처음에는 상완골이 견갑골면상에서 안정위치(resting position : 55도 벌림, 30도 수평모음, 회선 중립위치)에 있을 때 실시하고, 마지막에는 최종가동범위에서 실시한다.

어깨-1

- ⫸ 한 손은 겨드랑이를 받치고, 다른 손은 상완골 몸쪽에서 관절와에 대하여 수직방향으로 힘을 가하여 스트레치한다.

목적 : 어깨 벌리기 증대

방법 : 상완골의 먼쪽 활주법

⫸ 한 손으로 겨드랑이를 받치고, 다른 손으로 상완골 먼쪽 활주법을 실시한다.

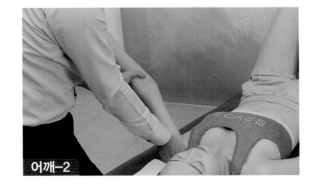

어깨-2

목적 : 어깨 90도 이상 올리기

방법 : 어깨관절의 먼쪽 활주법

⫸ 올리기의 최종가동범위에서 가쪽돌리기 위치로 한다.

⫸ 상완골을 장축방향으로 견인하여 신연한다.

⫸ 관절와에 대하여 평행으로 상완골 몸쪽에 힘을 가하여 먼쪽 활주법을 실시한다.

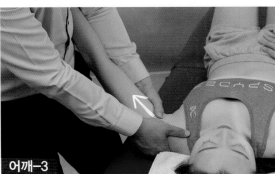

어깨-3

목적 : 어깨 안쪽돌리기와 굽히기 증대

방법 : 안정적인 자세에서 상완골두의 뒤쪽 활주법

⫸ 환자의 흉곽과 위팔 사이에 치료사의 엉덩관절을 받치고 선다.

⫸ 어깨관절을 신연하기 위하여 치료사의 엉덩관절을 이용하여 상완골 몸쪽을 천천히 누른다.

⫸ 상완골두 가까이에 손을 대고 위쪽 활주법을 실시한다.

어깨-4

목적 : 어깨 안쪽돌리기와 굽히기 증대

방법 : 단계적인 뒤쪽 활주법

⫸ 상완골두 가까이에 손을 대고 신연한다.

⫸ 팔꿈치의 등쪽에서 상완골 장축 방향으로 힘을 가한다.

어깨-5

┃운동병용 모빌리제이션(mobilization with movement : MWM)

목적 : 어깨 가쪽돌리기 증대

방법

⫸ 환자는 막대를 사진과 같이 잡 는다.

⫸ 접은 타월을 견갑골밑에 받치고 고정시킨다.

⫸ 상완골을 약간 벌린 위치에서 최종가동범위까지 가쪽으로 돌린다.

어깨-6

⫸ 치료사는 아픈 쪽 반대편에 서서 상완골두에 뒤가쪽으로 미끄러지는 힘을 가하기 위하여 양손으로 환자의 신체를 가로지른다.

⫸ 치료사가 상완골두를 누르는 것과 동시에 환자는 손으로 막대기를 조작하여 어깨 관절을 가쪽으로 돌리는 방향으로 최대한 움직인다.

주 : 주관절은 90도 굽히고, 상완골을 돌리기 위하여 막대기를 상완골에 대하여 90도로 한다.

목적 : 상완골 올리기 증대

방법

⫸ 견갑골을 고정시킨다.

⫸ 상완골 몸쪽에서 뒤쪽 활주법을 실시한다.

⫸ 환자는 가능한 가동범위 내에서 상완골을 올린다.

어깨-7

목적 : 어깨 안쪽돌리기 증대

방법

·◉ 환자는 손을 등뒤로 최대한 돌려서 양손으로 타
월을 잡는다.

·◉ 겨드랑이를 손으로 받치고, 힘을 가하여 신연법
을 실시한다.

·◉ 치료사가 환자의 굽힌 팔꿈치에 아래쪽으로 힘을
가하면 환자는 타월을 잡고 손을 위로 올린다.

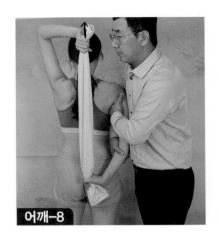

어깨-8

| 스트레칭

목적 : 어깨관절모음근육군(내전근
군) 스트레치(어깨 올리기를 동반한
벌리기 증대)

방법

·◉ 팔을 치료대 위에 올려 가쪽으
로 돌린 위치로 둔다.

·◉ 환자는 팔이 치료대를 가로지르
도록 활주시킨다.

어깨-9

목적 : 어깨관절굽힘근육군(굴근군) 스트레치(어
깨관절 펴기 증대)

방법

·◉ 어깨관절과 무릎관절을 굽히고 몸통을 내려 체
중을 이용하여 스트레치한다.

어깨-10

목적 : 대흉근쇄골부 스트레치(어깨수평벌리기와 가쪽돌리기 증대)

방법 : 코너 스트레치

⫸ 주(팔꿈)관절을 90도 굽혀서 아래팔을 벽에 댄다.

⫸ 몸통을 안정시킨 채 신체를 앞으로 기울인다.

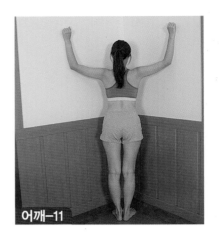

어깨-11

목적 : 대흉근흉늑부 스트레치(어깨가쪽돌리기를 동반한 대각선상의 굽히기 증대)

방법 : 코너 스트레치

⫸ 어깨관절을 대각선상으로 굽히고 가쪽으로 돌리기 위하여 아래팔을 벽에 댄다.

⫸ 몸통을 안정시킨 채 신체를 앞으로 기울인다.

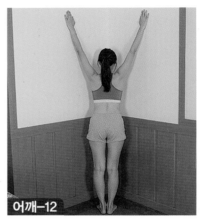

어깨-12

목적 : 소흉근 스트레치(견갑골의 후방경사 증대)

방법

⫸ 치료사는 한쪽 손바닥을 환자의 오훼돌기에 대고 등쪽으로 누른다.

⫸ 다른 손을 견갑골 아래모서리에 대고 아래쪽으로 누른다.

어깨-13

목적 : 견갑거근 스트레치(어깨 내리기 증대)

방법 :

⫸ 목을 경직된 근육의 반대쪽으로 돌려서 아래를 향하게 한다.

⫸ 한 손으로 치료대의 모서리를 잡고 상체를 반대쪽으로 기울여 견갑골을 끌어내린다.

⫸ 손을 머리 뒤쪽에 대고 스트레치한다.

어깨-14

목적 : 삼각근견갑극부 스트레치(어깨 수평모으기 증대)

방법 : 가슴 앞에서 교차 스트레치

⫸ 팔꿈치에 신장력을 가하면서 몸통쪽으로 팔을 끌어당긴다.

어깨-15

목적 : 안쪽돌림근육군(내선근군)의 스트레치(어깨 가쪽돌리기 증대)

방법

⫸ 문틀에 손을 짚고 주관절을 90도 굽힌다.

⫸ 문틀에서 멀어지듯이 몸통을 돌린다.

어깨-16

2

어깨와 위팔 및 가슴의 구조와 질환별 관리

7 DISEASE 회전근개손상

7-1 회전근개의 기능

회전근개를 구성하는 4개의 근육은 상완골두를 관절와에 고정시키는 역할을 돕고 있다.

⫸ 극상근은 상완골대결절에 부착되어 어깨를 벌릴 때 사용된다.

⫸ 극하근과 소원근은 상완골대결절에 부착되어 어깨를 가쪽으로 돌릴 때 사용된다.

⫸ 견갑하근은 상완골소결절에 부착되어 어깨를 안쪽으로 돌릴 때 사용된다.

회전근개(돌림근띠)손상은 현재 만연되어가고 있는 손상이다. 견갑상완관절은 구조가 비교적 불안정하고 무방비적이다. 관절와(관절오목)가 얕기 때문에 근육·관절낭(주머니)·인대·힘줄이 제자리를 유지하는 역할을 강요당하고 있다.

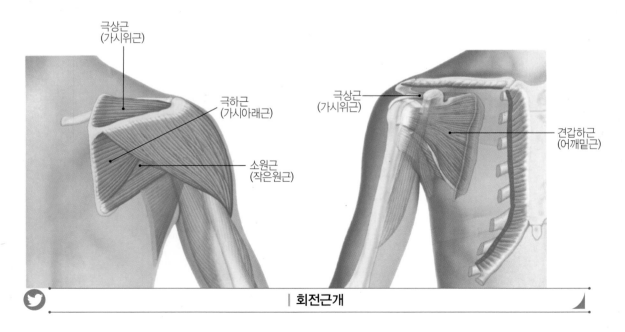

극상근
(가시위근)

극하근
(가시아래근)

소원근
(작은원근)

극상근
(가시위근)

견갑하근
(어깨밑근)

| 회전근개

회전근개손상과 통증패턴

| 회전근개손상

회전근개는 어깨를 움직여주는 기능을 수행하는 근육들을 통칭하는 것으로, 팔을 들어주는 극상근, 팔을 안으로 돌려주는 견갑하근, 팔을 바깥으로 돌려주는 극하근과 소원근의 4가지 근육으로 구성되어 있다.

회전근개손상이라고 하면 일반적으로 극상근손상을 지칭하는 경우가 많다.

| 회전근개손상 시의 통증패턴

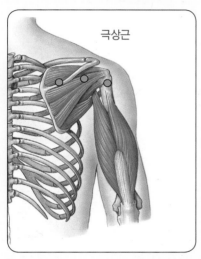

극상근

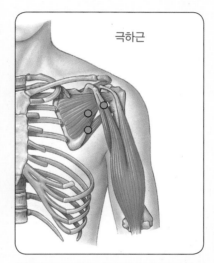

극하근

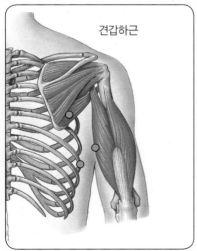

견갑하근

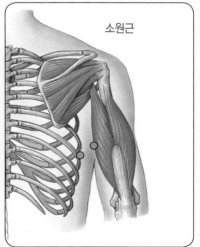

소원근

2

어깨와 위팔 및 가슴의 구조와 질환별 관리

7-2 회전근개손상의 관리

7-2-1 내선근(견갑하근)의 수기치료 환자 | 엎드린 자세

견갑하근은 흉곽과 견갑골 사이에 있다. 우리가 자동차의 앞좌석에 앉아 뒷좌석으로 손을 뻗어 물건을 집어 앞좌석으로 가져오려면 반드시 어깨를 안쪽으로 돌려야 한다. 이 근육은 야구의 피처, 미식축구의 쿼터백, 축구의 골키퍼 등이 공을 던질 때에도 사용된다. 내선근은 외선근보다 일상의 활동에서 좀 더 스트레스를 받기 쉽다. 이 근육이 반복적인 사용 및 혹사에 의하여 피로하게 되면 인대와 힘줄이 손상을 입기 쉽다.

치료사는 견갑하근에 여러 가지 테크닉을 시술할 수 있다. 엎드린 자세에서는 환자의 손목과 아래팔을 등쪽으로 올린 채로 실시한다. 이렇게 하면 견갑골의 척추쪽끝이 들려 올라가 흉곽으로부터 떨어지므로 견갑하근의 몸쪽부착점을 만질 수 있게 된다.

그런데 이 자세가 치료사에게는 좋지만, 환자에게는 다음과 같은 이유로 꼭 쾌적한 것은 아니다.

- ⫸ 이 자세에서는 외선근이 늘어나 먼쪽부착점에 당겨지는 힘이 강해진다.
- ⫸ 생활습관이나 일 때문에 발생한 어깨의 미세외상이나 유착이 근육을 수축시키고 트리거포인트를 만든다.
- ⫸ 고령의 환자는 어깨의 반복성 외상 때문에 이 자세를 취할 수 없는 경우가 많다.

한편 견갑하근의 몸쪽부착점을 수기치료하는 다른 방법은 견갑골을 손으로 들어올려 흉곽으로부터 떼어 놓는 방법이다. 이 치료방법으로 시술할 때에는 엎드린 자세에서 어깨의 앞면을 아래쪽에서 손바닥으로 받치고, 다른 손으로 견갑골을 잡는다. 견갑골을 들어올리기 전에 관절운동을 조금 하는 것도 효과가 있다. 왜냐하면 이렇게 하면 환자의 어깨가 긴장이 풀려 심부근막과 관절주머니를 따뜻하게 할 수 있기 때문이다.

이 테크닉을 이용할 때에는 어깨의 앞면에 댄 손바닥으로 환자의 어깨를 들어올리면서 견갑골쪽에 댄 네손가락을 견갑하근쪽으로 활주시킨다. 이것을 실시하기 전에 승모근과 능형근을 마사지하여 부드럽게 만들어두어야 한다. 이 방법은 옆으로 누운 자세에서도 할 수 있다.

견갑하근의 근복(힘살)을 수기치료할 때에는 바로 누운 자세에서 다음과 같이 시술한다.

- ⫸ 어깨를 벌려 겨드랑이를 벌려준다.
- ⫸ 그다음 네손가락을 몸의 앞면과 뒷면 거의 중앙에 늑골을 향하여 세우듯이 놓고, 몸의 뒷부분·윗부분을 향하여 늑골을 쓰다듬으면서 광배근과 원근 아래에 도달한다.
- ⫸ 올바른 위치에 있는가를 확인하려면 어깨를 가쪽으로 돌려서 이 근육을 '두드러지게' 하면 된다.

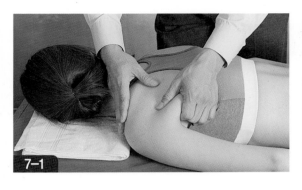

7-1

조직의 워밍업_
압박, 근육 쥐어짜기(squeezing), 관절가동범위 운동 등
을 이용하여 조직을 워밍업한다.

> **주의**
> 겨드랑이는 민감한 사람이 많으므로 경찰법(쓰다듬
> 기)은 간지럽게 될지도 모른다. 간지러움을 막기
> 위해서는 압박법과 근육 쥐어짜기가 좋을 수도 있다.

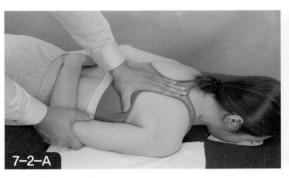

7-2-A

7-2-B

비틀기(wringing)_
팔을 등으로 돌리기

> **주의**
> 바로 누운 자세에서는 몸 앞면의 관절낭(관절주머
> 니)에 미치는 압력이 강해지므로 환자에게 불쾌함
> 을 줄 수도 있다. 일반적으로는 추천하지 않는다.

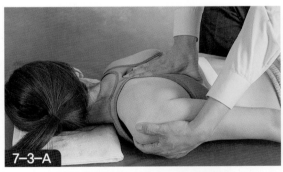

7-3-A

7-3-B

7-3-C

견갑골 들어올리기_
A와 B는 어깨를 지지하는 방법이다. 한쪽 손으로 어깨를
지지하고, 견갑골이 흉곽으로부터 떨어져 들려 올라가는
자세이다. 엎드린 자세는 환자에게 비교적 불쾌감을 주지
않고 심부조직에 닿기 쉽다.
C는 옆으로 누운 자세이다. 옆으로 누운 자세라면 견갑
골을 돌출시킬 수 있다.

2

어깨와 위팔 및 가슴의 구조와 질환별 관리

⊙ 견갑하근 먼쪽부착점의 수기치료 　　　　환자 | 바로 누운 자세

바로 누운 자세에서 견갑하근의 면쪽부착점은 다음과 같이 수기치료한다.

⫸ 환자의 양손을 배에 올리고, 어깨를 촉진하여 상완골소결절과 오훼돌기를 찾는다.

⫸ 그다음 상완골소결절과 오훼돌기의 거의 중앙에 네손가락을 대고, 위치적인 아래
　쪽 그리고 몸의 바깥쪽 그리고 몸의 조금 아래쪽으로 압력을 가하면서 상완골소결
　절의 내측끝에 닿는다. 거기에서 견갑하근의 힘줄을 강하게 쓰다듬으면 이 근육의
　유착을 떼어놓을 수 있다.

어깨를 안쪽으로 돌릴 때에는 견갑하근뿐만 아니라 광배근, 삼각근 앞부분, 대원근도
사용된다. 그러므로 견갑하근이 파열 또는 손상된 경우에는 그러한 근육의 부담이 증가
하기 때문에 그것들도 손상이나 피로를 일으키기 쉬워진다.

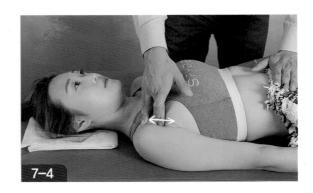

7-4

⊙ 긴장이 항진된 근육과 트리거포인트의 수기치료

광배근, 견갑하근, 삼각근 앞부분에서 발견되는 트리거포인트를 수기치료한다.

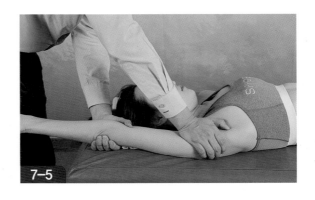

7-5

◉ 견갑하근 근복의 수기치료

견갑하근의 근복(힘살)을 천천히 누르면서 깊고 강하게 누른다.

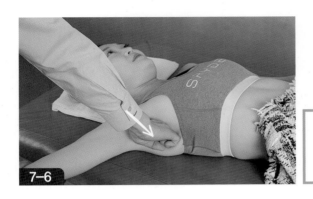

7-6

> **주의**
> 이 부위는 혈관과 신경조직에 주의하면서
> 천천히 정성껏 실시해야 한다.

◉ 관절 가동성을 향상시키는 수기치료

　일련의 동작을 통하여 가벼운 견인을 계속한다. 어깨를 무리하지 않게 움직여서 제한을 느낄 때마다 일시정지한다. 근막이 녹아서 풀리는 듯한 감각에 의식을 집중하여 실시한다.

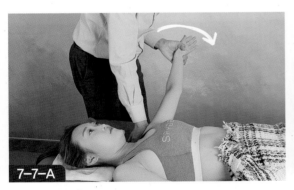

7-7-A

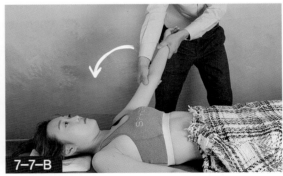

7-7-B

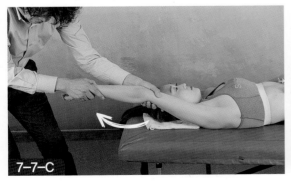

7-7-C

7-7-D

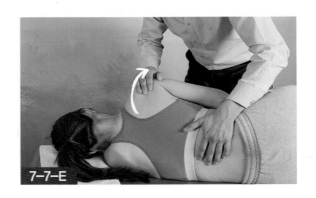

7-2-2 외선근(견갑하근, 극하근, 소원근)의 수기치료

외선근은 내선근보다 손상되기 어렵고, 평가도 어렵다. 회전근개(돌림근띠)를 형성하고 있는 외선근은 견갑하근, 극하근, 소원근이다. 외선근이 심각하게 손상되면 힘줄에 영향을 주기 때문에 진단이 쉽지 않다. 수동적, 능동적 및 저항을 이용한 관절가동범위 운동은 손상이 있는 근육의 발견에 도움이 된다.

극상근은 견갑골의 극상와와 승모근 하단 사이에 끼여 있다. 이 근육의 먼쪽부착점은 상완골대결절 윗부분에 있다. 이 근육은 견봉돌기 아래에서 나오므로 치료사는 그곳부터 강찰법(강하게 쓰다듬기)을 실시한다. 극상근은 어깨의 움직임에 관하여 벌리기 주동과 가쪽돌리기 보조라는 두 가지 역할을 한다. 또 이 근육은 상완골을 관절와에 끌어당겨 안정시킬 때에도 중요한 역할을 담당한다.

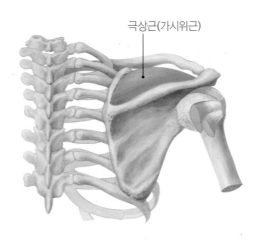

극상근(가시위근)

| 외선근

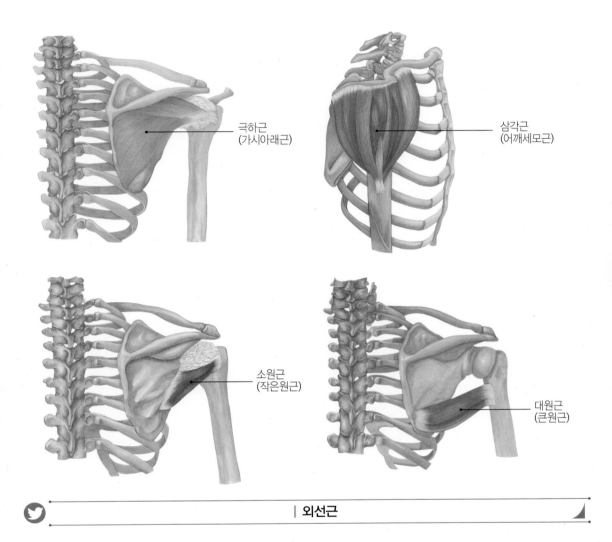

극하근
(가시아래근)

삼각근
(어깨세모근)

소원근
(작은원근)

대원근
(큰원근)

| 외선근

극하근은 표면층에 있으면서 외선근 중에서 가장 큰 근육으로 민감해지는 경우가 많다. 이 근육에는 일반적으로 과민한 곳이 3군데 있다. 먼쪽부착점을 마사지하려면 상완골대결절과의 경계부위에 강찰법(강하게 쓰다듬기)을 시술하면 좋다.

소원근도 겨드랑이에서 만지기 쉬운 위치에 있다. 이 근육은 견갑골 뒷면의 가쪽모서리에서 시작되어 상완골대결절에서 정지한다. 이 근육을 수기치료하는 가장 적합한 테크닉은 꼬집기(pincement)이다.

- ᠁▶ 어깨손상은 스포츠선수뿐만 아니라 일반인도 연령증가와 함께 발생한다.
- ᠁▶ 어깨통증으로 의사를 찾는 원인의 60%는 회전근개 손상이다.
- ᠁▶ 어깨통증이 시작되면 스트레치와 엑서사이즈의 두 가지가 건강촉진을 위하여, 또한 손상으로부터 재활을 촉진하기 위하여 중요한 요소이다.

8 DISEASE 오십견

8-1 오십견의 증상

　오십견(유착성관절낭염, adhesive capsulitis, periarthritis scapulohumeralis)은 굳은어깨 (frozen shoulder)라고도 하며, 관절주머니의 몇 부분이 들러붙어서 유착된 상태이다. 오 십견은 움직임에 지장을 주거나 2~3주라는 단기간에 움직임이 제한받을 수 있다. 이 증 상은 어깨관절을 구성하는 연부조직(회전근개, 상완이두근장두건 등)에 변성이 오는 중 년 이후에 빈발하며, 어깨관절의 통증과 운동제한을 일으키는 질환이다.

　오십견의 발병원인은 불확실하다. 그러나 그 증상은 연령에 의한 연부조직(돌림근 띠, 상완이두근장두건 등)의 퇴행변성을 기반으로, 견봉하낭(subacromial bursa) 및 어 깨관절(shoulder joint)에 염증성 병변을 일으키고 관절주머니가 축소되어 견갑상완관절 (scapulohumeral joint)에 운동제한을 일으킨다.

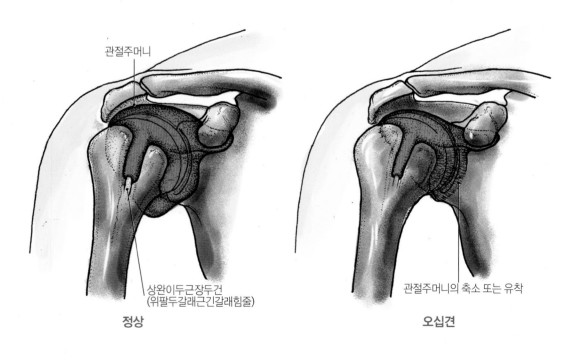

관절주머니

상완이두근장두건
(위팔두갈래근긴갈래힘줄)

정상

관절주머니의 축소 또는 유착

오십견

| 오십견(유착성관절낭염)의 병태

오십견의 원인은 하나가 아니라 어깨관절의 다양한 병태로 인해 발생하는 임상적인 증후군으로 증상은 다음과 같다.

⫸ 어깨의 가동범위가 감소한다.

⫸ 운동, 특히 던지는 동작에서 심한 통증이 있다.

⫸ 어깨를 사용하지 않을 때에도 찌르는 듯한 통증이 있다.

⫸ 통증은 야간에 심하며, 팔로 방산되는 경우도 많다.

⫸ 운동 시 통증은 반드시 있으며 일상생활에서는 머리를 묶을 때(안쪽·가쪽돌림운동 시)나 팔을 들어올릴 때(벌림운동 시) 통증이 심해진다.

⫸ 어깨관절 가동범위제한은 능동적 운동뿐만 아니라 수동적 운동으로도 제한되는 것이 특징이다.

이 증상의 원인은 확실히 밝혀지지 않았지만, 일반적으로 이 관절의 작은 상처·염좌·변성 등에 기인하는 것으로 보고 있다. 또한 부상을 입은 팔을 삼각근으로 고정시킨 채 어깨를 몇 주 동안 움직이지 않은 경우에도 일어나기 쉽다.

오십견의 진행과정은 '경직되어가는 단계', '경직된 단계', '경직이 풀려가는 단계'의 3가지 단계가 있다.

⫸ '경직되어가는 단계'에서는 통증이 천천히 심해지고, 야간에 통증이 심하다. 또 어깨의 염증이 시작되어 관절가동범위가 축소된다. 이 단계는 일반적으로는 2~9개월 정도 계속되는데, 강하게 처치하면 이 기간이 더욱 길어지고, 그 부위의 미세외상이나 과민성장애의 발생으로 이어질 수도 있다.

⫸ '경직된 단계'가 되면 통증은 누그러지기 시작하고, 불쾌감은 주로 움직일 때 나타난다. 이 단계는 4개월부터 1년 정도 계속된다.

⫸ '경직이 풀려가는 단계'에서도 통증은 계속 완화되고 관절가동범위가 조금씩 넓어진다. 치료사나 의사 중에서는 이 제3단계도 처음 2단계에 걸린 것과 비슷한 정도의 시간이 걸린다고 말하는 사람도 있는가 하면, 오십견(유착성관절낭염)의 치유에는 약 2년 걸린다고 말하는 사람도 있다. 연구결과에 따르면, 이 증상은 한번 경험하면 그 후 긴 세월에 걸쳐 가볍게 좋지 않은 상태가 계속되는 경우도 있다고 한다.

오십견(유착성관절낭염)의 치료방법은 다음과 같다.

⫸ '경직되어가는 단계'에서는 부종을 억제시키기 위하여 의사로부터 항염증제를 처

방받거나 가동성을 좋게 하기 위하여 물리치료를 받기도 한다.

➠ 이 단계에서는 스트레스와 통증완화를 목적으로 수기치료를 실시한다. 중요한 것은 회선근, 삼각근, 광배근 등 관련근육을 마사지하여 트리거포인트의 형성과 긴장항진을 방지하는 것이다.

➠ 통증의 허용범위 내에서 수동적인 관절운동을 실시하는 것도 효과가 있다.

➠ '경직된 단계'에서는 긴장이 항진된 근육과 이미 형성된 트리거포인트를 줄이는 것이 주된 목적이다. 이 단계에서는 관절운동을 좀 더 적극적으로 실시하여도 좋다.

➠ 등척성 수축 후 이완기법의 실시도 효과가 있다. 근막의 유착을 제거하기 위한 근막 스트레치도 이 단계에 적합하다.

8-2 오십견의 관리

8-2-1 오십견의 수기치료-1

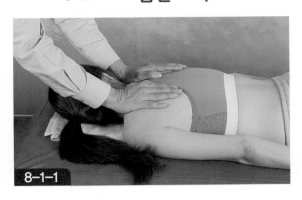

8-1-1

주변조직의 워밍업_
주변조직인 광배근, 삼각근, 회전근개를 구성하는 근육, 능형근 등을 모두 따뜻하게 하고 부드럽게 만드는 것이 중요하다.

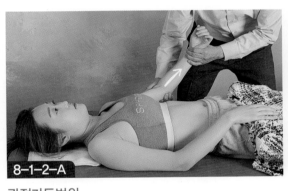

8-1-2-A

8-1-2-B

관절가동범위_
손목과 팔꿈치를 든 채로 가볍게 당겨준다. 환자에게 무리가 없는 범위에서 주변을 천천히 걸으면서 견인상태를 유지하게 한다. 이때 통증의 허용범위를 넘지 않도록 한다. 조직에 무리한 힘을 가하지 않도록 한다.

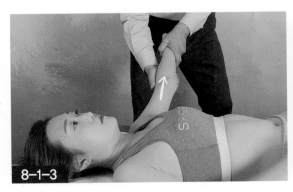

8-1-3

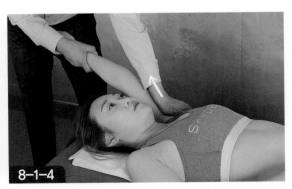

8-1-4

근막이완_
관절주머니의 근막을 의식하면서 어깨의 견인을 계속한다. 근막이 이완되어 움직이는 것을 느끼면, 그 움직이는 방향에 따라 움직인다.

광배근 펴기와 스트리핑(stripping)_
통증의 허용범위 내에서 어깨를 굽혀서 광배근에 작용시킨다.

8-1-5

관절주머니 주변의 심부근막 마사지_
관절주머니(관절낭) 주변에 대한 마사지는 '천천히, 통증의 허용범위 내에서' 실시해야 한다.

주의
겨드랑이의 혈관 및 신경 구조에 주의해야 한다.
경직되어가는 단계 및 경직된 단계에서는 너무 공격적인 마사지가 될 위험이 있다.

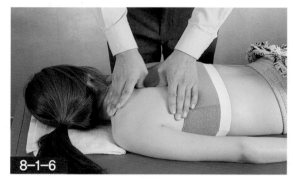

8-1-6

트리거포인트에 대한 마사지_
주변에서 발견되는 트리거포인트나 긴장이 항진된 근육을 마사지한다.

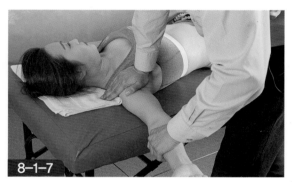

8-1-7

가벼운 스트레치_
어깨를 가볍게 스트레치한다.

8-1-8

마무리 쓰다듬기_
국소에 집중된 시술 후에는 쓰다듬기(경찰법)로 혈액순환을 촉진하는 것이 중요하다.

8-2-2 오십견의 수기치료-2

관련경혈 : 합곡, 양곡, 양계, 곡지, 소해, 견우, 비노, 견정(肩井), 견정(肩貞), 천종, 중부,
극천 등

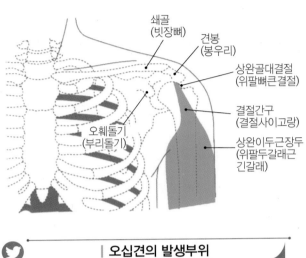

오십견의 발생부위

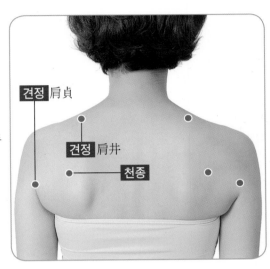

견정 肩貞
견정 肩井
천종

2

어깨와 위팔 및 가슴의 구조와 질환별 관리

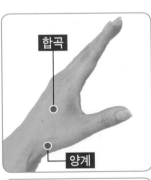

합곡
양계

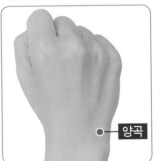

양곡

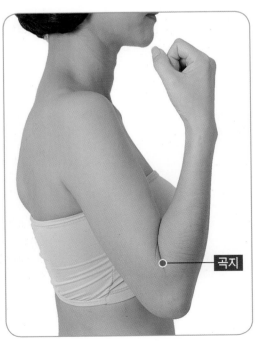

곡지

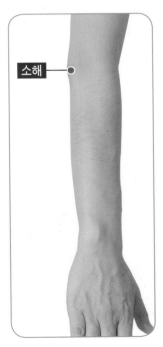

소해

112

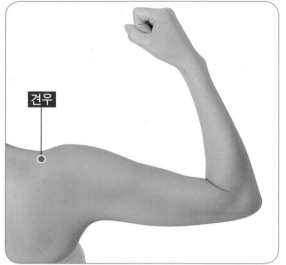

견우

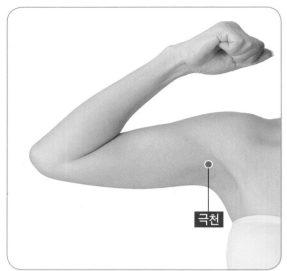

극천

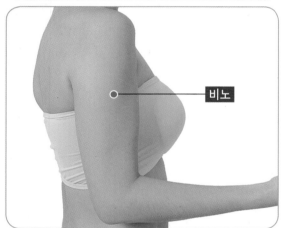

비노

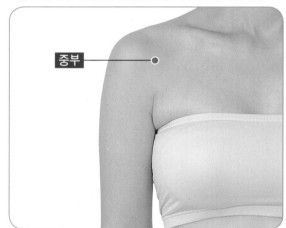

중부

8-2-1

치료사는 환자 앞에 서서 아래팔을 시술자의 넙다리에 놓고, 양손으로 위팔이나 어깨를 당겼다 놓고 주무른다.

8-2-2

환자 옆에 서서 한 손으로 위팔을 잡고, 다른 손의 엄지로 상완이두근 장두의 힘줄라인을 따라 누른다.

8-2-3

한 손으로 환자의 손을 잡고, 다른 손의 엄지로 상완골결절간구 사이를 가볍게 누르면서 팔을 앞쪽으로 펴준다.

8-2-4

한 손으로 환자의 손목을 잡고, 다른 손의 엄지로 상완골결절간구의 대흉근 가쪽모서리를 누르면서 수평으로 돌려준다.

8-2-5

환자 뒤에 서서 한 손의 엄지로 액와횡문(겨드랑이 가로주름) 뒤쪽끝에 있는 견정혈을 누르면서 다른 손으로 팔을 앞쪽 위로 펴준다.

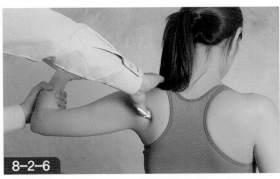

8-2-6

환자 옆에 서서 한 손으로 위팔을 잡고, 다른 손의 엄지로 견갑골극하와 중앙에 있는 천종혈을 누른다.

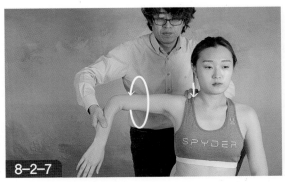

8-2-7

한 손으로 환자의 위팔을 잡고, 다른 손의 엄지로 어깨관절 뒤쪽의 통점을 가볍게 누른 채로 환자의 위팔을 앞뒤 수평으로 모은 다음 2회씩 돌려준다.

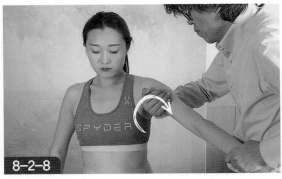

8-2-8

치료사는 한쪽 아래팔로 환자의 겨드랑이밑을 지지하고, 다른 손으로 환자의 아래팔을 잡고, 환자의 어깨를 원을 그리듯이 밀어올린 후 천천히 펴준다.

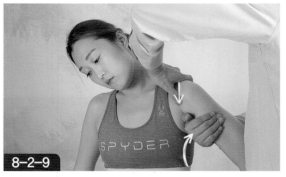

치료사는 한쪽 아래팔로 환자의 겨드랑이밑을 지지하고, 다른 손의 엄지안쪽으로 상완골결절간구 라인을 따라 눌러준 다음 마지막으로 튕긴다.

한 손으로 환자의 어깨를 잡고, 다른 손으로 환자의 손을 잡고 가쪽으로 당긴다.

양손으로 환자의 아래팔을 잡아쥐고 위쪽으로 당기면서 가볍게 진동시키고, 마지막으로 위쪽으로 크게 당겨 늘려준다.

환자 뒤쪽에 서서 한 손으로 위팔 아래부터 어깨 앞쪽을 지지하고, 다른 손으로 어깨뒷부분을 지지한 채로 어깨를 돌려준다.

환자 옆에 서서 한 손으로 환자의 위팔을 지지하고, 다른 쪽 아래팔 척골쪽으로 어깨의 삼각근을 두드린 다음 어깨 전체를 비벼준다.

한 손으로 환자의 위팔을 지지하고, 다른 쪽 아래팔 척골쪽으로 어깨관절을 가볍게 누르면서 팔을 위쪽으로 들어올려준다.

환자 뒤에 서서 양손으로 위팔을 잡고, 엄지끝으로 위팔
부터 손목까지 누른다.

마찬가지로 양손 엄지끝으로 위팔을 눌러서 미끄러지듯
이 내려간다.

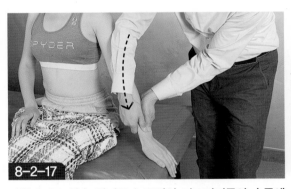

마찬가지로 양손 엄지로 누르면서 미끄러지듯이 손목에
도달한 다음 손목관절을 진동시킨다.

환자의 앞쪽 옆에 서서 양손으로 위팔부터 손목까지의
근육군을 누른다.

양손으로 위팔부터 손목까지의 근육군을 비벼준다.

양손의 호구로 위팔부터 손목까지의 근육군을 중심으로
안팎으로 가볍게 타격한다.

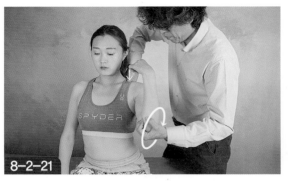

8-2-21

환자 뒤에 서서 한 손으로 엄지를 잡아 환자의 어깨 위에 올리고, 다른 손으로 팔꿈치를 받치고 아픈 팔의 가동범위 위에 주의하면서 돌려준다.

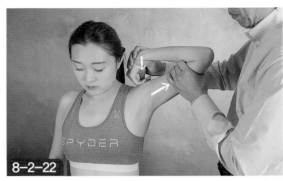

8-2-22

환자 옆에 서서 한 손으로 손을 쥔 채로 팔꿈치를 굽히고, 다른 손으로 위팔을 잡아 가슴으로 가볍게 끌어당기면서 동시에 위쪽으로 당겨준다.

8-2-23

환자 앞에 서서 한 손으로 어깨 위쪽을, 다른 손은 위팔 아래에서 어깨 뒤쪽을 지지한 채 어깨를 돌려준다.

8-2-24

환자 옆에 서서 한 손으로 팔꿈치를 잡고, 다른 손으로 손가락을 쥐고, 위쪽으로 두 번은 작게 펴고, 세 번째는 크게 펴준다.

8-2-25

환자 앞쪽옆에 서서 양손으로 환자의 팔을 들어올려 천천히 늘려주면서 가볍게 위아래로 흔든다. 그 후 1회 크게 흔든다.

8-3 오십견 테스트법

견갑골은 쇄골의 한 점에만 붙어 있어 자유롭게 움직일 수 있다. 견갑골의 이러한 특징 때문에 팔의 가동범위가 큰 것이다.

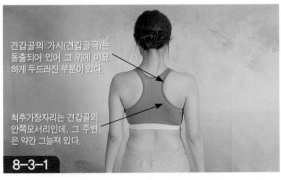

견갑골의 가시(견갑골극)는 돌출되어 있어 그 위에 미묘하게 두드러진 부분이 있다.

척추가장자리는 견갑골의 안쪽모서리인데, 그 주변은 약간 그늘져 있다.

8-3-1

견갑골이 안정된 상태일 때 그 위치를 찾으려면 척추가장자리와 견갑골극을 찾아야 한다.

8-3-2

팔을 앞으로 뻗으면 견갑골이 중심에서 멀어져 흉곽쪽으로 이동하며 3/4 정도가 보인다.

8-3-3

팔을 올리면 견갑골이 중심에서 멀어지고 각도가 내려간다. 쇄골은 견갑골이 부착되는 지점인 견봉돌기부터 회전한다.

8-3-4

팔을 뒤로 당기면 견갑골이 중심에 가까워지고 견갑골저(바닥) 가장자리가 등에서 올라가기 시작한다.

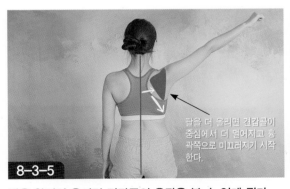

팔을 더 올리면 견갑골이 중심에서 더 멀어지고 흉곽쪽으로 미끄러지기 시작한다.

8-3-5

팔을 완전히 올리면 견갑골의 윤곽을 볼 수 있게 된다.

8-3-6

팔을 더 뒤로 당기면 견갑골이 등의 중심을 누를 수 있고 견갑골저(바닥) 가장자리가 등에서 움직인다.

어깨와 위팔 및 가슴의 구조와 질환별 관리

2

8-4 오십견의 운동요법

8-4-1

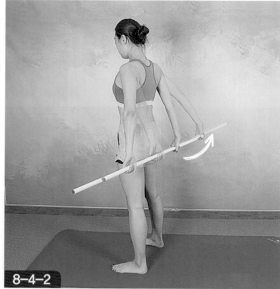

8-4-2

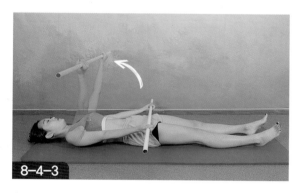

8-4-3

8-4-4

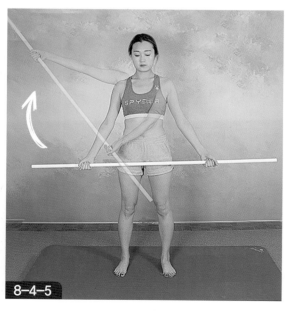

8-4-5

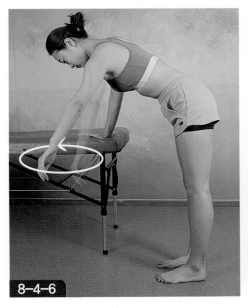
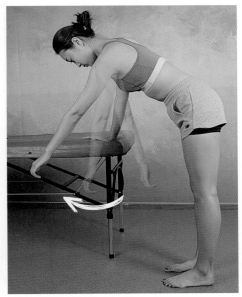

8-4-6

8-4-7

8-4-8

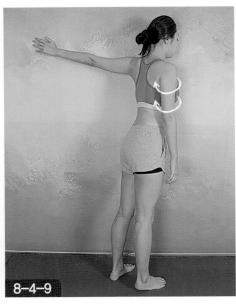

8-4-9

9 DISEASE 흉곽출구증후군

9-1 흉곽출구증후군의 원인

흉곽출구증후군(thoracic outlet syndrome : TOS, 가슴문증후군)은 완신경총, 액와동맥, 쇄골하정맥으로 구성된 신경혈관다발에 압박이 동반된 장애의 총칭이다. 흉곽출구는 제1늑골, 쇄골, 오훼돌기, 척주 등의 사이에 낀 부위를 말한다.

완신경총(brachial plexus)의 견인자극에 의하여 발증한 흉곽출구증후군(thoracic outlet syndrome : TOS, 가슴문증후군)일 때의 견갑골은 벌리기·아래쪽돌리기 자세를 나타내는 '고양이등' 상태가 된다. 흉쇄관절·견봉쇄골관절은 구축현상을 보임과 동시에 승모근(trapezius m.), 특히 중간·아래부분 및 회전근개의 근력이 저하되어 있다. 이 상태에서 무거운 것을 들면 완신경총의 과견인자극이 되어 흉곽출구증후군 특유의 저림·통증 등을 나타내게 된다.

흉곽출구증후군에는 크게 나누어 신경형, 혈관형, 비특정형의 세 종류가 있다. 이 분류는 압박을 받는 혈관 및 징후나 증상이 있는 부위에 기초한다. 혈관에 대한 압박은 경부늑골(목갈비뼈, cervical rib : 일부 사람에게 선천적으로 있는 것으로, 목에 있는 늑골의 자국같은 뼈)이나 골극(뼈돌기, bony spur : 뼈가 변형되어 튀어나온 부분)과 같은 해부학적 이상, 좌우 견갑골이 너무 안쪽으로 모여 있는 잘못된 자세, 편타성 손상과 같은 외상성 상해, 근막의 뭉침 등이 원인으로 발생한다.

사각근은 신경의 압박에 직접적인 영향을 미친다. 완신경총은 제5경신경~제1흉신경에서 시작되어 전사각근과 중사각근 사이를 지난다. 그러므로 이러한 근육에 긴장이 있으면, 이 신경총이 압박을 받아 팔에 마비나 저린 감각을 발생시킨다. 이러한 근육은 제1늑골을 들어올리기도 하므로 쇄골하정맥과 액와동맥을 압박할 때도 있어 혈액순환을 악화시키기도 한다.

쇄골하동맥과 쇄골하정맥은 쇄골과 흉근 아래를 지나므로 흉근도 혈관을 압박하는 주원인이 될 수 있다. 또한 쇄골하근도 흉곽출구증후군에 다소 관여한다. 이 근육은 이러한 혈관 자체를 직접 압박하지는 않지만, 쇄골을 끌어내리고 제1늑골을 들어올려 이러한 혈관이 지나가는 흉곽출구를 좁힐 수도 있다.

🍎 흉곽출구증후군의 징후와 증상

팔을 찌르는 듯한 통증	팔의 부종
마비	팔·손·손가락의 냉증
근육의 약화	팔의 변색
목이나 어깨 윗부분을 중심으로 한 통증	야간 또는 팔을 머리 위로 올렸을 때 증상의 악화

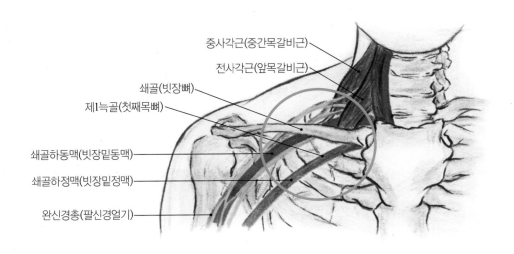

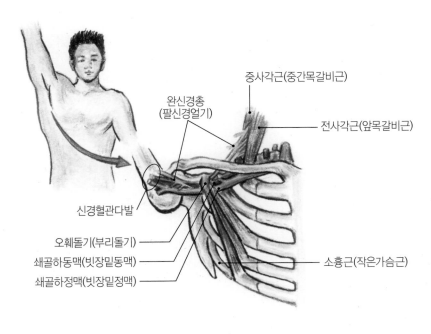

| 흉곽출구

흉곽출구와 흉곽출구증후군

흉곽출구는 식도, 주요혈관, 기관지 등 많은 신경이 통과하는 목과 가슴 사이에 있는 통로를 말한다.

흉곽출구증후군은 목과 가슴 사이를 지나는 신경이 압박되어 나타나는 일련의 질병을 말한다.

손·어깨·팔에 통증과 따끔거림이 일어난다.

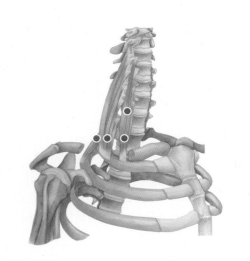

수기치료는 흉곽출구증후군에 동반된 근육의 긴장을 해소하고 약화된 근육을 강화시키는 효과가 있는 경우가 많다. 치료사는 경직된 근육을 풀어줌과 동시에 증상의 원인으로 생각되는 자세를 바로 잡도록 지도할 필요가 있다. 경직된 근육을 풀 때에는 스트리핑이나 신전법과 함께 근막이완 테크닉을 이용하면 효과적이다.

흉곽출구증후군의 근본원인이 경부늑골이나 골극과 같은 해부학적인 이상인 경우에는 불쾌감이나 증상을 경감시킬 목적으로 수기치료를 실시해야 한다.

흉곽출구증후군의 관리는 완신경총의 과긴장상태, 즉 견갑골의 위치이상(malposition)을 교정하는 것이 목적이다.

9-2 흉곽출구증후군의 관리

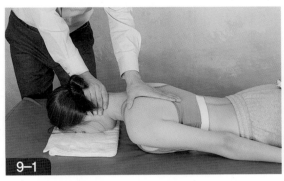

뒷면조직의 위밍업_
쓰다듬기(경찰법)와 주무르기(유념법)로 승모근, 견갑거근, 능형근 등을 마사지한다.

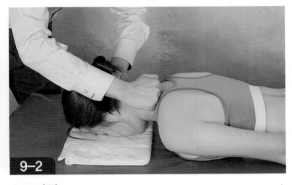

스트리핑_
깊은 쓰다듬기와 스트리핑(stripping, 박리, 떼어내기)으로 견갑거근, 극상근, 승모근 윗부분을 마사지한다.

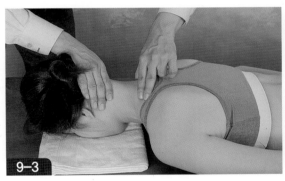

트리거포인트_
목뒷면, 승모근, 견갑거근, 능형근에서 발견되는 트리거포인트를 마사지한다.

스트레치_
목을 가로방향으로 스트레치한다. 머리를 조금씩 돌려서 스트레치를 반복하면 다양한 근육을 마사지할 수 있다.

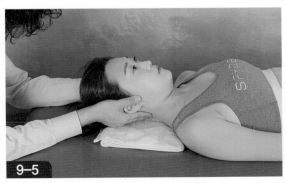

후두하근육군을 강하게 쓰다듬기_
유양돌기에 부착된 근육과 후두하근육군을 포함한 후두골 아래끝의 근육을 강하게 쓰다듬는다(강찰법).

> 주의
> 이러한 근육은 손상 때문에 과민해졌을지도 모른다. 환자와의 커뮤니케이션을 끊임없이 하여 통증의 허용범위를 넘지 않도록 한다.

124

근육의 스트리핑_
스트리핑(stripping)을 이용하여 목의 옆면과 뒷면의 근육을 마사지한다. 판상근과 사각근에 주목하여 실시한다.

트리거포인트_
사각근과 판상근에서 발견되는 트리거포인트를 마사지한다.

목 전면의 근육_
흉쇄유돌근에서 발견되는 트리거포인트를 마사지하고, 쇄골과 흉골의 근육부착점을 강하게 쓰다듬는다.

트리거포인트_
스트리핑과 꼬집기를 실시하여 흉쇄유돌근에서 발견되는 트리거포인트로 마사지한다. 유착이 있는 부위에는 강찰법(강하게 쓰다듬기)이 효과적이다.

스트리핑_
깊은 스트리핑으로 대흉근을 마사지하고, 압박법으로 소
흉근을 마사지한다.

관절운동_
마무리로 목과 어깨에 관절운동과 스트레치를 실시한다.

2

어깨와 위팔 및 가슴의 구조와 질환별 관리

9-3 흉곽출구증후군의 검사법

Morley테스트

Adson테스트

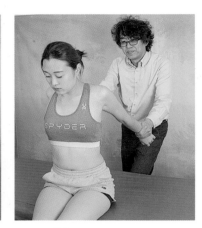

Eden테스트

Wright테스트

Roos테스트

어깨내리기테스트

10 DISEASE 라운드숄더

10-1 이상적인 자세

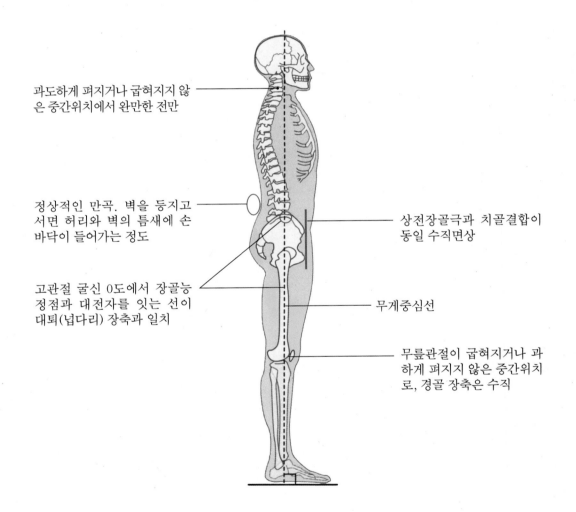

과도하게 퍼지거나 굽혀지지 않은 중간위치에서 완만한 전만

정상적인 만곡. 벽을 등지고 서면 허리와 벽의 틈새에 손바닥이 들어가는 정도

고관절 굴신 0도에서 장골능 정점과 대전자를 잇는 선이 대퇴(넙다리) 장축과 일치

상전장골극과 치골결합이 동일 수직면상

무게중심선

무릎관절이 굽혀지거나 과하게 퍼지지 않은 중간위치로, 경골 장축은 수직

| 시상면에서 본 중심선과 정렬(alignment)

어깨와 위팔 및 가슴의 구조와 질환별 관리

2

🍎 이상적인 선 자세(시상면)

머리		몸통의 바로 위
척주	경추	과도하게 펴지거나 굽혀 지지 않은 중간위치에서 완만한 전만
	흉추	정상적인 만곡
	요추	정상적인 만곡. 벽을 등지고 서면 허리와 벽의 틈새에 손바닥이 들어가는 정도
골반		상전장골극과 치골결합이 동일 수직면상(왼쪽 페이지의 그림에서 나타내는 수직선)
엉덩관절		굴신 0도에서 장골능정점과 대전자를 잇는 선이 대퇴 장축과 일치
무릎관절		굽혀지거나 과하게 펴지지 않은 중간위치로, 경골 장축은 수직
발목관절		장축 아치와 발가락은 중간위치
견갑골		전두면에서 앞쪽으로 약 35도 경사
상완골두		상완골두는 골두가 견봉 내에 위치하여 상완골 몸쪽과 먼쪽이 모두 같은 수직면상에 위치한다.

주 : 상전장골극과 상후장골극을 잇는 선과 수평면이 이루는 각도가 5도 이내(상전장골극이 하방)라는 견해도 있으나, ±15도 이내(여성은 개인차 있음)의 오차도 있으므로 주의가 필요하다.

면쪽 · 몸쪽 : 기준이 되는 부위에서 먼 위치에 있으면 '먼쪽', 가까운 위치에 있으면 '몸쪽'이라고 한다. 팔다리의 경우 체측에서 먼 쪽을 '먼쪽', 가까운 쪽을 '몸쪽'이라고 한다.

다음은 전두면이다. 전두면(이마면)의 중심선은 뒷면에서 볼 때 외후두융기, 추골극

돌기, 둔열, 양쪽 무릎관절 안쪽의 중심, 양쪽 내과 사이의 중심을 지난다.

한편 전두면에서의 각 부위의 정렬은 다음 페이지의 표와 같다.

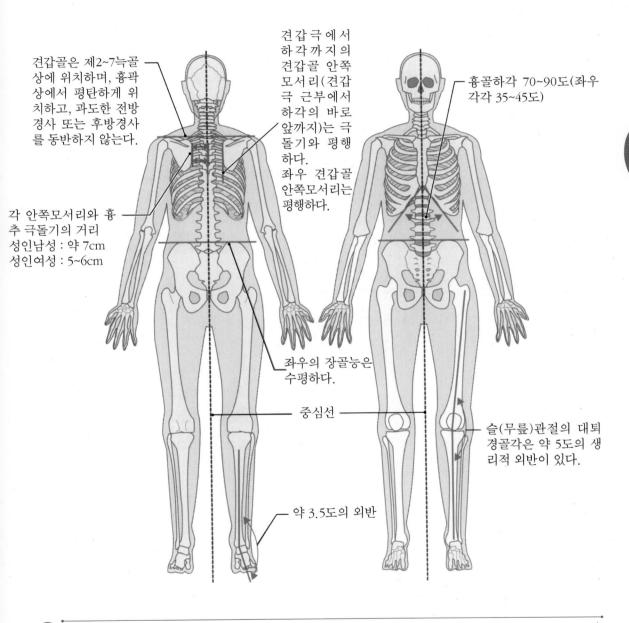

견갑극에서 하각까지의 견갑골 안쪽모서리(견갑극 근부에서 하각의 바로 앞까지)는 극돌기와 평행하다.
좌우 견갑골 안쪽모서리는 평행하다.

견갑골은 제2~7늑골 상에 위치하며, 흉곽 상에서 평탄하게 위치하고, 과도한 전방경사 또는 후방경사를 동반하지 않는다.

각 안쪽모서리와 흉추 극돌기의 거리
성인남성 : 약 7cm
성인여성 : 5~6cm

좌우의 장골능은 수평하다.

중심선

약 3.5도의 외반

흉골하각 70~90도(좌우 각각 35~45도)

슬(무릎)관절의 대퇴경골각은 약 5도의 생리적 외반이 있다.

| 전두면에서 본 중심선과 정렬

견갑골의 하각 : 견갑골의 정점을 이루는 3개의 각 중에서 가장 아래에 있는 각을 말한다.

 이상적인 선 자세(전두면 뒤쪽)

척주	경추, 흉추, 요추가 수직으로 배열된다.
견갑골	•» 제2~7늑골상에 위치하며, 흉곽상에서 평탄하게 위치하고, 과도한 전방 경사 또는 후방경사를 동반하지 않는다. •» 견갑극에서 하각까지의 견갑골 안쪽모서리(견갑극 근부에서 하각의 바로 앞까지)는 극돌기와 평행하면서 좌우의 견갑골 안쪽모서리도 평행하다. •» 각 안쪽모서리와 흉추극돌기의 거리는 다음과 같다. 　　성인남성 : 약 7cm　　　　성인여성 : 5~6cm •» 양쪽 견봉은 제1흉추극돌기 아래모서리를 지나는 수평선의 아주 조금 아래를 지난다.
상완골	상완골 윗면의 대결절부는 견봉보다 약간 가쪽에 위치한다.
어깨관절	안쪽·가쪽돌린 자세의 중간위치에서 양쪽 상완골은 흉곽에 평행하게 위치한다.
주(팔꿉)관절	손바닥을 몸쪽으로 향하게 하면 팔꿈치가 뒤쪽을 향한다.
요추	요추극돌기에서 5cm 가쪽에서의 좌우 팽륭부분의 차이는 1cm 이내이다.
골반	좌우의 장골능은 수평을 이룬다.
종골	약 3.5도 외반되어 있다.

 이상적인 선 자세(전두면 앞쪽)

흉골하각	흉골하각(앞면에서 하부늑골을 이루는 각도)은 70~90도(좌우 각각 35~45도)이다.
무릎관절	무릎관절의 대퇴경골각은 약 5도의 생리적 외반이 있다.

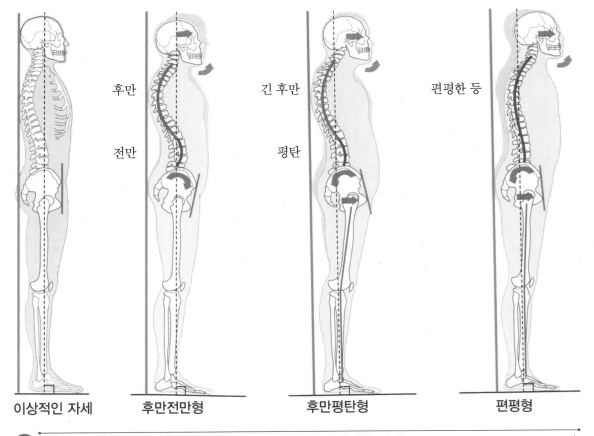

후만

전만

긴 후만

평탄

편평한 등

이상적인 자세

후만전만형

후만평탄형

편평형

│ 시상면에서 본 대표적인 나쁜 자세

10-2 라운드숄더의 관리

⊙ 바로 누운 자세에서 흉추 펴기

바로 누운 자세에서 둥그렇게 한 등 아래쪽에 타월을 둥글게 말아서 받치고, 무릎을 굽혀 세운다.

- 턱을 목구멍 맨 안쪽으로 당겨 붙인 상태에서 만세를 하고, 팔을 무게대로 놔두어 30~60초 동안 스트레칭을 실시한다.
- 동시에 허리가 바닥에서 뜨지 않도록 배근육에도 가볍게 힘을 준다.
- 턱을 당기기 힘든 사람은 머리 밑에 얇은 베개나 타월을 두고 실시하면 좋다.
- 15초 동안의 휴식을 취하면서 3회 실시할 수 있도록 하자.
- 타월에서 등이 떨어지도록 더욱 가슴을 내밀면 흉추부위의 척주기립근도 단련할 수 있다.

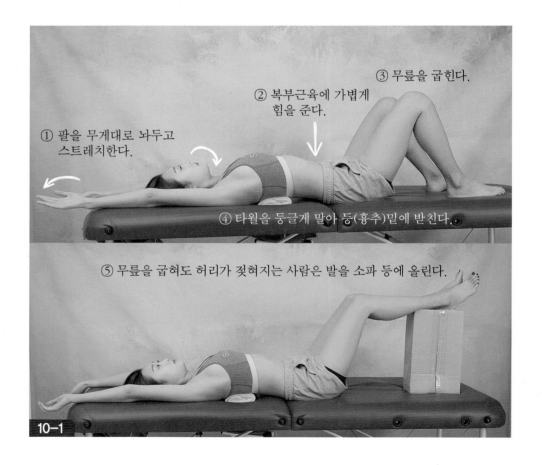

③ 무릎을 굽힌다.

② 복부근육에 가볍게 힘을 준다.

① 팔을 무게대로 놔두고 스트레치한다.

④ 타월을 둥글게 말아 등(흉추)밑에 받친다.

⑤ 무릎을 굽혀도 허리가 젖혀지는 사람은 발을 소파 등에 올린다.

10-1

◉ 허리는 둥글게 하고 가슴 젖히기

•⟫ 포복자세에서 넙다리가 바닥과 수직이 되도록 하고, 양쪽 무릎관절 사이는 주먹 1개 간격으로 벌린다.

•⟫ 척추는 중간위치를 유지한 상태에서 우선 턱을 목구멍 맨 안쪽으로 끌어당긴다.

•⟫ 그다음 손으로 바닥을 누르면서 엉덩이를 발꿈치에 가깝게 댄다. 이때 허리를 둥글게 하면서도 가슴은 젖힌다.

•⟫ 이 상태에서 30~60초 동안 스트레칭을 실시한다. 15초 동안의 휴식을 취하면서 3회 실시할 수 있도록 하자.

•⟫ 이 엑서사이즈는 가슴 앞의 대흉근·소흉근을 스트레치하여 둥글게 된 흉추를 펴는 데에 효과가 있다. 아침에 잠을 깰 때에도 간단하게 할 수 있는 엑서사이즈이다.

•⟫ 요추가 굽어진 사람은 요추를 펴도록 한다.

① 넙다리는 바닥과 수직이 되게 한다.
② 허리는 둥글게 한다.
③ 엉덩이를 발꿈치에 가까이 댄다.
④ 손으로 바닥을 누른다.
⑤ 가슴을 편다.

10-2

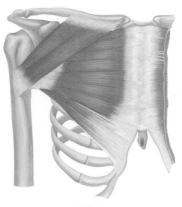

대흉근

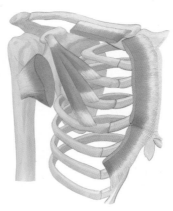

소흉근

어깨와 위팔 및 가슴의 구조와 질환별 관리

⊙ 광배근 스트레칭/아래팔을 붙인 포복자세에서 실시하는 방법

›››» 포복자세에서 대퇴가 바닥과 수직이 되도록 하고, 양쪽 무릎관절 사이는 주먹 1개 간격으로 벌린다.

›››» 좌우의 아래팔을 딱 붙인 채로 바닥에 붙이고, 손바닥을 위로 향하게 하고, 새끼손 가락끼리 붙인다.

›››» 다음으로 엉덩이를 발꿈치에 가까이 붙이는데, 이때 턱을 목구멍 맨 안쪽으로 끌 어당긴 상태에서 허리를 둥글게 하면서도 가슴은 젖힌다.

›››» 좌우의 아래팔 사이가 떨어지려 하거나 손바닥이 안쪽으로 향하면 거기에서 멈추 고 스트레치한다.

›››» 양무릎과 양팔꿈치 사이의 거리가 너무 넓으면 요추가 젖혀져 펴지므로 주의한다.

›››» 이 상태에서 30~60초 동안 스트레칭을 실시한다. 15초 동안의 휴식을 취하면서 3 회 실시한다.

② 아래팔을 붙인 상태에서 손바닥을 위로 향한다.

① 대퇴는 바닥과 수직이 되게 한다.

③ 허리를 약간 둥글게 한다.

④ 엉덩이를 발꿈치에 가깝게 댄다.

⑤ 가슴을 편다.

10-3

⊙ 광배근 스트레칭/앉아서 실시하는 방법

- 등을 벽에 붙이고 앉아서 허리를 약간 둥글게 한다.
- 신체의 앞에서 좌우의 팔꿈치를 붙인 채로 양쪽 새끼손가락 사이를 벌린다.
- 이때 타월을 잡고 하면 실시하기 쉬워진다.
- 그리고 타월이 느슨해지지 않도록 하면서 양쪽 팔꿈치를 위로 올려나간다.
- 타월이 느슨해질 것 같아지면 거기에서 멈추고 스트레치한다.
- 이 상태에서 30~60초 동안 스트레칭을 실시한다. 15초 동안의 휴식을 취하면서 3회 실시한다.

⊙ 광배근 스트레칭/서서 실시하는 방법

- 좌우의 아래팔을 붙인 상태에서 양쪽 팔꿈치가 떨어지지 않도록 양팔을 올린다.
- 이때 양팔을 드는 것과 동시에 양쪽 팔꿈치를 펴서 양쪽 아래팔은 항상 벽과 평행이 되게 한다.
- 이때 허리가 벽에 닿도록 배에 힘을 준다(스태빌리티).
- 처음에는 발꿈치를 벽에서 떼고 실시하면 하기 쉽다.
- 양팔꿈치가 떨어질 것 같으면 거기에서 멈추고 스트레치를 한다(모빌리티). 익숙해짐에 따라 발꿈치를 벽에 붙인다.
- 앉아서 실시하였던 것처럼 타월을 들고 양쪽 새끼손가락을 조금씩 떼어내고, 거기에서 타월이 느슨해지지 않도록 양팔을 올려가면서 진행한다. 운동은 바스트업효과도 가져온다.

① 양쪽 아래팔을
붙인 상태에서
실시한다.

② 양팔을 위로
올린다.

③ 허리가 벽에 닿도록
배에 힘을 준다.

④ 벽에서 발꿈치를
10cm 정도 뗀다.

⑤ 양팔을 위로 올린다.

⑦ 허리가 벽에 닿도록
배에 힘을 준다.

⑨ 발꿈치를 벽에 붙인다.

10-5

⑥ 양쪽 새끼손가락
사이를 벌린다.

⑧ 양쪽 팔꿈치를
위로 올린다.

◉ 턱을 끌어당겨 가슴 젖히기-1

·∭▶ 등받이가 없는 의자에 앉는다.

·∭▶ 후두골 아래 움푹한 곳에서 양손을 깍지낀 다음 양손을 대각선 위앞쪽으로 들어올리면서 턱을 목구멍 맨 안쪽에 붙이는 것을 돕는다.

·∭▶ 다음으로 양쪽 팔꿈치를 뒤로 당겨 가슴을 앞으로 펴서 내밀고, 턱은 가볍게 당긴 상태에서 정면을 본다(모빌리티).

·∭▶ 이때 허리가 젖혀지지 않도록 스태빌리티로서 복부근육에도 가볍게 힘을 준다.

·∭▶ 복부근육에 힘을 주기 어려워서 허리가 쉽게 젖혀지는 경우에는 무릎을 고관절(엉덩관절)보다 높게 해서 실시한다.

·∭▶ 이 상태에서 20~30초 동안 스트레칭을 15초 동안 휴식을 취하면서 3회 실시한다.

① 후두골 아래 움푹한 곳에서 양손을 깍지낀다.

② 턱을 목구멍 맨 안쪽으로 끌어당긴다.

10-6

④ 양쪽 팔꿈치를 뒤로 당기고 가슴을 앞으로 펴서 내민다.

③ 턱은 가볍게 당긴 채로 실시한다.

⑤ 복부근육에 가볍게 힘을 준다.

◉ 턱을 끌어당겨 가슴 젖히기-2

·∭▶ 치료사는 환자의 코밑에 손가락을 가볍게 댄다.

·∭▶ 환자는 그 손가락에서 코밑을 뒤쪽으로 떼어내듯이 하여 경추를 똑바로 폄과 동시에 턱을 목구멍 맨안쪽으로 끌어당긴다.

·∭▶ 그 상태를 유지한 상태에서 가슴을 앞으로 펴 내밀고 양쪽 견갑골 사이를 가까이 댄다(모빌리티).

⫸ 이때 허리가 젖혀지지 않도록 스태빌리티로서 복부근육에도 가볍게 힘을 준다.

⫸ 이러한 엑서사이즈는 턱을 당김으로써 목 앞의 경장근(아래 그림)이나 설골·하근 군을 강화하고, 머리가 붙은 부분의 후두하근군을 스트레치한다.

⫸ 흉추부위의 척주기립근군과 승모근중앙·하부섬유를 사용하여 가슴을 젖힘으로 써 이러한 근육군이 강화되고, 동시에 대흉근·소흉근의 스트레치도 된다.

① 환자는 치료사의 손가락에서 멀어지도록 머리를 뒤로 보낸다.

② 치료사는 환자의 코 밑에 손가락을 가볍게 댄다.

10-7

③ 가슴을 펴서 내밀고 양쪽 견갑골 사이를 좁힌다.

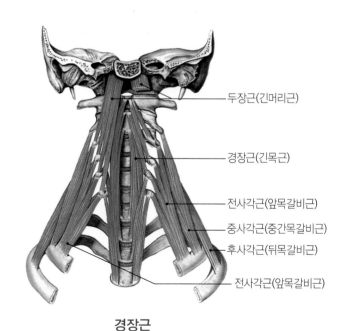

두장근(긴머리근)

경장근(긴목근)

전사각근(앞목갈비근)

중사각근(중간목갈비근)

후사각근(뒤목갈비근)

전사각근(앞목갈비근)

경장근

⊙ 견갑골 일으키기

◜◗ 등받이가 없는 의자에 앉아 무릎을 고(엉덩)관절보다 높게 한다.

◜◗ 팔을 어깨높이로 올리고, 양쪽 집게손가락이 딱 붙도록 마름모꼴을 만든다.

◜◗ 턱을 목구멍 맨 안쪽으로 끌어당긴 상태에서 아래를 향하고 있던 손바닥이 앞을 향하도록 견갑골을 일으키면서 팔을 바로 앞으로 돌린다(모빌리티).

◜◗ 팔꿈치는 직각인 상태에서 그 팔꿈치가 등보다 뒤로 가지 않도록 주의한다.

◜◗ 허리가 젖혀지지 않도록 스태빌리티로서 복부근육에도 가볍게 힘을 준다.

◜◗ 이 상태에서 20~30초 동안 스트레칭을 15초 동안 휴식을 취하면서 3회 실시하도록 한다.

◜◗ 이 엑서사이즈는 견갑골을 내리는 승모근 하부섬유의 강화와, 가슴 앞의 대흉근·소흉근의 스트레치에도 효과적이다.

① 팔로 '마름모꼴'을 만든다.

② 아래를 향하고 있던 손바닥이 앞을 향하도록 팔을 돌린다

③ 턱은 목구멍 맨 안쪽으로 끌어당긴 채로 실시한다.

④ 배에 가볍게 힘을 준다.

10-8

2

어깨와 위팔 및 가슴의 구조와 질환별 관리

⊙ 소흉근 스트레칭

⫸ 견갑골 일으키기 엑서사이즈에서 견갑골을 일으키는 것이 어렵다고 느끼는 사람은 사전에 이 엑서사이즈를 해두는 것이 효과적이다.

⫸ 바로 누운 자세에서 양쪽 무릎을 굽혀 무릎을 세운다.

⫸ 한 손으로 반대쪽 어깨를 바닥에 붙인다.

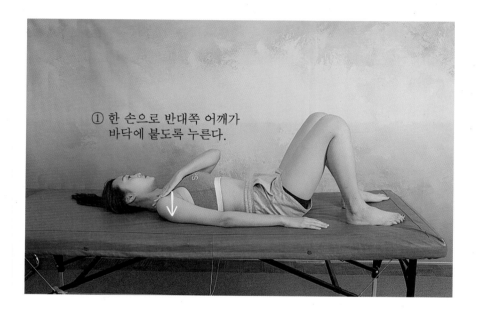

① 한 손으로 반대쪽 어깨가
  바닥에 붙도록 누른다.

② 다음으로 신체를 눌렀던 어깨와 반대쪽으로 돌려간다. 이때 어깨가 바닥에서 떨어지기 시작하면 거기에서 멈추고, 30~60초 동안 스트레치를 15초 동안의 휴식을 취하면서 3회 실시한다. 이때 허리만 돌리지 않도록 주의한다.

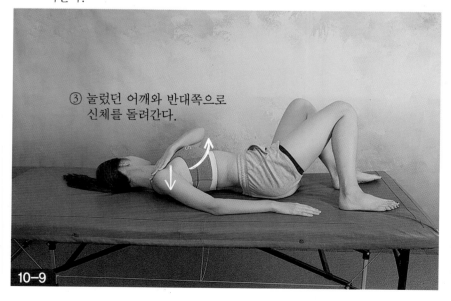

③ 눌렀던 어깨와 반대쪽으로
  신체를 돌려간다.

10-9

어깨결림

11-1 어깨결림의 원인

어깨결림증은 어깨·목부위에서 등에 걸쳐서 나타나는 부기, 경련, 둔통, 무거운 느낌 등의 증상이다. 과로·무리한 자세·운동부족 등에 의하여 발생하는 본태성어깨·목부위결림, 척추질환·내장질환 등에 의하여 발생되는 증후성어깨·목부위결림, 정신적 스트레스 등에 의하여 발생되는 심인성어깨·목부위결림의 3가지로 나누어진다.

사람은 장시간에 동안 무리한 자세나 과로를 강요당하면 근육이 긴장되어 혈액을 운반하는 혈관이 압박을 받아 울혈상태 또는 혈액이나 산소부족현상이 발생한다. 산소결핍상태에서 근육의 수축이 계속되면 젖산 등의 피로물질이 차곡차곡 쌓여 결림을 일으키는 악순환이 발생한다. 근육은 뻣뻣하게 줄어들고, 근육 내의 압력이 높아져 혈류가 방해받고, 피로물질이 배출되기 어려워진다. 뻣뻣해진 근육은 통증을 감지하는 신경을 압박하고, 결림에 의한 통증이 발생한다.

관련경혈 : 풍지, 견정, 견중수, 견외수, 천종, 견정 등

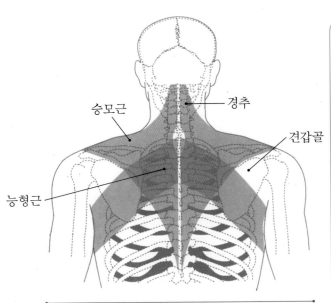

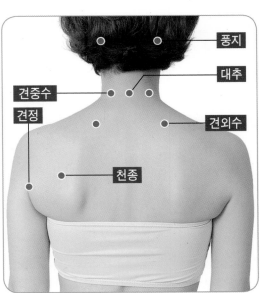

| 어깨결림증상의 발생부위

11-2 어깨결림의 관리

11-1

치료사는 환자 뒤에 서서 양손의 네손가락으로 어깨를 잡고, 양손 엄지로는 승모근을 중심으로 등윗부분에 있는 견중수혈과 견외수혈을 누르면서 주물러준다.

11-2

양손의 엄지와 검지 사이에 환자의 승모근 앞모서리에 있는 견정혈을 끼우고 주물러준다. 그 후 극상근 라인을 따라 주물러준다.

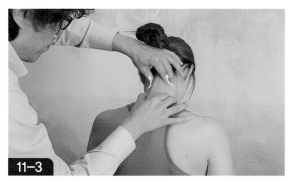

11-3

환자 옆에 서서 양손의 손가락으로 목 양쪽의 근육 전체를 잡고 주물러준다.

11-4

양손의 엄지와 네손가락으로 어깨 전체를 잡고 주물러준다. 이때 네손가락이 쇄골 위의 오목한 곳을 강하게 자극하지 않도록 주의한다.

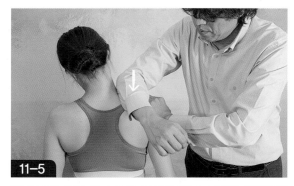

11-5

환자 뒤에 서서 한 손으로 어깨를 잡고, 다른쪽 팔꿈치로 어깨의 근육군을 가볍게 눌러준다.

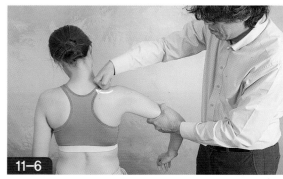

11-6

환자 옆에 서서 한 손으로 위팔을 잡고, 다른 손은 가볍게 주먹을 쥐고 어깨 전체를 손등으로 비벼준다.

11-7

한 손으로 환자의 위팔을 잡고, 다른쪽 아래팔 척골쪽으로 어깨에서 목을 지나 반대쪽 어깨까지 주무른다.

11-8

양쪽 손바닥으로 환자의 위팔을 가볍게 끼고, 위팔의 근육군 사이를 수직으로 비벼준다.

11-9

환자 뒤에 서서 양쪽 손바닥을 자연스럽게 맞댄 채 손날로 어깨 전체를 가볍게 두드린다.

11-10

양쪽 손바닥 안에 공기를 모은 것처럼 겹쳐서 손등으로 환자의 어깨를 두드린다.

11-11

주먹을 가볍게 쥐고, 손날쪽으로 환자의 어깨를 번갈아가면서 두드린다.

11-12

양쪽 손바닥으로 어깨가 부드러워질 때까지 번갈아 또는 동시에 원을 그리면서 비벼준다.

어깨와 위팔 및 가슴의 구조와 질환별 관리

2

11-13

양손으로 환자의 위팔과 어깨부위를 잡고, 무릎을 등 중앙에 대고 양손과 무릎으로 동시에 힘을 가한다. 이것을 등 위쪽에서 아래쪽까지 몇 군데 실시한다.

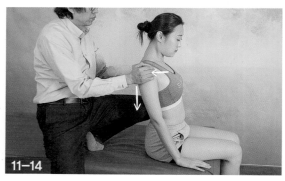

11-14

양손으로 환자의 위팔과 어깨부위를 잡고, 무릎을 등 중앙에 대고 등에서 허리까지 미끄러트려 내려간다.

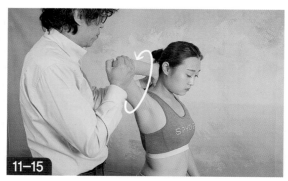

11-15

환자의 손을 목에 대게 한 다음 치료사는 한 손으로 이것을 지지하고, 다른 손으로 팔꿈치를 잡고 무리가 없는 범위에서 어깨를 돌려준다.

11-16

치료사는 자신의 몸으로 환자의 등을 지지하고, 양손으로 아래쪽에서 위팔 안쪽을 잡고 동시에 위쪽으로 가볍게 당긴다.

11-17

양손으로 환자의 팔꿈치를 각각 잡고, 치료사의 가슴으로 환자의 등을 지지한 채로 윗몸을 위쪽으로 들어올렸다 내린다.

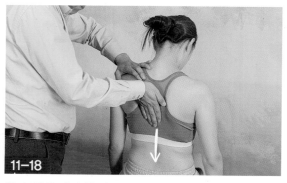

11-18

환자 옆에 서서 한 손으로 어깨를 잡고, 다른 손의 손바닥으로 등에서 허리까지 여러 번 문질러준다.

3

팔꿈치 · 아래팔 · 손목 및 손의 구조와
질환별 관리

◉ 팔꿈치의 개요

팔과 손의 근육과 관절은 구조가 복잡하다. 여기에서는 팔꿈치와 손목 주변에 발생하기 쉬운 근육·힘줄의 상태가 좋지 않은 것에 주목한다. 팔과 손의 근육은 반복적인 움직임이나 혹사 때문에 피로·긴장·통증 등을 일으키기 쉽다.

팔꿈치는 경첩관절이지만 하나의 관절주머니 안에 3개의 관절이 있다는 점에서 독특한 관절이다. 완요관절과 완척관절이 협응하여 아래팔을 굽히거나 펼 수 있고, 근위요척관절이 손목의 엎치기와 뒤치기를 가능하게 한다.

팔꿈치에 있는 복잡한 구조의 인대가 3개의 뼈와 3개의 관절구조를 보호하고 있다. 팔꿈치의 인대에 포함되는 것은 내측(척측)측부인대, 외측(요측)측부인대, 윤상인대, 섬유관절주머니이다.

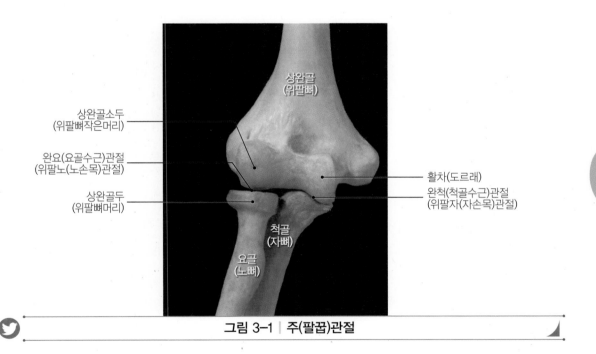

그림 3-1 | 주(팔꿈)관절

팔꿈치는 안정성이 있는 관절이고, 강력한 상완이두근과 삼두근에 의해 굽히거나 펴지기 때문에 격렬한 스포츠를 하더라도 팔꿈치염좌(elbow sprain)는 적다. 염좌가 일어난 경우의 증상은 다른 관절과 같이 1도, 2도, 3도로 나누어진다. 치료방법은 염좌의 중증도에 따라 다르다.

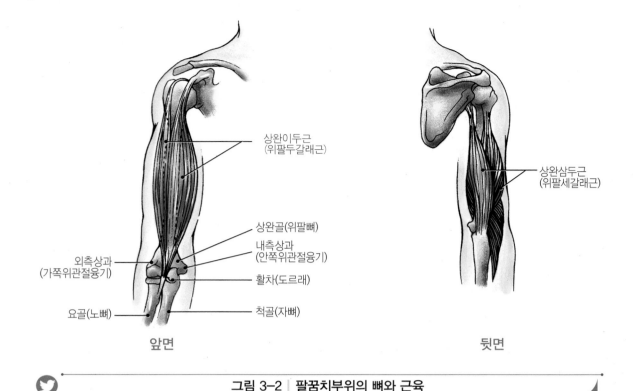

상완이두근
(위팔두갈래근)

상완골(위팔뼈)

내측상과
(안쪽위관절융기)

활차(도르래)

척골(자뼈)

외측상과
(가쪽위관절융기)

요골(노뼈)

상완삼두근
(위팔세갈래근)

앞면

뒷면

🐦 그림 3-2 │ 팔꿈치부위의 뼈와 근육

◉ **팔꿈치의 뼈**

팔꿉(주)관절은 3개의 주요한 팔뼈(상완골, 요골, 척골)가 서로 맞물리는 장소이다. 상완골(위팔뼈)은 어깨관절(shoulder joint)에서부터 팔꿈치(elbow)까지 뻗어 있다. 팔꿉관절에서 상완골 아래쪽은 아래팔의 2개 뼈(척골, 요골)가 회선하기 위한 고정점이 된다. 다른 모든 관절과 똑같이 팔꿉관절도 관절주위와 내부의 인대로 연결되어 있다.

◉ **팔꿈치의 관절**

상완척골관절과 상완요골관절

팔꿈치를 이루는 관절인 팔꿉(주)관절(elbow joint)은 상완척골관절과 상완요골관절로 이루어진 경첩관절이다.

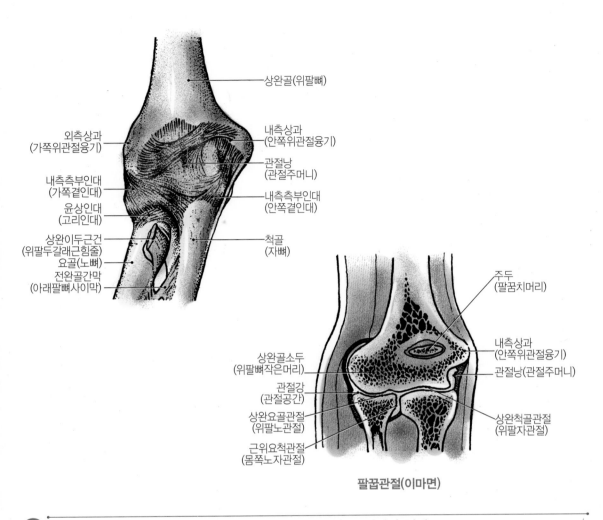

상완골(위팔뼈)

외측상과
(가쪽위관절융기)

내측상과
(안쪽위관절융기)

관절낭
(관절주머니)

내측측부인대
(가쪽곁대)

윤상인대
(고리인대)

상완이두근건
(위팔두갈래근힘줄)

요골(노뼈)

전완골간막
(아래팔뼈사이막)

내측측부인대
(안쪽곁대)

척골
(자뼈)

주두
(팔꿈치머리)

상완골소두
(위팔뼈작은머리)

내측상과
(안쪽위관절융기)

관절강
(관절공간)

관절낭(관절주머니)

상완요골관절
(위팔노관절)

상완척골관절
(위팔자관절)

근위요척관절
(몸쪽노자관절)

팔꿈관절(이마면)

그림 3-3 │ 팔꿈관절의 관절주머니와 인대

상완척골관절은 구조적으로 팔꿈치의 안정성을 대부분 담당한다. 이 안정성은 상완골에 있는 실감개모양의 활차(도르래)와 척골에 있는 아래턱과 같은 활차절흔의 연결에 기인한다. 이 경첩과 같은 관절은 팔꿈치의 굽히기와 펴기를 제한한다.

상완요골관절은 컵모양의 요골와와 공모양의 상완골소두로 이루어진다. 이 때문에 요골두와 상완골소두는 항상 닿아 있고, 엎치기와 뒤치기를 할 때는 요골이 축이 되어 돌아갈 수 있도록 되어 있다. 또, 굽히고 펼 때는 상완골소두를 축으로 하여 요골두가 구르기와 미끄러지기를 하여 돌아갈 수 있게 되어 있다. 상완요골관절은 상완척골관절보다 팔꿈치의 안정성에 적게 기여한다.

아래팔을 뒤친 자세에서 팔꿈치를 완전히 펴면 아래팔이 위팔뼈에 대해 약 15~20도 가쪽으로 기울어지는데, 이것을 생리적 외반주(physiologic cubitus valgus, 밖굽이팔꿈치)라고 한다. 밖(바깥)굽음(valgus, 외반)은 문자 그대로 바깥쪽으로 젖혀진다는 의미이다. 또, 이 생리적 외반주는 물건을 몸에서 떨어뜨려 운반할 수 있다는 의미에서 운반각이라고도 한다. 생리적 외반주는 팔꿈치의 외상에 의해 과도한 외반주(excessive cubitus valgus) 또는 내반주(cubitus varus, 안굽이팔꿈치)로 변형되기도 한다.

한편 내측 및 외측측부인대의 주요기능은 팔꿈치의 과도한 안굽음(varus)과 바깥굽음(valgus)에 의한 변형을 제한하는 데 있다. 내측측부인대는 넘어질 때 신체를 지지하려고 손을 짚을 경우에 손상되기 쉽다. 이러한 인대는 팔꿈치를 극단적으로 굽히거나 펴면 긴장한다. 이 때문에 시상면에서의 움직임에 극단적인 힘이 가해지면 측부인대를 손상시킬 가능성이 있다.

팔꿉관절의 운동

해부학적 자세에서 팔꿈치의 굽히기와 펴기는 내측 및 외측상과를 통과하는 안쪽-가쪽축으로 이루어지는 시상면에서 이루어지는 운동이다. 팔꿈치는 아래팔을 자유롭게 하기 위해 상완이두근을 사용하여 굽히거나 펼 수도 있고, 아래팔을 고정시키면 팔굽혀펴기도 할 수 있다.

◉ 아래팔의 관절

아래팔 관절의 구조

아래팔은 근위요척관절과 원위요척관절로 이루어진다. 그 이름과 같이 이들 관절은 각각 아래팔의 몸쪽끝(근위단)과 먼쪽끝(원위단)에 있다. 아래팔의 엎치기와 뒤치기는 이들 두 관절이 각각 운동함으로써 이루어진다. 아래팔이 완전히 뒤친 자세를 이룰 때에는 요골과 척골은 서로 평행을 이룬다. 한편 아래팔이 완전히 엎친 자세를 이룰 때에는 요골이 척골 위를 교차한다.

아래팔 관절의 운동

뒤치기는 식사를 하고, 세수를 하고, 컵을 잡을 때처럼 손바닥을 위로 하여 이루어지는 동작을 말한다. 반대로 엎치기는 테이블 위에 있는 물건을 잡고, 의자에 손을 짚고 일어서기와 같이 대부분 손바닥을 아래로 하여 이루어지는 동작을 말한다.

엎치기와 뒤치기는 요골두에서 척골두까지 뻗은 회전축 주위를 요골이 회전함으로써 이루어진다. 아래팔의 0도(중립)자세는 엄지를 위로 한 자세이다. 일반적으로 이 자세에서 85도 뒤치기와 75도의 엎치기가 가능하다. 만약 엎치기와 뒤치기의 가동범위가 제한되면 어깨의 가쪽돌리기와 안쪽돌리기에 보상작용(구조나 기능의 결함을 보상하는 것. 대상작용)이 일어난다.

엎치기와 뒤치기는 근위 및 원위요척관절이 동시에 운동하여야 가능하다. 따라서 한쪽 관절의 움직임이 제한되면 다른 쪽 관절의 운동도 제한된다.

뒤치기를 할 때 근위(몸쪽)요척관절에 위치하는 요골두는 윤상인대와 척골의 요골절흔으로 구성된 영역의 내부에서 엄지방향으로 회전한다. 또, 회전하고 있는 요골두는 상완골소두에 닿는다. 원위(먼쪽)요척관절에서는 요골먼쪽부분의 볼록한 면이 정지한 척골에 대해 운동방향과 같은 방향으로 구르기와 미끄러지기가 일어난다.

엎치기의 관절운동은 반대방향 회전 외에는 기본적으로 뒤치기와 마찬가지이다. 완전히 엎치면 요골의 축은 척골의 축을 넘어서 회전한다. 요골과 인접한 손목은 척골에 비해 안정적이기 때문에 이 자세에서 아래팔의 안정성은 높으며, 관절에서도 제대로 상완골에 고정된다.

전완골간막에 힘을 전달하는 메커니즘

전완골간막(아래팔뼈사이막)은 척골과 요골을 연결하는 역할을 한다. 전완골간막의 섬유는 대부분 요골부터 먼쪽·안쪽(자쪽)으로 비스듬히 주행한다. 이 섬유는 손에서 위팔에 걸쳐 압박력을 전달하는 역할을 한다.

예를 들어 팔굽혀펴기와 보행기를 밀 때의 압박력은 80%가 손목관절에 있기 때문에 노뼈에 의해 직접 손에서 손목관절로 전달된다. 몸쪽부분에 전달된 힘은 요골을 통과해서 전완골간막의 특징적인 주행각도에 의해 부분적으로 척골로 전해진다. 그 결과 손목관절 및 요골에 의해 아래팔먼쪽부분에 전달된 압박력은 아래팔몸쪽부분을 통과하여 상완척골관절과 상완요골관절을 통해서 어깨까지 전달된다.

전완골간막의 방향과 얼라인먼트에 의해 압박력이 팔꿈치의 상완척골관절과 상완요골관절에 균등하게 분배된다. 그런데 전완골간막이 90도의 방향으로 배열되어 있으면 요골을 통과하여 위쪽으로 전달된 압박력은 전완골간막을 긴장시키는 것이 아니라 오히려 완화시켜버린다. 완화된 전완골간막은 느슨한 밧줄처럼 힘을 전달할 수 없다. 전완골간막의 섬유방향에 의거한 이 부하전달 메커니즘은 무거운 문을 밀어서 열 때, 환자가 보행기를 사용해서 팔로 체중을 지지할 때 등에 사용된다.

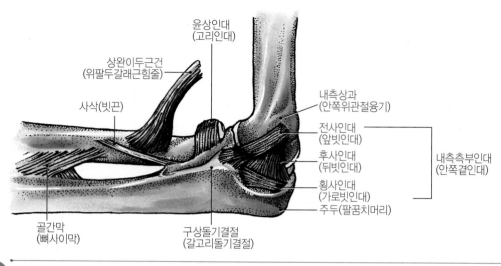

그림 3-4 | 팔꿉관절의 내측측부인대

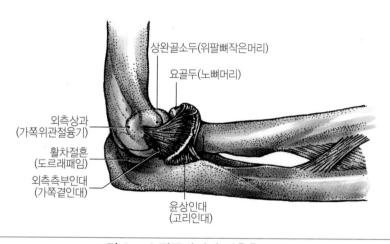

그림 3-5 | 팔꿉관절의 외측측부인대

◉ 팔꿈치 및 아래팔의 근육과 신경

위팔에 있는 주요한 2개 근육인 앞쪽의 상완이두근과 뒤쪽의 상완삼두근은 모두 팔꿉관절을 한데 묶고 있다. 상완이두근은 아래팔에서 요골에 부착되어 팔꿈치를 굽히거나 손 관절(articulations of hand)을 반시계방향으로 돌리는 움직임을 담당한다. 상완삼두근은 아래팔의 척골에 부착되어 팔을 뻗어 손 관절을 시계방향으로 회선시키는 기능을 한다.

아래팔에 있는 손 관절과 손가락을 굽히는 굽힘근육군은 팔꿈치 안쪽의 내측상과라고 불리는 뼈융기에 부착되어 있다.

팔(아래팔)·손목관절·손·손가락 등을 움직이게 하는 신경은 목부분에서 나와 팔 아래로 뻗어 있으며, 팔꿈치부터 손목관절→손→손가락 등으로 이어져 있다. 팔꿈관절 부위는 이들 신경의 방어기능이 약하여 충격이나 반복적인 부하를 받기 쉽다.

아래팔의 굽힘근육군

아래팔의 굽힘근육군은 표면층과 깊은층의 근육으로 나눌 수 있다. 표면층의 근육은 상완골 내측상과와 그 주변에서 시작되고, 깊은층의 근육은 전완골(요골과 척골)와 전완골간막 앞면에서 시작된다. 지배신경은 대부분 정중신경이고, 척골신경의 지배를 받는 근육도 일부 있다.

아래팔의 굽힘근육군에는 장장근(palmaris longus m.), 요측수근굴근(fiexor carpi radialis m.), 척측수근굴근(flexor carpi ulnaris m.), 원회내근(pronator teres m.), 천지굴근(flexor digitorum superficialis m.), 심지굴근(flexor digitorum profundus m.), 장무지신근(extensor hallucis longus m.), 방형회내근(pronator quadratus m.) 등이 있다.

아래팔의 폄근육군

아래팔의 폄근육군은 표면층과 깊은층의 근육으로 나눈다. 표면층의 근육은 상완골 외측상과와 그 주변에서, 깊은층의 근육은 전완골과 전완골간막 뒷면에서 시작된다. 지배신경은 모두 요골신경이다.

아래팔의 폄근육군에는 완요골근(brachioradialis m.), 장요측수근신근(extensor carpi radialis longus m.), 단요측수근신근(extensor carpi radialis brevis m.), 지신근(extensor digitorum m.), 소지신근(extensor digiti minimi m.), 척측수근신근(extensor carpi ulnaris m.), 회외근(supinator m.), 장무지외전근(abductor pollicis longus m.), 단무지신근(abductor pollicis brevis m.), 장무지신근(extensor pollicis longus m.), 시지신근(extensor indicis m.) 등이 있다.

팔꿈치를 펴는 근육

팔꿈치를 펼 때 작용하는 근육은 상완삼두근과 주근(팔꿈치근)이다. 팔꿈치펴기는 미는 동작과 관련이 있기 때문에 팔꿈치를 펴는 근육은 바람직한 동작을 수행하기 위하여 어깨의 굽힘근과 협동하여 활동하기도 한다.

팔꿈치를 펼 때의 주동근은 다음과 같다.

⫸ 상완삼두근
⫸ 주근

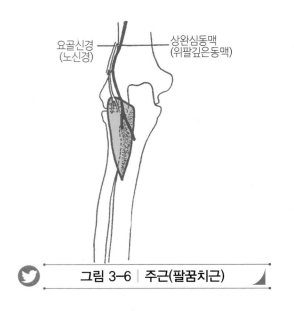

요골신경 (노신경)
상완심동맥 (위팔깊은동맥)

그림 3-6 │ 주근(팔꿈치근)

팔꿈치를 펼 때에는 큰 힘을 필요로 한다. 그 때문에 상완삼두근의 세 갈래 모두와 주근의 강한 활동이 요구된다. 이것들의 기능은 팔굽혀펴기나 의자를 손으로 누르고 올라설 때와 같이 강하게 미는 동작을 할 때 필요하다. 다만 일상적인 움직임에서 필요한 것은 비교적 약한 팔꿈치의 폄근력인데, 이것은 팔꿈치폄근 중에서 단일관절근육만에 의한 활동이다. 예를 들어 선반에 있는 유리컵을 집기 위해서 팔을 위로 뻗을 때에는 상완삼두근의 안쪽갈래와 가쪽갈래 및 주근만 활동한다.

이러한 근육들이 알맞게 팔꿈치를 펼 수 있도록 하므로 이 선택은 합리적이다. 이때 상완삼두근 장두(긴갈래)가 활동하면 어깨를 펼 수도 있어 비효율적이기 때문에 상완삼두근 장두는 필요하지 않다. 또한 2관절근인 상완삼두근 장두의 활동은 어깨가 불필요하게 펴지는 것을 막기 위하여 필요하다.

신경계통은 목적에 맞도록 적절한 근육을 선택한다. 그러나 뇌손상 및 운동에 장애를 초래하는 기타 질환이 있으면 필요 이상의 근육활동을 일으킬 가능성이 있다. 이러한 근육활동의 비효율적인 선택은 운동장애 및 협조성장애의 원인이 될 가능성이 있다.

상완삼두근의 세 갈래 모두 강한 수축이 필요한 미는 동작에서는 일반적으로 팔꿈치 펴기와 어깨굽히기가 복합된다. 예를 들면 무거운 철제문을 밀어서 여는 동작을 생각해 보자. 상완삼두근이 강하게 팔꿈치를 펴주면 삼각근 앞쪽섬유의 작용에 의하여 어깨가 굽혀진다. 상완삼두근 장두(어깨의 폄근)가 활동하는데 왜 어깨가 굽혀질까? 그 이유는 어깨의 굽힘근인 삼각근 앞쪽섬유가 상완삼두근 장두에서 어깨 펴기토크에 뛰어나기 때문이다.

상완삼두근 장두의 어깨 펴기작용이 상쇄됨으로써 그 수축에너지 전부가 팔꿈치의 펴기토크로 향한다. 무거운 물체를 밀 때에 필요한 어깨의 강한 굽히기와 팔꿈치의 강한 펴기는 상완삼두근과 삼각근 앞쪽섬유의 상승효과에 의하여 발생한다.

아래팔의 뒤침근과 엎침근

아래팔을 엎치거나 뒤치기를 하려면 근육이 적어도 다음 두 가지 조건을 충족시켜야 한다.

⫸ 근육의 시작점이 상완골 및 척골 또는 양쪽 모두이고, 부착점은 요골 또는 손일 것
⫸ 근육의 힘선이 아래팔관절의 회전축과 교차(평행 대비)할 것

주요 뒤침근은 상완이두근과 회외근이며, 두 번째로 중요한 뒤침근은 장무지신근과 시지신근이다. 완요골근도 뒤치기를 수행하고, 아래팔중립자세까지의 엎치기도 수행한다. 또한 완요골근과는 관계없이 회내근 또는 회외근의 수축은 아래팔의 위치에 영향을 받는다.

아래팔을 뒤치기할 때의 주동근은 다음과 같다.

⫸ 상완이두근
⫸ 회외근

아래팔을 뒤치기할 때의 보조근은 다음과 같다.

⫸ 장무지신근
⫸ 시지신근

상완이두근의 수축에 의하여 엎친 자세에서 뒤침 방향으로 노뼈를 효과적으로 돌릴 수 있다. 팔꿈치를 약 90° 굽혔을 때 상완이두근과 뒤침근의 역할이 최대가 된다. 이 자세에서 상완이두근건은 노뼈쪽으로 90° 각도로 가까워진다.

한편 팔꿈치를 30° 굽힌 위치에서는 상완이두근의 회전효율이 좋지 않다. 팔꿈치를 90° 굽힌 위치에서 상완이두근의 뒤침토크효율을 100%라고 하였을 때 30° 굽혔을 때는 50%로 저하된다.

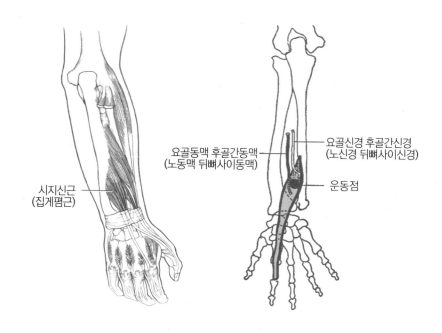

그림 3-7 | 시지신근

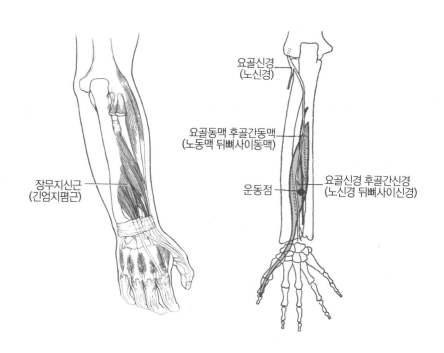

그림 3-8 | 장무지신근

◉ 손목과 손부위의 뼈

손부위 관절에는 전완골과 수근골이 부착되어 있다. 즉 요골과 척골이라는 2개 전완근의 먼쪽끝과 8개의 뼈로 이루어진 수근골 사이에 손목관절이 위치한다. 수근골 중에서도 가장 중요한 뼈는 주상골(손배뼈), 월상골(반달뼈), 유구골(갈고리뼈), 유두골(알머리뼈)이다.

8개의 손목뼈는 인대에 의해서 밀접하게 결합되어 4개씩 나열된 2열로 구성되어 있다. 그 가운데 몸쪽열은 두상골(콩알뼈), 삼각골(세모뼈), 월상골, 주상골이며, 먼쪽열은 유구골, 유두골, 소능형골(작은마름뼈), 대능형골(큰마름뼈)이다.

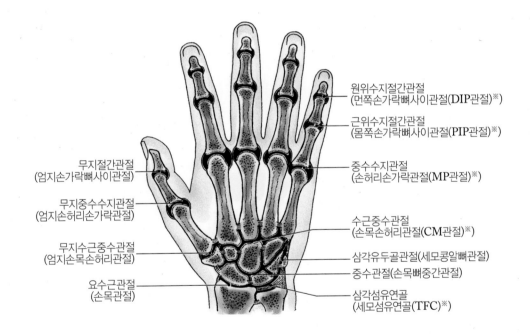

원위수지절간관절
(먼쪽손가락뼈사이관절(DIP관절)※)

근위수지절간관절
(몸쪽손가락뼈사이관절(PIP관절)※)

중수수지관절
(손허리손가락관절(MP관절)※)

수근중수관절
(손목손허리관절(CM관절)※)

삼각유두골관절(세모콩알뼈관절)

중수관절(손목뼈중간관절)

삼각섬유연골
(세모섬유연골(TFC)※)

무지절간관절
(엄지손가락뼈사이관절)

무지중수수지관절
(엄지손허리손가락관절)

무지수근중수관절
(엄지손목손허리관절)

요수근관절
(손목관절)

※ **DIP관절** : distal interphalangeal joint
PIP관절 : proximal interphalangeal joint
MP관절 : metacarpophalangeal joint
CM관절 : carpometacarpal joint
삼각섬유연골(TFC : triangular fibrocartilage complex) : 요골먼쪽끝에서 시작되어 척골경상돌기로 넓어지는 섬유성 연골이다.

그림 3-9 │ 손부위의 관절과 손가락의 구조(이마면)

◉ 손목과 손부위 관절의 구조와 운동

손목은 요수근관절(손목관절)과 중수관절(손목뼈중간관절)로 이루어진 이중관절의 구조물이다. 그밖에 작은 수근간관절(손목뼈사이관절)들이 손목뼈 사이에 많이 있다. 요수근관절과 중수관절은 가동범위가 넓지만 수근간관절의 가동범위는 좁다.

요수근관절

요수근관절(radiocarpal joint, 손목관절)의 몸쪽부분은 요골의 오목한 면과 인접한 관절원판으로 이루어진다. 먼쪽부분은 주상골과 월상골에 의해 볼록한 관절면을 이룬다. 요수근관절에서 전달되는 힘의 80%는 주상골과 월상골을 통과해 요골에 전해진다. 요골에서 크게 융기한 먼쪽부분은 이 힘을 잘 받아들이도록 되어 있다. 손을 편 상태로 넘어지면 주상골과 요골의 먼쪽부분이 손상되기 쉽다. 골다공증(뼈엉성증)에 의해 뼈가 약해지면 특히 이들 부위가 쉽게 골절된다.

자쪽(척골쪽)에 위치하는 손목뼈와 척골의 먼쪽부분은 직접적으로 체중이 부하되지 않기 때문에 넘어질 때 골절위험은 적다. 더욱이 척골의 먼쪽끝과 척측수근골 사이에는 비교적 넓은 공간인 척측수근간공간이 있어서 요수근관절에서 전달된 힘을 감소시킨다.

중수관절

중수관절(midcarpal joint, 손목뼈중간관절)은 손목뼈를 몸쪽배열과 먼쪽배열로 나눈다. 이 관절은 여러 개의 관절들로 구성되지만, 주로 유두골두와 주상골 및 월상골 먼쪽면 오목부분 사이에 형성된다. 주상골과 월상골은 주요한 손목의 관절 두 개(요수근관절과 중수관절)를 구성하는 중요한 요소이다.

손부위 관절의 운동

손부위 관절의 운동은 요수근관절(손목뼈와 요골 사이에 있는 관절)과 중수관절(몸쪽열과 먼쪽열 사이에 있는 관절)이 1/2씩 담당한다.

요수근관절에서는 요골을 고정시켰을 때 간신히 이루어지는 관절주머니 속에서 이루어지는 운동을 제외하고 회전운동은 일어나지 않는다. 이 회전운동은 요수근관절에 대한 뼈의 적합성과 인대에 의해 조정된다. 엎치기와 뒤치기는 요골의 궤도에 손과 손목관절이 이어져 발생하는 아래팔 돌리기를 의미한다.

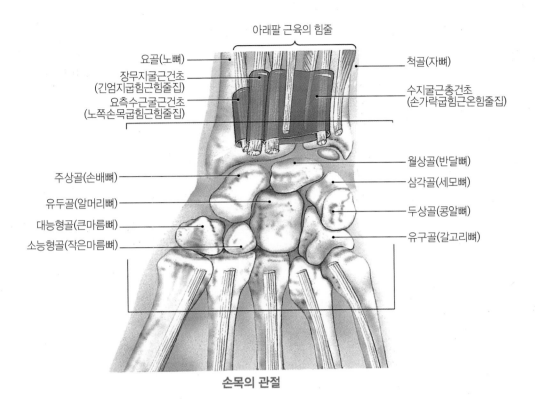

아래팔 근육의 힘줄

요골(노뼈)
장무지굴근건초
(긴엄지굽힘근힘줄집)
요측수근굴근건초
(노쪽손목굽힘근힘줄집)

척골(자뼈)
수지굴근총건초
(손가락굽힘근온힘줄집)

주상골(손배뼈)
유두골(알머리뼈)
대능형골(큰마름뼈)
소능형골(작은마름뼈)

월상골(반달뼈)
삼각골(세모뼈)
두상골(콩알뼈)
유구골(갈고리뼈)

손목의 관절

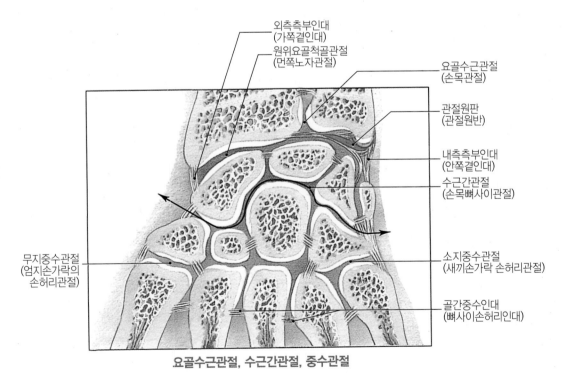

외측측부인대
(가쪽곁인대)
원위요골척골관절
(먼쪽노자관절)

요골수근관절
(손목관절)

관절원판
(관절원반)

내측측부인대
(안쪽곁인대)
수근간관절
(손목뼈사이관절)

무지중수관절
(엄지손가락의
손허리관절)

소지중수관절
(새끼손가락 손허리관절)

골간중수인대
(뼈사이손허리인대)

요골수근관절, 수근간관절, 중수관절

그림 3-10 | 손목과 손부위의 관절

요수근관절이 운동할 때의 회전축은 유두골의 머리부분을 통과한다. 굽히기와 펴기의 축은 안쪽·바깥쪽방향으로 주행하고, 요골쪽굽히기와 척골쪽굽히기의 축은 앞뒤방향으로 주행한다. 유두골과 제3중수골저의 관절은 견고하게 고정되어 있기 때문에 손 전체의 운동방향으로 유두골이 돌아간다.

◉ 손목과 손부위의 신경

아래팔에 분포된 근육과 신경의 네트워크가 손이나 손가락과 동일하게 손목과 손부위 관절도 컨트롤한다. 손목과 손부위 관절의 움직임은 아래팔의 굽힘근과 폄근에 의해 가장 많이 이루어진다.

3개의 신경이 뇌에서 오는 손목관절·손·손가락에 전달해서 움직이게 한다. 이들 신경은 그 영역의 지각도 지배하고 있다. 이들 3개의 신경은 정중신경, 척골신경, 요골신경을 말한다. 정중신경은 손 관절의 손바닥부분에 있는 뼈아치인 수근관(손목굴) 속을 통과하고 있다. 한편 척골신경과 요골신경은 아래팔의 척골과 요골을 따라 분포되어 있다.

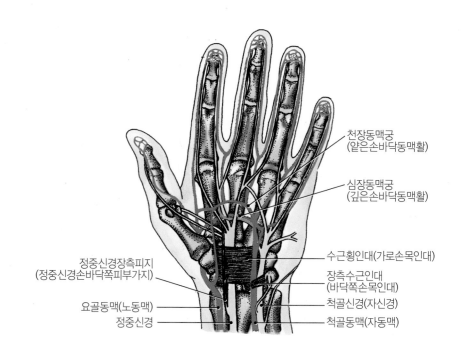

천장동맥궁
(얕은손바닥동맥활)

심장동맥궁
(깊은손바닥동맥활)

정중신경장측피지
(정중신경손바닥쪽피부가지)

수근횡인대(가로손목인대)

장측수근인대
(바닥쪽손목인대)

요골동맥(노동맥)

정중신경

척골신경(자신경)

척골동맥(자동맥)

그림 3-11 | 손목과 손부위의 신경과 혈관

◉ 손목과 손부위의 인대

손부위의 관절은 섬유피막(관절주머니)이 덮고, 관절주머니는 바깥쪽 및 안쪽인대에 의해 보강된다. 바깥쪽인대의 시작점은 손목뼈 가쪽에 있고, 부착점은 손목뼈에 있다. 한편 안쪽인대의 시작점과 부착점은 모두 손목뼈에 있다.

🍎 **손부위의 인대**

인대	기능	해설
배측요골수근인대 (등쪽노손목인대)	과도한 굽히기를 방지한다.	요골과 손목뼈등쪽에 닿는다.
외측측부인대 (가쪽곁인대)	과도한 척골쪽굽히기를 방지한다.	장무지외전근이나 단무지신근 등에 의해 보강된다.
장측요골수근인대 (바닥쪽노손목인대)	과도한 손목관절 펴기를 방지한다.	손목관절 중에서 가장 두꺼운 인대이며, 3개의 인대로 구성된다.
내측측부인대 (안쪽곁인대)	과도한 요골쪽굽히기를 방지한다.	척골수근복합체의 일부를 이루며, 원위요척관절을 안정시킨다.

◉ 수근관과 기용관

수근관

수근관(carpal canal, carpal tunnel, 손목굴)은 손목뼈와 수근횡인대(가로손목인대 ; 굴근지지대)로 구성된다. 수근관 속에는 4개의 천지굴근건(얕은손가락굽힘근힘줄), 4개의 심지굴근건(깊은손가락굽힘근힘줄), 1개의 장무지굴근건(긴엄지굽힘근힘줄)이 정중신경과 함께 주행하고 있다. 이 부분에 건초염(힘줄윤활막염)이 발생하면 종창된 건초(힘줄집)에 의해 정중신경이 압박받아 수근관증후군(손목굴증후군)이 발생한다.

기용관

기용관(tunnel of Guyon)은 척골관(자굴)이라고도 한다. 이 터널의 척골쪽은 두상골(콩알뼈), 요골쪽은 익돌구구(갈고리고랑), 바닥쪽은 장측수근인대(바닥쪽손목인대), 등쪽은 수근횡인대(가로손목인대)로 형성되어 있으며, 그 속에는 척골신경(자신경)과 척골동맥(자동맥)이 지나고 있다. 이 부분에 발생한 종창(ganglion)이나 두상골·유구골의 상해로 인하여 척골신경이 압박받으면 척골관증후군이 발생한다.

수근횡인대는 주상골결절(손배뼈결절)과 대능형골결절(큰마름뼈결절)에서 부터 두상골과 유구골구(갈고리뼈갈고리)로 뻗는 인대이다.

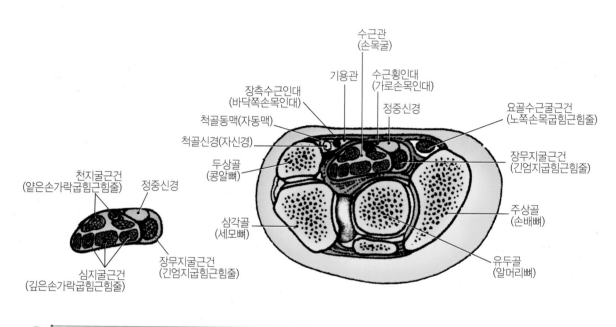

그림 3-12 | 수근관과 기용관

◉ 손과 손가락의 뼈

중수골(손허리뼈)이라고 불리는 5개의 강한 뼈가 손부위의 관절에 붙어 있다. 그중의 4개가 손바닥을 형성하고 있으며, 말초에서 4개의 손가락뼈를 형성한다. 각 손가락은 보다 짧고 강한 3개의 뼈로 이루어진 각각 다른 유닛을 형성하고 있다. 제5중수골(다섯째손허리뼈)은 가장 짧고 강한 뼈이며, 엄지에서는 제1중수골(첫째손허리뼈)이 형성하는 손목관절과 분리되어 있다. 손과 손가락의 인대와 관절주머니는 다른 부위의 그것보다 구조상 유연성이 필요하기 때문에 느슨하게 되어 있다.

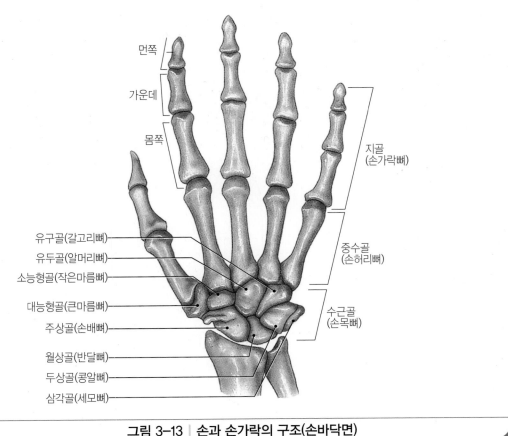

먼쪽

가운데

몸쪽

지골
(손가락뼈)

유구골(갈고리뼈)
유두골(알머리뼈)
소능형골(작은마름뼈)
대능형골(큰마름뼈)
주상골(손배뼈)
월상골(반달뼈)
두상골(콩알뼈)
삼각골(세모뼈)

중수골
(손허리뼈)

수근골
(손목뼈)

그림 3-13 | 손과 손가락의 구조(손바닥면)

◉ 손과 손가락의 관절

수근중수관절

수근중수관절(CMC : carpometacarpal joint, 손목손허리관절)은 먼쪽의 수근골과 5개의 중수골 사이에 있는 관절이다. 이들 관절은 손의 가장 몸쪽부위에 위치한다.

손의 모든 운동은 각 손가락의 가장 몸쪽에 있는 수근중수관절에서 시작된다. 검지와 중지의 수근중수관절은 먼쪽의 수근골과 강하게 결합되어 손 전체의 안정적인 중앙지지대를 형성한다. 대조적으로 말초의 수근중수관절은 요골쪽과 척골쪽에서 가동성이 있는 부위인데, 물건을 잡을 때에는 손의 중앙지지대를 중심으로 한 동작을 가능하게 한다.

엄지의 수근중수관절(엄지손가락의 안장관절로 알려져 있다)은 특히 맞서기를 할 때 최고의 운동성을 발휘한다. 제4 · 5수근중수관절은 제1수근중수관절 다음으로 운동성이 좋은 관절인데, 손의 척골쪽모서리로 물건을 잡으려고 할 때 운동성을 발휘한다.

제4·5수근중수관절의 가동성이 증가하면 움켜쥐는 효과가 커지고, 맞서는 엄지와의 기능적 관계는 강해진다.

손의 수근중수관절은 손바닥을 완만하게 볼록한 모양으로 바꾸고, 교치성을 높인다. 그 특징은 손의 기능을 특징짓는 중요한 요소이다. 예를 들어 원통모양의 물체를 잡을 때에도 손바닥에 들어맞고, 검지와 중지의 움켜쥐는 능력이 발휘되도록 한다.

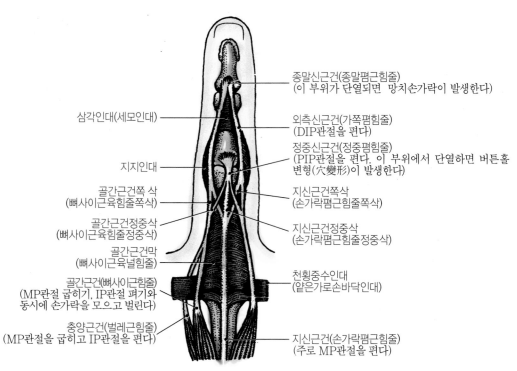

종말신근건(종말폄근힘줄)
(이 부위가 단열되면 망치손가락이 발생한다)

삼각인대(세모인대)

외측신근건(가쪽폄힘줄)
(DIP관절을 편다)

정중신근건(정중폄힘줄)
(PIP관절을 편다. 이 부위에서 단열하면 버튼홀 변형(穴變形)이 발생한다)

지지인대

골간근건쪽 삭
(뼈사이근육힘줄쪽삭)

지신근건쪽삭
(손가락폄근힘줄쪽삭)

골간근건정중삭
(뼈사이근육힘줄정중삭)

지신근건정중삭
(손가락폄근힘줄정중삭)

골간근건막
(뼈사이근육널힘줄)

골간근건(뼈사이근힘줄)
(MP관절 굽히기, IP관절 펴기와 동시에 손가락을 모으고 벌린다)

천횡중수인대
(얕은가로손바닥인대)

충양근건(벌레근힘줄)
(MP관절을 굽히고 IP관절을 편다)

지신근건(손가락폄근힘줄)
(주로 MP관절을 편다)

※ DIP관절 : distal interphalangeal joint,　PIP관절 : proximal interphalangeal joint
MP관절 : metacarpophalangeal joint,　CM관절 : carpometacarpal joint

그림 3-14 │ 손가락을 펴는 기구

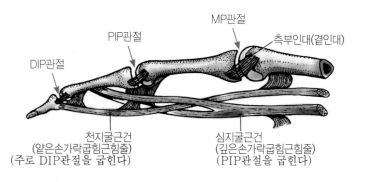

PIP관절

MP관절

측부인대(곁인대)

DIP관절

천지굴근건
(얕은손가락굽힘근힘줄)
(주로 DIP관절을 굽힌다)

심지굴근건
(깊은손가락굽힘근힘줄)
(PIP관절을 굽힌다)

그림 3-15 │ 손가락을 굽히는 기구

엄지의 수근중수관절

엄지의 수근중수관절은 제2손가락열의 밑동(기부), 즉 중수골과 대능형골 사이에 있다. 이 관절은 수근중수관절 중에서 가장 복합하고 중요한 것으로, 엄지가 광범위한 운동을 할 수 있게 한다. 이 안장관절의 움직임에 의해 엄지가 충분히 맞설 수 있고, 다른 손끝에 닿을 수도 있으며, 손바닥 가운데 있는 물건을 엄지로 누를 수 있다.

엄지수근중수관절의 관절주머니는 넓은 관절가동범위를 얻기 위해 본래 느슨하게 되어 있으며, 단지 관절주머니는 인대와 근육에 의해 보강되고 있을 뿐이다. 이차적 외상에 의한 인대단열·과사용·관절염 등은 관절탈골을 일으키기 쉬운데, 이때 엄지손가락 밑동에 특유의 혹을 형성한다.

중수지관절

중수지관절(손허리손가락관절)은 굽히기·펴기·벌리기·모으기 등의 운동뿐만 아니라 다른 여러 가지 운동도 할 수 있다. 중수지관절이 릴랙스되어 거의 펴진 상태에서는 중수골두(손허리뼈머리)에 대한 기절골의 수동적인 가동성을 스스로 확인할 수 있다.

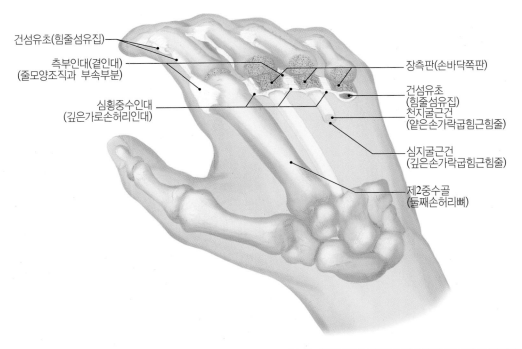

건섬유초(힘줄섬유집)

측부인대(곁인대)
(줄모양조직과 부속부분)

심횡중수인대
(깊은가로손허리인대)

장측판(손바닥쪽판)

건섬유초
(힘줄섬유집)
천지굴근건
(얕은손가락굽힘근힘줄)

심지굴근건
(깊은손가락굽힘근힘줄)

제2중수골
(둘째손허리뼈)

그림 3-16 | 중수지관절 주위의 결합조직(손등쪽)

팔꿉치·아래팔·손목 및 손의 구조와 질환별 관리

3

손가락의 중수지관절은 다음과 같은 운동을 한다.

➣ 굽히기와 펴기는 시상면의 안쪽-가쪽축에서 일어난다.

➣ 벌리기와 모으기는 이마면의 앞뒤축에서 일어난다.

중수지관절은 기절골관절면, 측부인대, 장측판의 등쪽면에 의해 오목한 모양이 형성된다. 이들 조직은 큰 중수골두를 받아들이기 위해 3개의 측면으로 이루어진 용기를 만든다. 이 구조에 의해 관절의 안정성과 접촉면이 증가한다.

엄지의 중수지관절

엄지의 중수지관절은 제1중수골의 볼록한 골두와 엄지 기절골의 오목한 몸쪽면 사이에서 관절을 만든다. 엄지 기절골의 기본구조는 다른 손가락의 기본구조와 유사하지만, 엄지 중수지관절의 자동 및 수동운동은 다른 손가락에 비해 굉장히 부족하다.

➣ 엄지 중수지관절은 이마면에서 굽히기와 펴기가 가능하다.

➣ 엄지 중수지관절의 펴기는 다른 손가락의 중수지관절과 달리 보통 2~3도로 제한된다.

➣ 엄지의 기절골은 최대로 편 상태에서 손바닥을 따라 중지로 향하고, 60도 굽힐 수 있다.

손가락의 수지절간관절

근위 및 원위수지절간관절은 중수지관절보다 먼쪽에 있다. 각 손가락의 수지절간관절(손가락뼈사이관절)은 굽히기와 펴기를 하는데, 중수지관절보다 구조와 기능이 단순하다.

엄지의 수지절간관절

엄지의 수지절간관절은 다른 손가락의 수지절간관절과 구조와 기능이 유사하다. 엄지 수지절간관절은 중립자세를 넘어 20도까지 수동적으로 과다펴기를 할 수 있다. 이 운동은 압정을 벽에 찌를 때처럼 무지구(엄지두덩)로 물체에 힘을 가할 때 자주 이용된다.

◉ 손과 손가락의 근육

손과 손가락의 근육은 대부분 손바닥쪽에 있고, 손등쪽에는 배측골간근(등쪽뼈사이근)만 있다.

손과 손가락의 내재근

손과 손가락에는 비교적 작은 20개의 내재근이 있다. 이러한 근육은 손가락의 섬세한 움직임을 수행하기 위하여 반드시 필요하다.

손과 손가락의 내재근은 다음 네 가지로 분류된다.

① 무지구의 근육

단무지외전근, 단무지신근, 무지대립근이 무지구(엄지두덩)의 대부분을 구성한다. 무지구의 세 근육은 횡수근인대와 인접한 수근골이 시작되는 점이다. 단무지외전근과 단무지신근은 엄지의 기절골저에 부착되는데, 보다 깊은 부위의 무지대립근은 중수지관절보다 몸쪽의 제1중수골 노뼈쪽가장자리에 부착한다.

무지구 근육의 주요역할은 엄지로 물건을 잡을 수 있도록 엄지를 다양한 맞서기자세로 만드는 것이다. 앞서 기술한 것처럼 맞서기에는 수근중수관절 벌리기, 굽히기, 안쪽 돌리기의 각 요소가 필요하다.

무지구를 이루는 각각의 근육은 검지~약지 중에 적어도 하나와 맞서기 위하여 작용한다. 특히 무지대립근은 엄지를 안쪽으로 돌려 다른 손가락의 방향으로 향하게 하는 작용이 있어 맞섬에 꼭 필요한 근육으로서 중요하다.

② 소지구의 근육

소지구의 근육은 소지굴근, 소지외전근, 소지대립근이다. 소지구에 있는 근육의 전체적인 해부는 무지구의 근육과 비슷하다. 세 가지 근육은 횡수근인대와 인접된 수근골에 시작점이 있다. 소지외전근과 소지굴근은 함께 먼쪽으로 소지의 기절골저에 부착된다. 소지대립근은 중수지관절보다도 몸쪽의 제5중수골 척측모서리에 따라 먼쪽의 부착점을 가지고 있다.

소지구에 있는 근육들의 공통기능은 물을 담을 때 손을 컵모양으로 만드는 것처럼 손의 척측모서리를 들어올려서 굽히는 것이다. 이 작용은 먼쪽 가로아치를 깊게 만들고, 유지한 물체와의 접촉을 강하게 한다. 소지외전근은 보다 큰 물건을 잡기 위하여 소지를 벌릴 수 있다.

자신경(척골신경)을 다치면 소지구의 근육이 마비되어 몸쪽축에 의하여 소지구가 평평해진다. 이 때문에 손의 척측모서리를 들어올리는 동작이나 손을 컵모양으로 만드는 동작을 할 때 움직임이 현저하게 저하된다. 또한 소지 전체에 무감각증이 발생하면 손가락의 섬세함이 소실된다.

③ 무지내전근

무지내전근은 엄지 물갈퀴 부분의 깊은층에 있는 이두근이다. 이 근육은 손의 가장 안정된 뼈대영역(유두골, 제2·3중수골)에 부착점이 있다. 횡두(가로갈래)와 사두(빗갈래)는 결합되어 함께 무지중수골저(엄지손허리뼈바닥)에 부착된다.

무지내전근은 무지구의 깊은층에 있기 때문에 쉽게 촉진 관찰하는 것은 불가능하다. 이 근육은 무지지절골저(수근중수관절)의 모으기와 굽히기가 가장 강한 근육이다. 또한 엄지와 검지로 물건을 집는 동작이나 가위를 접는 동작할 때에도 작용한다.

④ 충양근과 골간근 : 손가락의 내재근

충양근(lumbrical m., 벌레근)은 심지굴근건에서 시작되는 네 개의 길고 가느다란 근육이다. 충양근은 먼쪽에서는 뼈에 직접 부착되지 않고 폄기구의 가쪽끈에 부착된다. 충양근은 이러한 먼쪽부착점을 가짐으로써 중수지관절을 굽혀주고 근위수지절간관절과 원위수지절간관절을 펴준다. 이 작용은 충양근이 중수지관절의 바닥쪽을, 근위수지절간관절과 원위수지절간관절의 등쪽을 주행하기 때문에 가능하다.

충양근은 트럼프 뭉치를 잡을 때처럼 중수지관절을 굽히고 근위수지절간관절과 원위수지절간관절을 펴는 복합동작을 할 때 작용한다. 또한 모든 손가락관절을 펼 때 지신근과 함께 활동한다.

골간근은 중수골 사이에 위치한다는 이유에서 이러한 이름이 붙여졌다. 골간근은 손바닥쪽과 손등쪽의 2개로 나누어진다. 2개의 그룹에는 네 가지의 고유근이 포함되어 중수골 몸통의 안쪽과 가쪽에서 발생한다. 배측골간근은 장측골간근에 비하면 크고 약간 등쪽에 위치한다. 이 때문에 배측골간근은 손등의 부풀음을 형성한다. 모든 골간근은 손의 깊은층을 주행하는 척골신경에 의하여 지배된다.

골간근의 주요 기능은 손가락의 벌리기와 모으기이다. 배측골간근은 중수지관절을 벌려서 중지를 통과하는 선으로부터 다른 손가락을 떼어 놓는다. 중지에는 두 가지 배측골간근이 있어 하나는 요골쪽으로, 다른 하나를 척골쪽으로 움직이게 한다. 장측골간근은 중수지관절을 모아서 중지에 다른 손가락을 다가오게 한다.

장측 및 배측골간근은 중수지관절의 바닥쪽을 통과하는 힘선을 가지고 있다. 골간근은 그 일부가 펴는 기전에 부착되어 있기 때문에 (충양근처럼)중수지관절을 굽히고 근위수지절간관절과 원위수지절간관절을 펴는 작용을 한다.

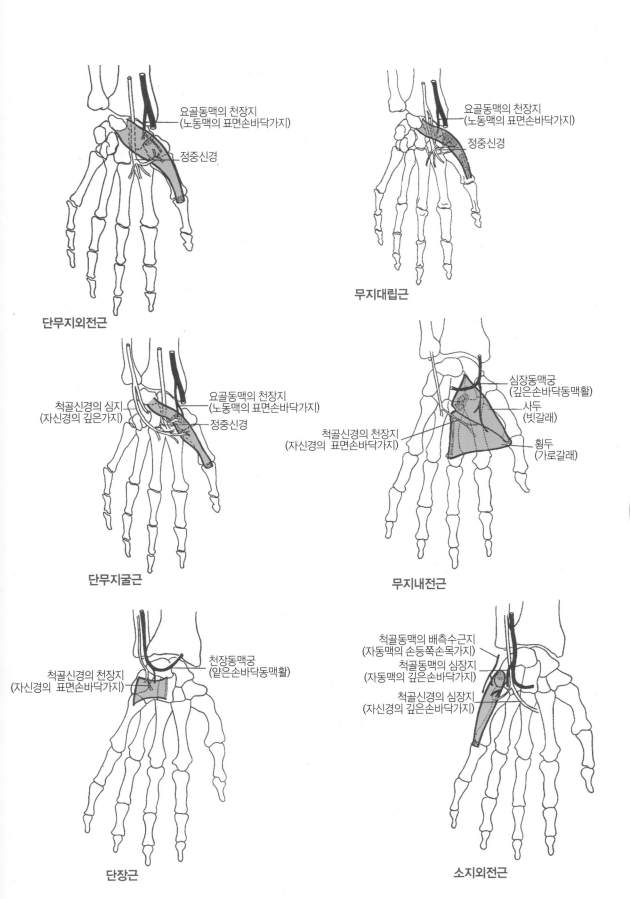

요골동맥의 천장지
(노동맥의 표면손바닥가지)

정중신경

단무지외전근

요골동맥의 천장지
(노동맥의 표면손바닥가지)

정중신경

무지대립근

척골신경의 심지
(자신경의 깊은가지)

요골동맥의 천장지
(노동맥의 표면손바닥가지)

정중신경

단무지굴근

심장동맥궁
(깊은손바닥동맥활)

사두
(빗갈래)

척골신경의 천장지
(자신경의 표면손바닥가지)

횡두
(가로갈래)

무지내전근

척골신경의 천장지
(자신경의 표면손바닥가지)

천장동맥궁
(얕은손바닥동맥활)

단장근

척골동맥의 배측수근지
(자동맥의 손등쪽손목가지)

척골동맥의 심장지
(자동맥의 깊은손바닥가지)

척골신경의 심장지
(자신경의 깊은손바닥가지)

소지외전근

168

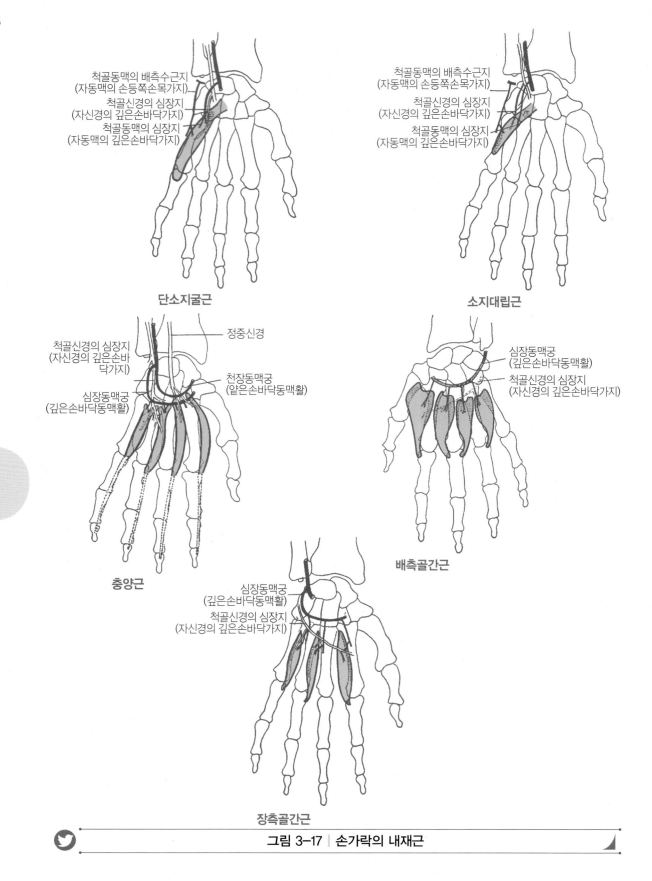

단소지굴근

소지대립근

충양근

배측골간근

장측골간근

그림 3-17 | 손가락의 내재근

⑤ 손가락의 외재근과 내재근의 상호작용

손가락의 관절은 많은 복합운동을 수행한다. 그중에서도 가장 중요한 복합운동은 손을 벌리기 위한 중수지관절·근위수지절간관절·원위수지절간관절을 동시 펴기와 손을 접기 위한 중수지관절·근위수지절간관절·원위수지절간관절을 동시 굽히기이다.

손과 손가락의 근막

아래팔의 근막은 손목부위에서 두툼해져 손등쪽에서 신근지대(폄근지지띠)를, 손바닥쪽에서 굴근지대(굽힘근지지띠)를 만든다. 지대는 그 아래를 관통하는 아래팔의 폄근과 굽힘근의 힘줄을 지지하는 작용을 한다. 그보다 더 깊은 층에는 장장근(palmaris longus m.)의 힘줄이 부채모양으로 펴져 있어 각 손가락의 지절골저에 닿는데, 이것이 수장건막(손바닥널힘줄)이다.

손과 손가락의 건초

손의 건초는 힘줄이 신근지대·굴근지대·장측수근인대 아래를 통과할 때 서로의 마찰을 방지하고 힘줄의 운동을 원활하게 하는 기능을 한다. 장무지외전근과 단무지신근의 건초는 염증을 일으키기 쉽고, 요골경상돌기 주변에서 통증을 느낄 수 있다.

◉ 손과 손가락의 신경과 인대

손과 손가락의 근육을 움직이게 하려면 뇌에서부터 메시지가 보내지지 않으면 안 된다.

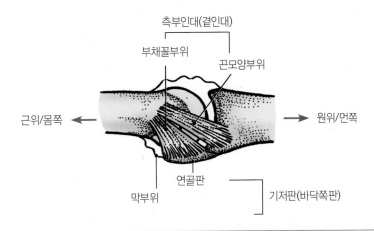

그림 3-18 │ 손가락관절의 인대구조

이들 메시지는 정중신경, 요골신경, 척골신경에 의해 전달된다. 이들 감각신경이 손가락이 복잡한 기능을 하도록 감각과 지각에 관한 정보를 뇌에 보내거나 뇌에서 보내진 정보를 받아들이고 있다.

한편 손가락관절은 중수지관절과 수지절간관절이 모두 동일한 모양의 인대구조를 갖고 있다. 측면에는 측부인대가 있는데, 이는 끈모양부위와 부채꼴부위로 이루어져 있다. 바닥쪽에 있는 기저판은 두꺼운 연골판과 얇은 막부위로 이루어져 있다. 등쪽은 얇은 결합조직막으로 이루어진다.

◉ 팔꿈치, 아래팔, 손목 및 손의 관리지침

다음은 팔꿈치, 아래팔, 손목 및 손의 기능회복을 위한 기본 관리지침이다.

⋯▶ 관절가동범위 증대를 위한 관절 및 연부조직의 가동성
  * 팔꿉관절은 대부분의 활동에서 손의 위치에 따라 15~130도의 펴기 또는 굽히기가 필요하다.
  * 아래팔은 엎치기와 뒤치기를 같은 정도로 하고, 그사이에는 100도 돌리기가 필요하다.
  * 손목관절은 굽히기와 펴기를 조합하여 80~90도의 관절가동범위가 필요하다. 대부분의 잡는 활동은 손목관절을 25~30도 등쪽으로 굽힌 위치에서 발생한다.
  * 어깨복합체는 어깨관절과 팔꿉관절 운동의 조합으로 이루어지므로 충분한 가동성이 필요하다.

⋯▶ 상지대 및 팔꿉관절 사이의 협조적인 신경근 제어는 다음에 의하여 영향을 받는다.
  * 상완이두근 및 상완삼두근의 기능
  * 팔꿉관절과 아래팔의 제어 및 기능적 활동에서 손을 사용할 때의 상지대의 안정성

⋯▶ 손의 내재근과 외재근 사이의 근력과 가동성의 균형

⋯▶ 관련 신체영역 및 시스템의 기능
  * 몸통과 다리의 근력과 유연성
  * 심폐지구력

◉ 관절가동범위 증대를 위한 운동

| 관절 모빌리제이션

목적 : 완척관절(위팔자관절)의 가동성 증대

방법 : 주두와에 대하여 척골을 수직으로 신연(떼어 당김)한다.

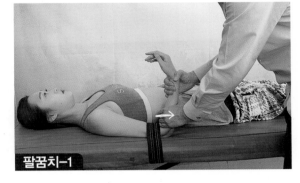

목적 : 팔꿈치 굽히기 증대(완척관절)

방법 : 건져 올리는 듯한 움직임을 이용하여 척골을 신연하고 먼쪽활주법을 실시한다.

목적 : 팔꿈치 펴기 증대(완척관절과 완요관절)

방법 : 요골과 척골에 안쪽(척측)활주법을 실시한다.

   ※ 팔꿈치 펴기를 돕기 위해 외반을 증대시키기 위한 보조운동

목적 : 팔꿈치 굽히기 증대(완척관절과 완요관절)

방법 : 척골과 요골에 가쪽(요측)활주법을 실시한다.

   ⫸ 어깨 가쪽돌리기와 아래팔 뒤치기 위치에서 손바닥으로 미끄러지는 힘을 가한다.

   ※ 팔꿈치 굽히기를 보조하기 위해 내반을 증대시키는 보조운동

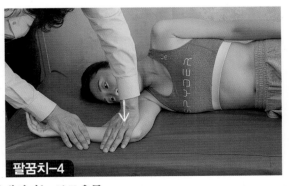

목적 : 완요관절(위팔노관절) 가동성 증대

방법 : 요골을 먼쪽으로 신연(장축방향으로 견인)한다.

⫸ 상완골을 고정시키고 요골의 먼쪽 주변만을 잡는다. 척골쪽으로 신연력은 가하지 않는다.

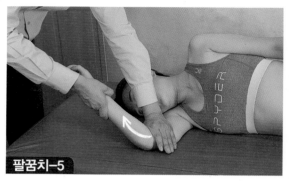

※ 팔꿈치를 과신전한 상태에서 손을 짚고 넘어졌을 때 팔꿈치에 가해진 압력에 의한 상해를 치료하기 위하여 엎친 위치에서 장축방향의 견인을 조합시킨다.

목적 : 팔꿈치 펴기 증대(완요관절)

방법 : 요골두에 뒤쪽(등쪽)활주법을 실시한다.

⫸ 상완골을 고정시킨다.

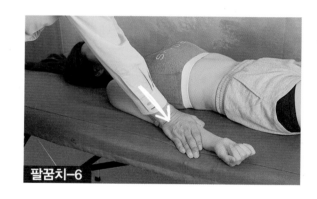

목적 : 아래팔 뒤치기 증대(근위요척관절)

방법 : 요골두에 앞쪽(배쪽)활주법을 실시한다.

⫸ 척골을 고정시킨다.

목적 : 요골의 먼쪽아탈구(팔꿈치장애) 경감

방법 : 완요관절을 압축하기 위하여 수기요법을 실시한다.

- 팔꿈치밑에서 상완골을 고정시킨다.
- 환자의 엄지부위에 치료사의 엄지두덩을 댄다.
- 요골에 장축방향으로 압축력을 가함과 동시에 아래팔을 회외시킨다.

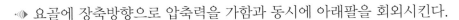
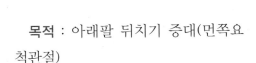

팔꿈치-8

목적 : 아래팔 뒤치기 증대(먼쪽요척관절)

방법 : 요골 먼쪽에서 뒤쪽(등쪽)활주법을 실시한다.

- 척골을 고정시킨다.

팔꿈치-9

목적 : 손목 가동성 증대

방법 : 수근골을 신연(장축견인법)한다.

- 요골과 척골을 먼쪽에서 고정시킨다.

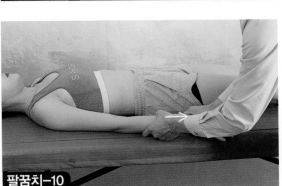

팔꿈치-10

목적 : 엄지 펴기 증대(제1수근중수관절)

방법 : 제1중수골저에 요측활주법을 실시한다.

- 대능형골을 고정시킨다. 이때 제1중수골 오목면과 대능형골 볼록면을 지지한다.
- 손바닥과 평행으로 미끄러지는 힘을 가한다.

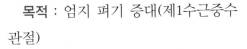
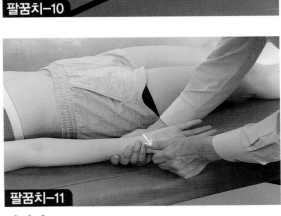

팔꿈치-11

목적 : 엄지 벌리기 증대(제1수근중수관절)

방법 : 제1중수골저에 등쪽활주법을 실시한다.

➤ 대능형골을 고정시킨다. 이때 제1중수골의 오목면과 대능형골의 볼록면을 지지한다.

➤ 손바닥에 대하여 수직방향으로 미끄러지는 힘을 가한다.

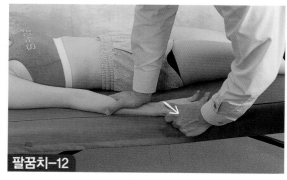

팔꿈치-12

운동병용 모빌리제이션

목적 : 상완골 외측상과염 증상을 경감시키기 위한 몸쪽요척관절의 운동궤적 회복

방법 : 요골몸쪽에 가쪽활주법을 실시한다.

➤ 환자는 공을 쥐고 수관절신전근을 수축시킨다.

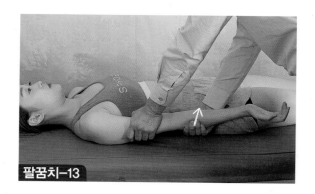

팔꿈치-13

스트레칭

목적 : 주관절굴근군 스트레치(주관절 펴기 증대)

방법 : 셀프 스트레칭

➤ 요골몸쪽에 가쪽활주법을 실시한다.

➤ 아래팔뒤침위치, 중립위치, 엎침위치에서 각각 상완근, 완요골근, 위팔이두근을 스트레치한다.

팔꿈치-14

방법 : 아래팔 먼쪽에 저부하의 추를 달고 장시간 스트레치한다.

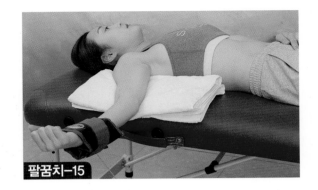

팔꿈치-15

목적 : 상완이두근 스트레치

방법 : 치료대의 모서리를 잡고 견관절과 주관절을 동시에 스트레치한다.

팔꿈치-16

목적 : 상완이두근 긴갈래 스트레치

방법 : 팔꿈치 최종굽힌위치

⟫⟫ 팔꿈치를 굽힌 자세를 유지한 상태에서 위팔 먼쪽을 스트레치한다.

팔꿈치-17

목적 : 전완회내근군 스트레치(뒤치기 증대)

방법 : 아래팔먼쪽에서 요골을 셀프 스트레치한다.

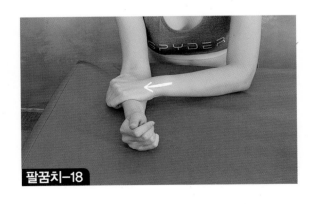

팔꿈치-18

176

방법 : 가벼운 추를 이용한 장시간 신장

◉▶ 주관절은 90도를 유지한다.

◉▶ 한쪽 손으로 아령을 들고 있다.

◉▶ 아래팔을 뒤친위치 또는 엎친위치에서 스트레치한다.

팔꿈치-19

목적 : 외측상과 또는 내측상과에 부착된 근육군 스트레치

방법 : 벽 스트레칭

◉▶ 외측상과에 부착된 근육군을 스트레치하고 손목관절의 바닥쪽굽히기를 증대시키기 위하여 팔꿈치를 편 채로 벽에 손등을 대고 미끄러져 올라간다.

팔꿈치-20

※ 내측상과에 부착된 근육군을 스트레치하고, 수관절의 등쪽굽히기를 증대하기 위해서는 주관절을 편 채로 벽에 손바닥을 대고 (손가락은 위쪽을 향하고) 미끄러져 내려간다.

방법 : 치료대를 이용한 스트레칭

◉▶ 내측상과에 부착된 근육군을 스트레치하고 수관절의 등쪽굽히기를 증대하기 위해서는 팔꿈치를 편 채로 고정시킨 손 위를 넘어가도록 몸통을 이동시킨다.

팔꿈치-21

※ 외측상과에 부착된 근육군을 스트레치하고, 수관절의 바닥쪽굽히기를 증대시키기 위해서는 받침대 위에 있는 손의 등쪽을 붙여 고정시킨다.

목적 : 외측상과에 부착된 근육군 스트레치

방법 : 셀프 스트레칭

⫸ 팔꿈치를 편 채로 손등을 스트레치한다.

⫸ 신장력을 증가시키기 위하여 수관절을 척굴시키고 손가락을 굴곡시킨다.

목적 : 내측상과에 부착된 근육군 스트레치

방법 : 셀프 스트레칭

⫸ 팔꿈치를 펴고 아래팔은 회외한 채로 손바닥을 스트레치한다.

⫸ 효과적인 스트레치를 위하여 손목을 요골쪽으로 굽히고 손가락을 펴준다.

목적 : 손목과 손가락굴근군의 스트레칭(수관절 등쪽굽히기와 손가락 펴기 증대)

방법 : 셀프 스트레칭

⫸ 양쪽 손바닥을 맞댄 채 양손을 아래쪽으로 내려 스트레치한다.

목적 : 수관절 신근군 스트레치(손목의 바닥쪽굽히기 증대)

방법 : 셀프 스트레칭

⫸ 양쪽 손등을 맞댄 채 양손을 위쪽으로 올려 스트레치한다.

⫸ 손가락 신근군을 스트레치하려면 손가락을 완전히 굽혀 주먹을 만들어 실시해야 한다.

목적 : 지배(손가락등쪽)건막 스트레치(지절간관절 굽히기 증대)

방법 : 셀프 스트레칭

◉》중수지절관절을 편 채로 고정시킨다.

◉》지절간관절을 굽힌다.

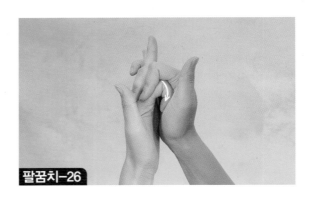

팔꿈치-26

목적 : 엄지두덩 모음근육군 스트레치(엄지 벌리기 증대)

방법 : 셀프 스트레칭

◉》제1중수골과 제2중수골의 먼쪽 끝을 스트레치한다.

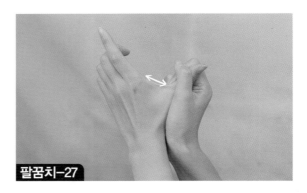

팔꿈치-27

팔꿈치염좌

12-1 팔꿈치염좌의 원인

팔꿈치염좌(elbow sprain)는 인대가 지나치게 늘어나거나 부분적인 파열로 인하여 발생한다.

팔꿈치염좌는 경도(1도), 중간강도(2도), 중도(3도)로 분류한다. 3도 염좌 시에 관절탈구가 일어나는 경우도 있다.

팔꿈치염좌의 증상은 다음과 같다.

- 팔꿈치염좌(elbow sprain)의 중증도(1도, 2도, 3도)에 따라 상해발생 직후부터 통증이 나타난다.
- 30분 이내의 종창, 압통, 구축, 폄불능, 탈구 등이 한꺼번에 일어나면 확실하게 변형이 나타난다.
- 팔꿈치염좌(elbow sprain)는 가볍게 보아서는 안 된다. 적절한 치료를 받지 않은 중(重)도의 팔꿈치염좌는 인대가 충분히 융합되지 않아 팔기능에 영구적인 장애를 일으킬 수도 있다. 따라서 숙련된 치료사의 지도하에 이루어지는 관리 및 수기치료가 필요하다.
- 증상이 보다 심한 팔꿈치염좌는 골절증상과 비슷한 경우가 있다. 장시간 통증이나 심한 종창, 아래팔(forearm) · 손 관절(articulations of hand) · 손의 지각소실, 운동기능저하, 지각장애 등이 있으면 반드시 의사의 진찰을 받는다. 그런데 팔꿈치염좌가 건염인지 건증인지를 구분할 필요가 있다.
- 건염은 어떠한 손상이나 외상에 의한 힘줄의 염증을 말한다. 이 염증은 발적, 발열, 부종, 통증 등을 동반한다. 급성 손상에 대하여 실시하여도 되는 치료는 PRICE(보호 · 안정 · 냉방 · 압박 · 거상)뿐이다.
- 건증은 힘줄의 섬유와 세포의 퇴행변성을 말한다. 만성적인 스트레스, 반복적인 움직임, 혹사 등에 의하여 힘줄의 콜라겐과섬유가 손상된 상태이다. 건증이라는 단어를 이용함으로써 환자의 힘줄장애를 보다 정확하게 정의할 수 있다. 건증은 건염과 달리 발적 · 부종 등의 증상을 보이지 않지만, 통증이나 불쾌감의 원인이 된다.

팔꿈치염좌환자에 대한 시술의 첫 단계는 필요에 따라 관련근육군을 마사지하여 그것들을 안정상태의 정상적인 길이로 되돌리는 것이다. 과수축이나 과민자극을 받은 근육을 마사지하여 부드럽게 하면 힘줄에 가해졌던 긴장을 풀어줄 수 있다.

가장 처음 이용하면 좋은 테크닉은 스킨롤링(skin rolling : 피부를 잡아 굴리듯이 움직이는 동작)과 근막테크닉이다. 계속해서 아래팔의 근육에 유념법을 실시하면 좋다. 스트리핑(stripping) 또는 신전 후에 여러 방향의 강찰법을 실시하여도 좋은 결과를 얻을 수 있다.

중요한 것은 긴장하여 줄어든 근육을 늘리고, 늘어나서 약해진 근육을 강화함으로써 근육의 균형을 회복시키는 것이다. 팔꿈치염좌는 환부주변에 얼음찜질을 하여도 좋은 결과를 얻을 수 있다. 이 방법은 치료사가 상과염을 마사지하는 도중에 발생되기 쉬운 염증을 컨트롤하는 데 도움이 된다.

12-2 팔꿈치염좌의 관리

워밍업_
유념법(주무르기)으로 조직을 워밍업한다. 아래팔을 몸쪽에서 먼쪽으로 조직을 깊게 펴서 부드럽게 해준다.

아래팔의 근육_
집는 테크닉을 이용하여 폄근육군의 트리거포인트를 마사지한다. 손목을 굽히고 펴는 운동을 실시한다. 유착을 해소하기 위하여 스트리핑도 실시한다.

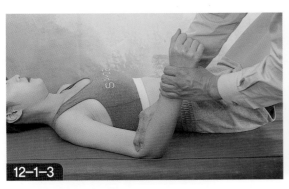

굽힘근힘줄과 폄근힘줄_
폄근힘줄과 굽힘근힘줄 전체를 강하게 쓰다듬는다.

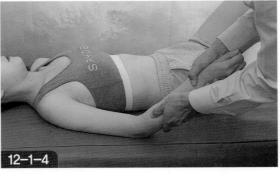

원형회내근_
원형회내근을 강하게 쓰다듬는다. 원형회내근에 압력을 가한 채로 손목을 회내상태에서 회외상태로 움직인다.

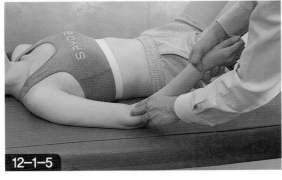

회외근_
회외근에 압력을 가하면서 쓰다듬고, 천천히 깊은 스트리핑을 실시한다. 회외근에 압력을 가하면서 손목을 회외상태에서 회내상태로 움직여준다.

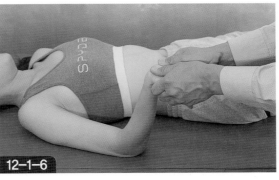

스트레치_
팔과 손목의 근육을 스트레치할 때에는 굽힘근육군과 폄근육군에 특히 주의한다.

12-3 팔꿈치염좌의 운동요법

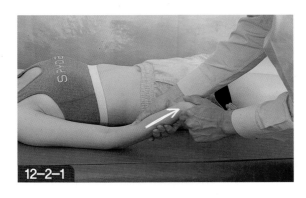

12-2-1

단요측수근신근 스트레치_
치료사는 한 손으로 환자의 중지 중절골저를 잡고, 다른 손은 통증부위 먼쪽에 두고 단요측수근신근의 주행에 맞춰 근건연결(myotendinal junction)부위부터 근복(힘살)까지 엄지손가락을 이동시켜가며 스트레치한다.

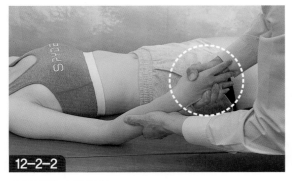

12-2-2

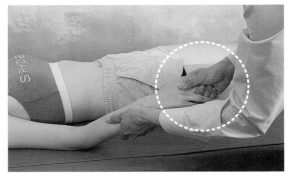

총지신근 스트레치_
총지신근의 스트레치는 스트레치할 손가락을 굽힌 자세로 하여 실시한다. 스트레치할 근육의 주행에 맞춰 실시한다. 어느 정도 압통이 저하되면 손가락 전체를 굽힌 자세로 하여 스트레치해도 좋다.

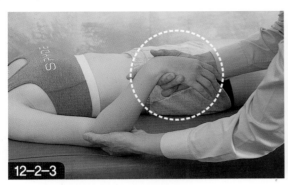

외측측부인대복합체 스트레치_
외측측부인대는 상완요골관절가쪽을 분리시키듯 팔꿈관절을 엎친 방향으로 아래팔의 무게를 이용해가며 신장시킨다.

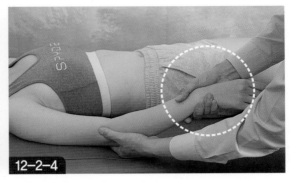

외측척골측부인대 스트레치_
외측척골측부인대는 외측상과에서부터 회외근능에 부착되기 때문에 아래팔을 뒤친 자세에서 팔꿈관절가쪽의 상완척골관절을 분리시키는 방향으로 외측측부인대와 마찬가지 방법으로 스트레치한다.

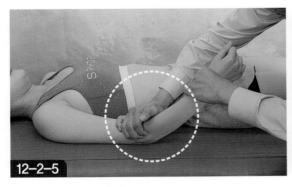

관절주머니 스트레치_
상완요골관절의 뒤쪽 · 뒤가쪽 섬유를 스트레치한다.

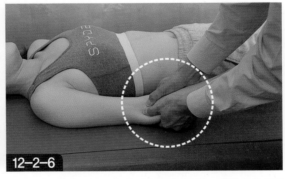

치료사는 환자의 요골두를 앞쪽에서 잡고 뒤쪽 · 뒤가쪽으로 밀어내듯이 문질러준다.

13 DISEASE 테니스엘보

13-1 테니스엘보의 원인

테니스엘보는 상완골외측상과에 부착된 전완신근의 근육힘줄 또는 근건골막간의 윤활주머니에 염증이 발생하여 주관절 가쪽에 통증이 있으면서 엎치기가 제한되는 증상을 가리킨다.

라켓에 가해지는 충격이 상완골외측상과에 전해지면 근육힘줄이 당겨져 늘어나 손상을 입는다는 점, 아래팔이 엎치기나 뒤치기 동작을 할 때 근육힘줄에 힘이 가해져 당겨져 늘어나는 동작이 백핸드 시에 과도하게 팔을 사용하는 테니스운동과 비슷하다는 점, 그리고 테니스선수에게 많이 나타나기 때문에 '테니스엘보'라고 이름이 붙었다.

현대의학에서는 '상완골외측상과염'이라고 하며, 한의학에서는 테니스엘보를 피로손상성의 질병으로 '주부상근(肘部傷筋)'이라는 범주에 귀속시켜 치료를 실시한다.

이 증상은 명백한 외상력이 나타나지 않고, 증상이 천천히 진행된다. 만성염증이 반복적으로 발생하면 외측상과의 골막까지 이르러 팔꿈치의 폄근힘줄부착점에 격렬한 통증이나 아래팔에서 방산통이 나타나고, 타월을 쥐어짜는 듯한 동작을 할 때에는 저림을 동반한 통증이 있다. 또한 상완골외측상과에 압통점이 확실히 나타나며, 국부의 종창도 있다.

실제 임상에서는 테니스엘보의 발생원인이 스포츠와 관계있는 경우는 5% 이하이며, 스포츠와 관계없는 40~60세의 일반인에게 많이 나타난다. 30세 이후에 테니스를 시작한 사람에게서 발증률이 높은 경향이 있다.

테니스엘보는 가장 많이 발생하는 과사용상해이다. 테니스엘보는 테니스선수에게만 일어나는 것이 아니다. 다른 라켓스포츠(특히 스쿼시, 라켓볼)선수나 골프선수에서도 볼 수 있다.

테니스엘보는 반복되는 아래팔근육 스트레스에 의해 발생한다. 그 스트레스는 힘줄이 팔꿈치의 외측상과(lateral epicondyle of elbow, 위팔뼈가쪽위관절융기)의 부착점에 전해진다. 스트레스는 적절한 컨디셔닝을 실시하지 않거나 부적절한 도구사용, 잘못된 기술사용 등의 경우에 증가된다. 간혹 몇 가지 요인이 한꺼번에 적용됨으로써 발생하는 경우도 있다. 잘못된 백핸드기술이 그 주된 원인이 된다.

테니스엘보(tennis elbow)를 일으키는 외적 요인은 다음과 같다.

⟩⟩ **라켓** : 라켓이 무거울수록, 그립이 작을수록, 스트링의 장력이 높을수록 팔에 걸리는 스트레스는 커진다.

⟩⟩ **코트표면** : 딱딱하고 볼의 속도가 빨라지는 표면, 특히 잔디나 콘크리트코트에서는 볼이 라켓의 스트링을 치는 속도가 빨라지기 때문에 팔꿈치에 전달되는 스트레스를 크게 한다.

⟩⟩ **볼** : 오래되고 무거운 볼은 팔꿈치에 많은 스트레스를 준다.

테니스엘보에서 가장 많이 간과하는 위험요인은 컨디셔닝이다. 특히 어깨의 근력과 유연성 부족이다. 근력이 약한 어깨는 테니스엘보를 악화시키는 첫단계가 된다. 팔 전체의 근력저하를 일으키는 근육둘레띠의 염증부터 시작되는 경우가 있다. 팔의 근력저하는 기술에도 영향을 주고, 그 결과 테니스엘보를 일으키는 요인이 된다.

테니스엘보는 40세 이상의 사람에게 많이 일어난다. 왜냐하면 나이를 먹으면 신체의 회복기능이 저하되기 때문이다. 중고령자의 경우 힘줄이 외측상과(가쪽위관절융기)에 부착되는 곳에 미세한 단열이 생기면 짧은 시간에 치료되기 어렵다.

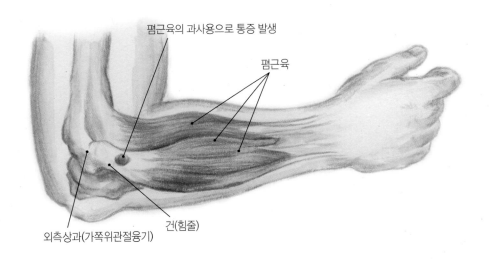

펌근육의 과사용으로 통증 발생

펌근육

건(힘줄)

외측상과(가쪽위관절융기)

│ 팔꿈치부위의 구조

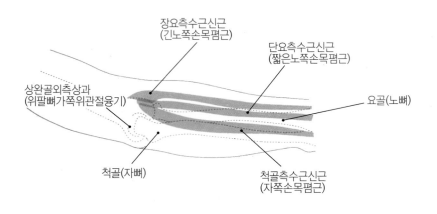

장요측수근신근
(긴노쪽손목폄근)

단요측수근신근
(짧은노쪽손목폄근)

상완골외측상과
(위팔뼈가쪽위관절융기)

요골(노뼈)

척골(자뼈)

척골측수근신근
(자쪽손목폄근)

| 테니스엘보의 발생부위(오른쪽 가쪽)

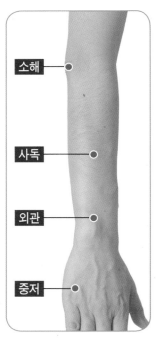

소해

사독

외관

중저

관련경혈 : 곡지, 소해, 수삼리, 사독, 외관, 중저, 아시혈 등

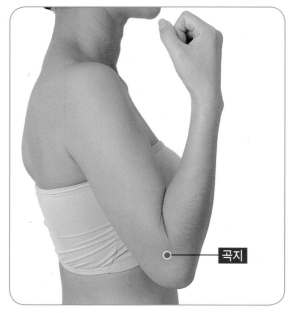

곡지

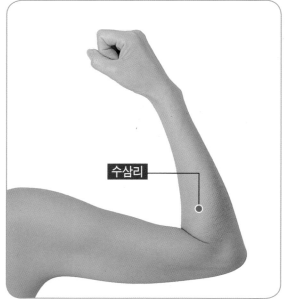

수삼리

아시혈 : 천응혈(天應穴) · 응통혈(應痛穴) · 부정혈(不定穴)이라고도 한다. 이미 정해진 침혈이 아니라 병으로 아픈 국소 부위나 눌러서 아픈 곳을 침혈로 정하는 것을 말한다. 아시혈은 내장 장기의 병적 상태가 체표에 반영되거나 타박, 염좌(捻挫), 각종 신경통 등의 경우에 나타나는 압통점이라고 할 수 있다.

13-2 테니스엘보의 관리

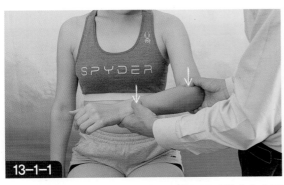

13-1-1

치료사는 환자 앞에 서서 양손 엄지로 곡지혈이나 손목쪽 손목주름 위쪽에 있는 외관혈을 누른다. 그 후 곡지혈을 가볍게 누르면서 팔꿈치 굽혔다펴기와 안쪽 및 가쪽 돌리기를 실시한다.

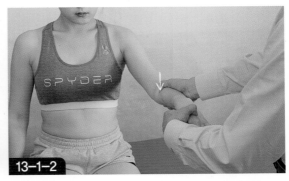

13-1-2

한 손으로 환자의 손을 지지하고, 다른 손의 엄지끝으로 손등쪽에 있는 중저혈을 누른다.

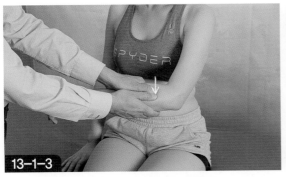

13-1-3

환자 앞에 앉아서 양손 엄지를 겹쳐 아래팔의 폄근육군(장요측수근신근, 단요측수근신근, 지신근)을 따라가면서 눌러준다.

13-1-4

한 손으로 아래팔을 지지하고, 다른 손의 엄지안쪽으로 주관절 가쪽폄근육군의 통점(백핸드 시에 아픈 곳)을 눌러준다.

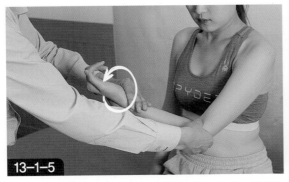

13-1-5

한 손으로 아래팔을 지지하고, 다른 손의 엄지로 상완골 내측상과 앞모서리에 있는 소해혈에 누른다. 그 후 한 손으로 아래팔을 안쪽으로 돌리면서 다른 손의 엄지로 주관절 라인을 따라 밀어준다.

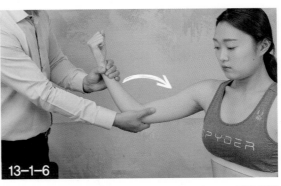

13-1-6

한 손으로 환자의 아래팔을 잡고, 다른 손으로 팔꿈치를 지지한 채로 팔꿈치를 굽혔다펴준다.

13-1-7

환자 옆에 서서 다른 손 엄지안쪽으로 상완골외측상과 위모서리를 누르면서 비벼준다.

13-1-8

한 손으로 아래팔을 지지하고, 다른 손의 엄지끝으로 상완골외측상과 위모서리와 통점을 누르면서 팔을 굽혔다 펴준다.

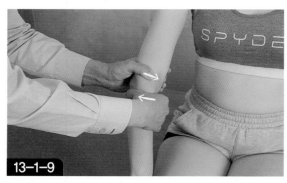

13-1-9

한 손으로 아래팔을 아래에서, 다른 손으로 위에서 아래팔의 근육군을 동시에 잡고 앞뒤로 비튼다.

13-1-10

한 손으로 아래팔을 지지하고, 다른 손은 가볍게 주먹을 쥐어 아래팔에서 팔꿈치까지 손등으로 강하게 쓰다듬는다.

13-1-11

환자 앞에 서서 한 손으로 손목을 들고, 다른 손의 손바닥으로 아래팔가쪽폄근육군을 문질러준다.

13-1-12

한 손으로 손목을 지지하고, 다른 손 엄지와 네손가락으로 아래팔을 가볍게 끼우고 안팎의 근육군을 문질러준다.

13-3 테니스엘보의 운동요법

요측수근신근 스트레치_

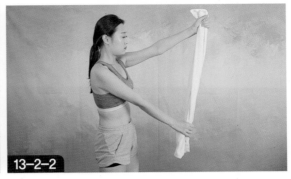

수건을 이용한 요측수근신근 스트레치_

상완이두근 스트레치_

전완굽힘(굴)근 스트레치_

골프엘보

14-1 골프엘보의 원인

골프엘보는 전완굴근건(tendon of forearm flexor, 아래팔굽힘근힘줄)의 상완골내측상과 부착점에 일어나는 염증이다. 상완골내측상과에 부착된 굴근건에 전달되는 전완굴근(forearm flexor)이 받는 반복되는 스트레스가 주발생원인이다. 이것은 팔꿈치의 과사용상해의 약 10%를 차지하지만, 테니스엘보(tennis elbow)보다는 덜 발생한다.

골프엘보의 관리열쇠는 조기치료이다.

⫸ 증상은 서서히 나타난다.

⫸ 팔꿈치내측상과(안쪽위관절융기)에 통증이 일어난다.

⫸ 아래팔을 엎침시키거나 손관절을 몸통쪽으로 굽히면 통증이 일어난다.

⫸ 악화되면 힘줄의 미세한 단열로 인해 반흔이 생기거나 팔꿈치 안쪽에 관절염(arthritis)이 생길 수 있다.

⫸ 신경상해는 투수팔꿈치가 있는 사람의 반 이상에게서 볼 수 있다.

⫸ 2주 이상 통증이 지속되면 의사의 진찰을 받는다.

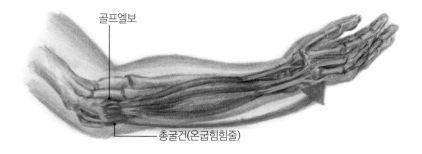

골프엘보

총굴건(온굽힘힘줄)

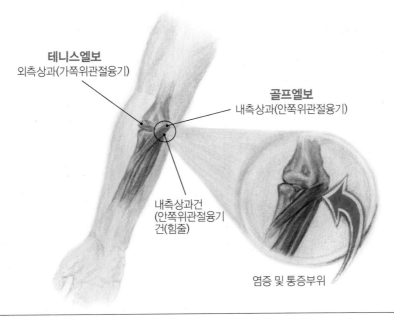

테니스엘보
외측상과(가쪽위관절융기)

골프엘보
내측상과(안쪽위관절융기)

내측상과건
(안쪽위관절융기
건(힘줄)

염증 및 통증부위

| 테니스엘보와 골프엘보

관련경혈 : 곡지, 견정

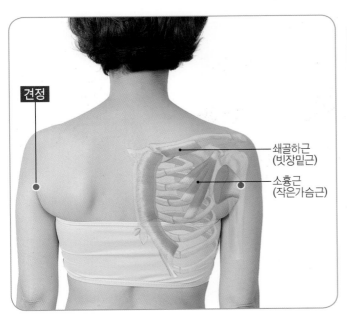

견정

쇄골하근
(빗장밑근)

소흉근
(작은가슴근)

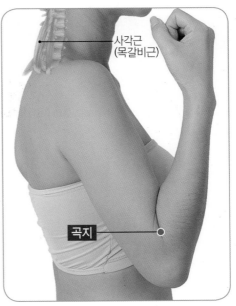

사각근
(목갈비근)

곡지

※ 골프엘보의 관리법은 테니스엘보 참조

14-2 골프엘보의 운동요법

척측수근굴근 스트레치_

전완굴근군 스트레치_

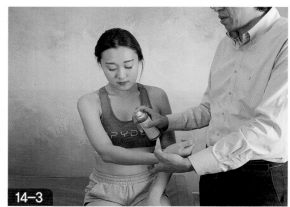

스프레이를 이용한 냉동요법_

얼음주머니를 이용한 냉동요법_

15 DISEASE 손목관절염좌

15-1 손목관절염좌의 원인

손목관절염좌는 손목관절 주위에 있는 인대·근육 등의 연부조직이 정상적인 생리적 가동범위를 넘은 무리한 동작을 하거나, 갑자기 외적 충격을 받아서 발생된 통증·피하출혈·종창·인대의 열상·탈구·힘줄의 전위·기능장애 등의 손상을 가리킨다.

팔은 구조가 복잡하고 연부조직이 많다. 굽히기·펴기 등 운동종류나 운동범위도 많고 넓기 때문에 염좌가 발생하기 쉽고, 요골관절의 인대·경상돌기의 측부인대·척골 경상돌기의 측부인대의 손상 등이 동반된다. 이때 수근골의 골절이나 요골·척골의 먼 쪽끝 골절과 구분해야 한다.

급성손목관절염좌는 팔의 관절운동이 제한되어 통증이 동반된다. 통증은 운동 시나 야간에 더욱 심해진다. 환부에는 수종이 나타나고, 피하에 피멍이 나타난다. 만성손목 관절염좌는 동작의 크기와 격렬함이 증가할수록 통증이 심해지지만, 수종이 없으며 무력감이 강하다. 한의학에서는 이 증상을 '완부상근(腕部傷筋)'이라고 칭하며, 근맥의 손상, 기혈의 응체를 원인으로 보고 있다.

팔꿈치·아래팔·손목 및 손의 구조와 질환별 관리

3

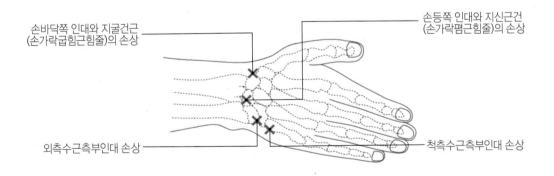

손목관절염좌의 발생부위

194

관련경혈 : 합곡, 양지, 양계, 양곡, 곡지, 소해 등

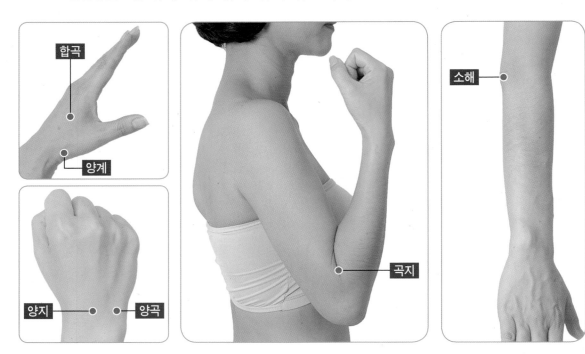

15-2 손목관절염좌의 관리

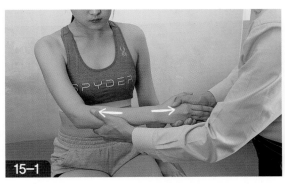

치료사는 환자의 앞에 앉아서 한 손으로 환자의 아래팔을 잡고, 다른 손으로 네손가락을 잡고 당겨준다.

한 손으로 환자의 손을 잡고, 다른 손의 엄지끝으로 손등의 제2중수골에 있는 합곡혈을 누르고 주무른다.

한쪽 엄지로 환자의 손목 배측횡문상에 있는 양지혈을 누르고, 다른 손으로 환자의 손을 잡고 굽혔다펴기를 실시한다.

한 손으로 환자의 손을 잡고 굽혔다펴기를 실시하면서 다른 손의 엄지로 위팔쪽으로 밀어준다.

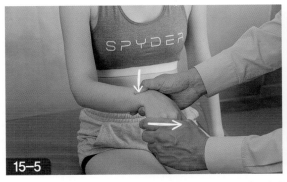

한 손으로 환자의 손목을, 다른 손으로 네손가락을 지지하고 가볍게 2회 정도 안쪽으로 돌린 후 펴준다. 마찬가지로 가쪽으로 돌려준다.

양손으로 환자의 손을 쥐고, 양쪽 엄지끝으로 손목 사이의 통점을 누른다.

양손으로 환자의 손을 쥐고, 손목을 가볍게 좌우로 돌리면서 당긴다.

양손으로 환자의 손을 쥐고, 양손 엄지안쪽으로 손목을 비비면서 가볍게 펴준다.

양손으로 환자의 손을 잡고, 양손 엄지안쪽으로 손등을 가볍게 비벼준다.

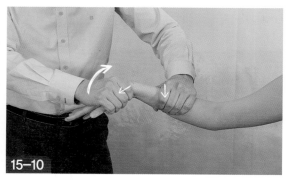

환자 옆에 서서 한 손으로 손목을 잡고, 다른 손으로 환자의 손을 잡고 당기면서 손등쪽으로 굽혀준다.

16 DISEASE 수근관증후군

16-1 수근관증후군의 원인

정중신경과 굽힘근힘줄(굴근건)은 수근관(손목굴)을 지난다. 수근관은 손목의 횡수근인대(굴근지대) 아래쪽 수근골 위에 위치한다.

수근관증후군(손목굴증후군)일 때 이 부위에서 정중신경이 압박을 받는다. 이 증상의 주된 원인은 체내수분의 증가, 염증, (수근관의 지름을 줄이는) 반흔조직의 형성 등이다. 이 장애에는 마비, 저림, 엄지 · 검지 · 중지 · 약지 절반의 약화 등과 같은 증상이 있다.

수근관증후군은 대부분 수술을 통하여 반흔조직을 제거하고, 관의 공간을 넓혀 정중신경에 미치는 압력을 완화시키는 방법을 취하게 된다.

그런데 신경이 다른 위치에서 침해를 받을 때에도 수근관증후군으로 진단하기도 한다. 왜냐하면 목 · 어깨 · 팔꿈치에서 일어나는 신경의 침해도 수근관증후군과 동일한 증상을 나타내기 때문이다. 따라서 검사를 통하여 완신경총의 침해나 요골신경의 침해 가능성을 제외시킬 필요가 있다. 그렇지만 이 검사는 수기치료사가 하기는 어렵다. 따라서 환자를 병원으로 보내 검진을 받게 해야 한다.

수근관은 손목에 있는데, 특히 상태를 나쁘게 만들기 쉬운 것은 굽힘근육군(굴근군)의 힘줄이다. 따라서 손목부터 팔꿈치까지의 굽힘근육군을 마사지하는 것이 중요하다. 상과염(골프엘보, 테니스엘보)일 때와 마찬가지로 근막 워크, 유념법(주무르기), 트리거 포인트 어프로치 등의 기법을 손목의 굽힘근에 시술하면 근육이 정상적인 안정상태로 되돌아오는 것을 촉진할 수 있다.

수근관부위에 신전법을 시술하면서 손바닥에 스트리핑(stripping)을 시술하면 굴근지대(굽힘근지지띠)가 스트레치되어 정중신경에 미치는 압력이 완화된다. 한편 손목의 신연(떼어 당김)도 효과가 있다. 다만 그것을 실시할 때에는 손목이 탈구되지 않도록 힘 조절에 주의를 기울여야 한다. 안정된 힘을 천천히 직선적인 움직임으로 가해야만 한다.

중요한 것은 저항이 있는 포인트까지만 당기는 것과 손목을 비틀지 않는 것이다. 굽힘근육군에 대한 스트레치와 능동 · 수동운동을 실시하면서 손가락을 이용하여 굽힘근육군을 압박하면 이러한 근육이 정상적인 안정상태의 위치로 되돌아가는 데 도움을 준다.

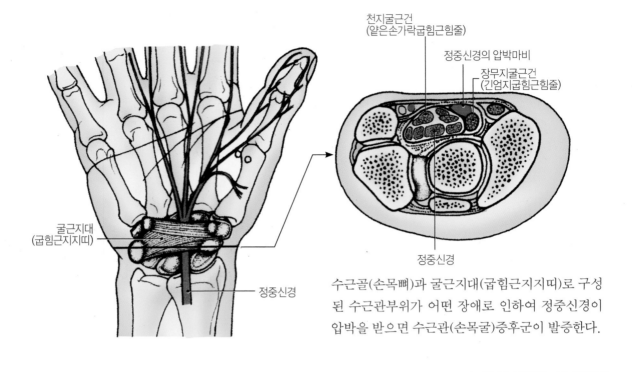

천지굴근건
(얕은손가락굽힘근힘줄)

정중신경의 압박마비

장무지굴근건
(긴엄지굽힘근힘줄)

정중신경

굴근지대
(굽힘근지지띠)

정중신경

수근골(손목뼈)과 굴근지대(굽힘근지지띠)로 구성
된 수근관부위가 어떤 장애로 인하여 정중신경이
압박을 받으면 수근관(손목굴)증후군이 발증한다.

| 수근관증후군

수근관증후군의 증상은 다음과 같다.

•))) 증상은 서서히 나타나며, 초기에는 밤에만 느끼는 경우도 있다.

•))) 가장 많은 증상은 엄지, 중지 및 약지의 각각 반쪽(엄지쪽)의 경련과 통증이다.

•))) 가장 심할 때에는 손목 및 4개 손가락에 날카롭고 타는 듯한 통증이 있으며, 근력
저하가 일어난다.

•))) 손을 흔들면 증상이 가벼워지기도 한다.

수근관증후군의 진단

검사

➔ 티넬징후(Tinel's sign)
손목에 있는 정중신경 위를 두드리면 손목부터 손까지 통증이 발생할 것이다.

➔ 팔렌검사(Phalen's test)
양손의 손등을 맞대고 60초 동안 누르면 수근관을 압박하여 통증이 발생할 것이다.

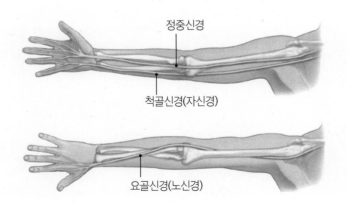

정중신경

척골신경(자신경)

요골신경(노신경)

16-2 수근관증후군의 관리

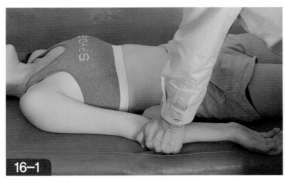

워밍업_
유념법(주무르기)으로 팔조직을 워밍업한다. 아래팔을 몸쪽에서 먼쪽으로 신전법을 이용하여 깊게 펴서 조직을 부드럽게 해준다.

원형회내근_
원형회내근을 강하게 쓰다듬는다. 원형회내근에 압력을 가한 채로 손목을 회내상태에서 회외상태로 움직여준다.

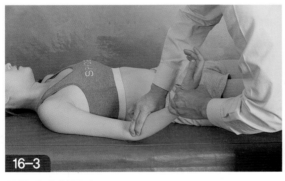

굴근건과 신근건_
폄근힘줄(신근건)과 굽힘근힘줄(굴근건) 전체를 강하게 쓰다듬는다.

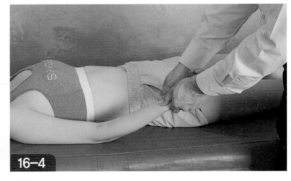

굴근지대_
굴근지대(굽힘근지지띠)의 중심선에서 가쪽선까지 강하게 쓰다듬는다.

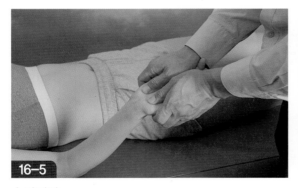

수장건막_
치료사의 손가락에 환자의 손가락을 끼워 수장건막에 신전법을 시술하고, 중수골 사이는 강하게 쓰다듬는다.

스트레치_
손목은 펴고 팔꿈치를 굽혀서 손목과 손을 스트레치한다. 스트레치를 강화하기 위하여 손을 벌려준다.

 팔이 저리고 마비된 경우

17-1 팔이 저리고 마비되는 원인

    무거운 짐을 지고 먼 길을 가거나, 몸을 무리하게 사용한 탓으로 팔의 힘이 빠지고 팔꿈치가 굽혀지지 않는 경우가 있다. 이것은 어깨에서부터 팔로 연결되는 신경이 압박을 받음으로써 나타나는 증상이다. 이는 기본신경의 변화를 초래하는 중증은 아니므로 걱정할 필요는 없다. 근육의 중력감과 탈력감, 그리고 저리는 증상이 수반된다.

17-2 팔이 저리고 마비된 경우의 관리

⊙ 관리법-1

➽ 그림의 경혈 순서대로 화살표 방향으로 힘껏 누른 채로 밀어준다.

➽ 위의 순서대로 지압을 하면 통증이 서서히 완화된다.

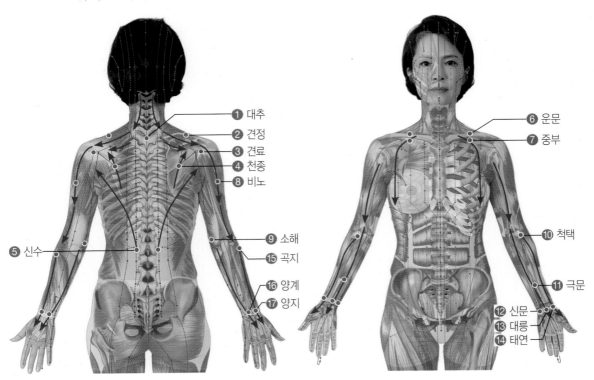

◉ 관리법-2

⫸ 통증이 있는 쪽의 주먹을 세게 쥐고 손목과 팔꿈치를 오무렸다 뻗쳤다를 적당한 횟수로 한다.

⫸ 다음에는 통증이 있는 쪽의 손가락을 힘껏 주물러주고 따뜻한 찜질을 해준다.

⫸ 그림에 표시된 경혈의 순서대로 지압을 해주되, 한 곳을 5초 이상 4~5회 강하게 눌러준다.

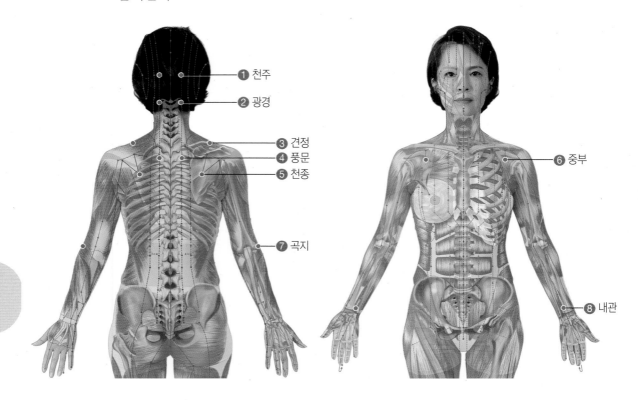

❶ 천주
❷ 광경
❸ 견정
❹ 풍문
❺ 천종
❻ 중부
❼ 곡지
❽ 내관

4

등과 배부위의 구조와
질환별 관리

⊙ 등과 배부위의 개요

현대인 5명 중 약 4명은 평생에 적어도 한두 번은 요통에 시달린다. 요통의 원인은 대체로 분명한 손상(급성 외상)보다는 반복성 스트레스, 나쁜 자세, 혹사(만성적인 상태) 등이다.

가슴과 골반은 인체에서 복잡한 부위에 속한다. 근육의 대부분은 1개나 2개의 관절에 걸쳐 있으나, 가슴의 근육은 많은 척추 등의 관절에 걸쳐 있다. 그러한 다관절근은 한번에 모든 관절에서 충분히 늘어나게 되어 있지 않다. 이렇게 낮은 신전성 때문에 손상되기 쉽다.

가슴에는 두꺼운 근육층이 있어서 특별한 움직임이 발생할 뿐만 아니라, 자세가 유지되고 장기가 균형을 이루며 보호되고 있다.

가슴부터 골반까지의 해부학

이 부위는 추골(척추뼈)로 이루어진 척주·흉곽·골반·천골·미골을 기반으로 구성되어 있으며, 인대·근막·힘줄·근육의 복잡한 네트워크에 의하여 구조적으로 이어져 있다. 움직이는 부위가 다수 있다는 점과 모양 때문에 손상되기 쉬우며, 특히 반복운동에 의해 상해를 입기 쉽다. 나쁜 자세나 몸의 부적절한 사용이 외상이나 반복에 의한 손상, 스트레스장애, 근육통증 등으로 이어진다.

⊙ 배(복부)근육

등의 강도는 배근육(배부위의 근육)의 강도에 달려 있다. 이 사고방식과 함께 '식스팩(six pack)'으로 된 배가 이상적이라는 인식하에서 피트니스센터에 가서 배근육트레이닝을 열심히 하는 사람이 많다. 다행히도 스포츠트레이너는 배근육 강화의 초점을 복사근·복횡근 등과 같은 몸통근육에 맞추도록 지도하고 있다. 그렇지만 설령 몸의 안정에 초점을 맞추어 배근육운동을 실시하였다고 해도 배근육만을 너무 단련시키면 몸통의 균형이 무너져 자세의 뒤틀림으로 이어진다.

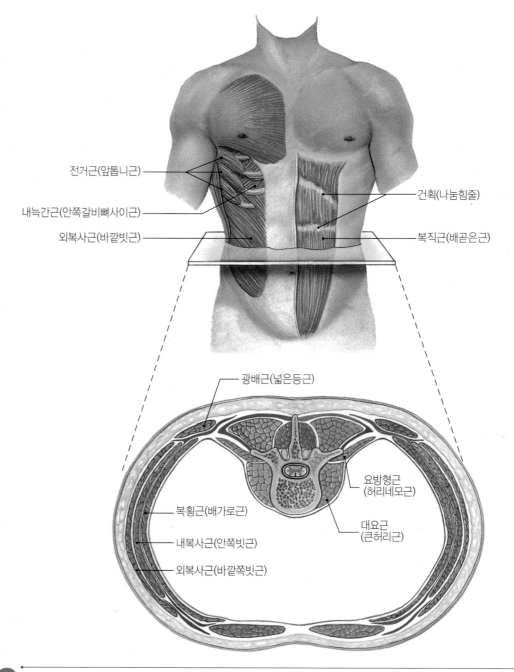

전거근(앞톱니근)

건획(나눔힘줄)

내늑간근(안쪽갈비뼈사이근)

외복사근(바깥빗근)

복직근(배곧은근)

광배근(넓은등근)

요방형근
(허리네모근)

복횡근(배가로근)

대요근
(큰허리근)

내복사근(안쪽빗근)

외복사근(바깥쪽빗근)

그림 4-1 | 복부의 근육

표층부에서 심부로 순서대로 수기치료할 때 처음 발견되는 것이 흉곽부터 치골결합까지 이어지는 복직근이다. 내복사근과 외복사근은 몸통 측면을 대각선으로 주행하고, 복횡근은 몸통 측면의 최심층에서 복직근에 수직으로 주행한다. 복횡근은 천연 코르셋 역할을 한다.

이러한 층을 수기치료할 때에는 각 근육의 섬유방향을 이해해두는 것이 중요하다. 또한 이러한 몸통근육이 몸통의 안정과 균형을 유지하는 데 얼마나 중요한지를 이해하면 이러한 근육이 내장과 복강을 보호하는 모습을 시각화하기 쉬워진다.

◉ 바른 자세에 도움을 주기

복부를 수기치료할 때 마음에 담아두어야할 일 중의 하나가 몸의 균형을 되찾는 것이다. 치료사는 줄어든 근육과 트리거포인트에만 신경을 빼앗기기 쉬운데, 그것들은 전체 균형의 일부에 지나지 않는다. 줄어든 근육이 있으면 반드시 그에 대항하는 늘어난 근육이 있다. 예를 들어 긴장되어 통증이 있는 승모근을 장시간 수기치료하기 전에 가슴근육을 스트레치하여 정상으로 되돌리는 것을 잊어서는 안 된다. 가슴근육이 양쪽 어깨의 위치를 정상으로 되돌릴 수 있는 근력을 확보하여야 비로소 승모근을 정상적인 형태로 되돌릴 수 있다.

척주측만의 경우 일반적으로 곡선의 오목한 부위가 딱딱하고 긴장이 항진된 부분이며, 볼록한 부위가 약하고 늘어난 부위이다. 이 작용과 반작용의 관계에 균형을 되찾는 것이 필요하다. 그러기 위해서는 어떤 테크닉을 선택하여 어떤 방향으로 시술하는가는 큰 의미가 있다.

척주만곡증상을 수기치료할 때에는 환자에게 금기사항이나 몸의 움직임을 제한하는 요인에 유의해야 한다. 20세를 넘은 환자는 신체구조상 이상이 있을지도 모른다. 과민증으로 심부에 접근이 어려운 환자도 있을 수 있다. 중증 측만증의 경우에는 수기치료로 큰 효과를 얻는 것은 그다지 기대할 수 없다. 하지만 좌우 다리길이차이 등이 원인인 근소한 측만이라면 균형을 수정함으로써 측만에 동반된 요통을 경감시킬 수 있다.

◉ 등부위의 구조

척주는 32~35개의 척추뼈로 구성되며, 7개의 경추, 12개의 흉추, 각각 5개의 요추·천추, 3~6개의 미추로 나누어진다.

시상면에서 경추·요추는 생리적 전만(앞굽이)을 이루고, 흉추·천추는 후만(뒷굽이)을 이룸으로써 척주는 전체적으로 S자 모양을 하고 있다.

척추뼈

전형적인 척추뼈는 배쪽의 추체(척추뼈몸통)와 등쪽의 추궁(척추뼈고리)으로 이루어지며, 그사이에 추공(척추뼈구멍)이 있다.

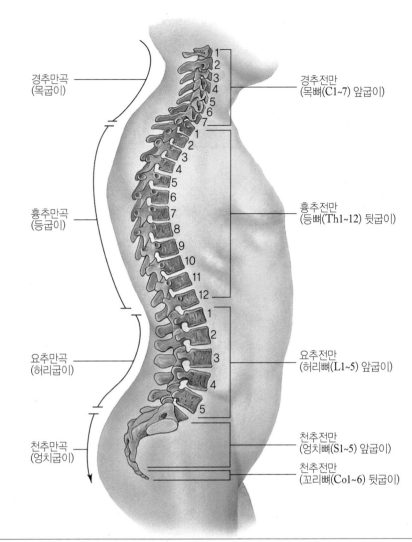

경추만곡
(목굽이)

경추전만
(목뼈(C1~7) 앞굽이)

흉추만곡
(등굽이)

흉추전만
(등뼈(Th1~12) 뒷굽이)

요추만곡
(허리굽이)

요추전만
(허리뼈(L1~5) 앞굽이)

천추만곡
(엉치굽이)

천추전만
(엉치뼈(S1~5) 앞굽이)

천추전만
(꼬리뼈(Co1~6) 뒷굽이)

그림 4-2 | 척주의 구조

추궁에서는 다음과 같은 4종 7개의 돌기가 나와 있다.

⫸ **극돌기(spinous process, 가시돌기)** : 추궁의 뒷면 정중앙부터 뒤아래쪽으로 배의 키와 같은 형태로 늘어져 있다. 척추뼈의 연결을 담당하는 인대에는 척주운동을 담당하는 근육이 부착된다.

⫸ **횡돌기(transverse process, 가로돌기)** : 추궁의 가쪽에서부터 좌우로 나와 있다. 횡돌기라고 이름지어졌지만, 사실 척주의 부위에 따라 형태가 다르며, 따라서 그 명칭도 달라진다.

⫸ **상관절돌기(superior articular process, 위관절돌기)** : 추궁의 가쪽에서부터 위쪽을 향해 나온다.

⠠⠕ **하관절돌기(inferior articular process, 아래관절돌기)** : 추궁의 가쪽에서부터 아래쪽을 향해 나온다.

척추뼈는 척주부위에 따라 그 형태가 달라진다. 다음에 척주부위별 척추뼈의 특징을 설명한다.

경추

경추(cervical vertebrae, 목뼈)의 횡돌기는 진짜 가로돌기와 퇴화한 갈비뼈가 유착된 것으로, 그 끝이 갈라져 전결절과 후결절을 이룬다. 이 돌기가 횡돌기공(가로구멍)에 의해 위아래로 관통되는 것도 경추의 특징이다.

제1경추는 환추(atlas, 고리뼈)라고 하며, 앞정중앙에 있어야할 몸통이 결여되어 있다.

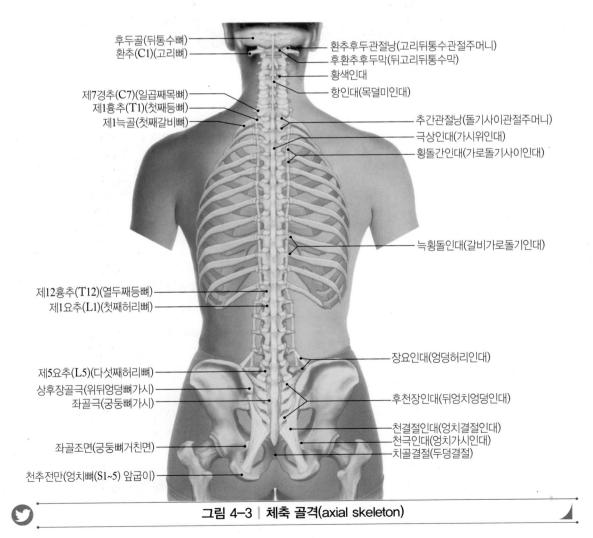

그림 4-3 │ 체축 골격(axial skeleton)

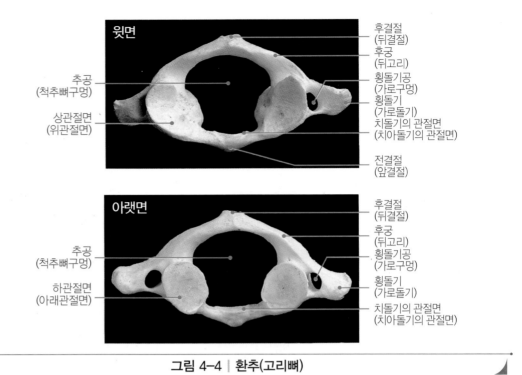

윗면

추공
(척추뼈구멍)

상관절면
(위관절면)

후결절
(뒤결절)

후궁
(뒤고리)

횡돌기공
(가로구멍)

횡돌기
(가로돌기)

치돌기의 관절면
(치아돌기의 관절면)

전결절
(앞결절)

아랫면

추공
(척추뼈구멍)

하관절면
(아래관절면)

후결절
(뒤결절)

후궁
(뒤고리)

횡돌기공
(가로구멍)

횡돌기
(가로돌기)

치돌기의 관절면
(치아돌기의 관절면)

그림 4-4 │ 환추(고리뼈)

상관절돌기는 후두골과와 관절을 위해 비후되어 있고, 그 관절면에 있는 상관절와(위관절오목)는 현저히 커져 있다.

제2경추는 축추(axis, 중쇠뼈)라고 하며, 추체 위에 원주모양의 치돌기(치아돌기)가 세워져 있다. 이것은 원래 환추의 몸통이었던 것이 축추가 되었기 때문이다.

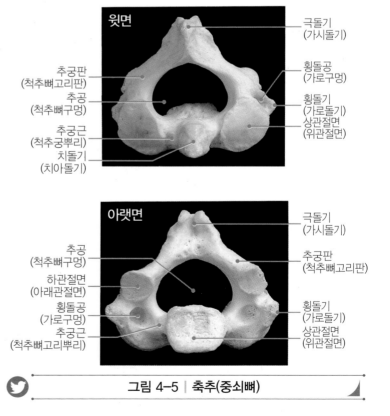

윗면

추궁판
(척추뼈고리판)

추공
(척추뼈구멍)

추궁근
(척추궁뿌리)

치돌기
(치아돌기)

극돌기
(가시돌기)

횡돌공
(가로구멍)

횡돌기
(가로돌기)
상관절면
(위관절면)

아랫면

추공
(척추뼈구멍)

하관절면
(아래관절면)

횡돌공
(가로구멍)

추궁근
(척추뼈고리뿌리)

극돌기
(가시돌기)

추궁판
(척추뼈고리판)

횡돌기
(가로돌기)
상관절면
(위관절면)

그림 4-5 │ 축추(중쇠뼈)

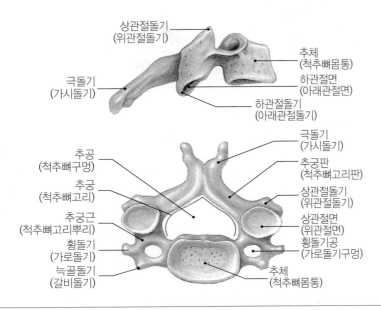

그림 4-6 │ 경추의 구조

흉추

흉추(thoracic vertebrae, 등뼈)는 가장 전형적인 척추뼈로, 각 흉추에는 좌우로 한 쌍의 늑골이 붙어 있다.

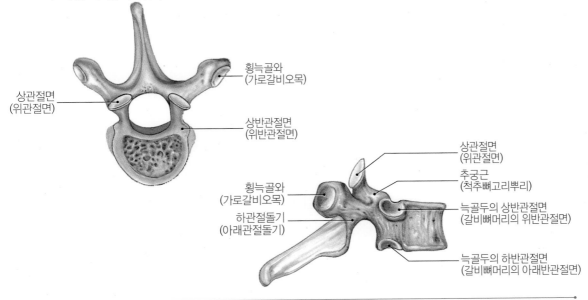

그림 4-7 │ 흉추의 구조

요추

요추(lumbar vertebrae, 허리뼈)에 붙은 횡돌기를 늑골돌기(갈비돌기)라고 한다. 이것은 사실 퇴화된 늑골이 요추에 유착되어 생긴 것으로, 다른 척추골의 횡돌기보다 훨씬 크다. 그 밑동 뒷면에 작은 부속돌기가 있는데, 이것이 진짜 횡돌기이다. 부속돌기와 횡돌기 사이에는 유두돌기(mammillary process)가 있다.

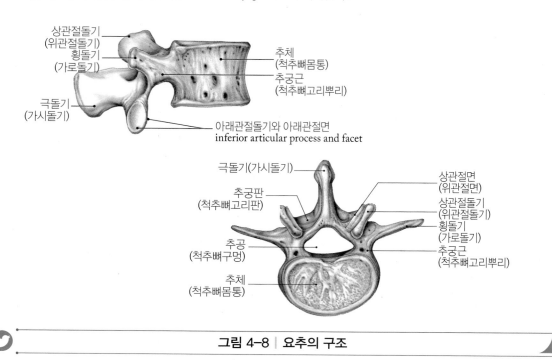

상관절돌기
(위관절돌기)
횡돌기
(가로돌기)
극돌기
(가시돌기)
추체
(척추뼈몸통)
추궁근
(척추뼈고리뿌리)
아래관절돌기와 아래관절면
inferior articular process and facet

극돌기(가시돌기)
추궁판
(척추뼈고리판)
추공
(척추뼈구멍)
추체
(척추뼈몸통)
상관절면
(위관절면)
상관절돌기
(위관절돌기)
횡돌기
(가로돌기)
추궁근
(척추뼈고리뿌리)

그림 4-8 | 요추의 구조

천골

5개의 천골(sacrum, 천추, 엉치뼈)은 청년기까지는 연골결합을 유지하지만, 성인이 되면 한 개의 뼈로 결합된다.

천골은 앞뒤로는 편평한 거의 삼각형을 이루며, 전체적으로는 뒤쪽으로 가벼운 볼록만곡(굽이)을 이룬다. 따라서 앞면은 오목면을 이루고 골반에 닿아서 편평하지만, 뒷면은 볼록하여 정중천골릉(정중엉치뼈능선), 중간천골릉(중간엉치뼈능선), 외측천골릉(가쪽엉치뼈능선)이라는 3가지 5줄기의 세로융기가 있다.

천골 속에는 추공이 이어져 생긴 천골관(엉치뼈관)이 있는데, 이 관은 앞면과 뒷면에 각각 4쌍의 전천골공(앞엉치뼈구멍)과 후천골공(뒤엉치뼈구멍)을 통해 밖으로 열려 있다. 이러한 구멍보다 가쪽부분은 천골의 횡돌기와 늑골돌기가 위아래로 유합되어 생긴 것인데, 이것을 가쪽부분이라고 한다. 가쪽부분의 위쪽은 그 가쪽면이 이상면(귀모양면)이라는 넓은 관절면을 이룬다.

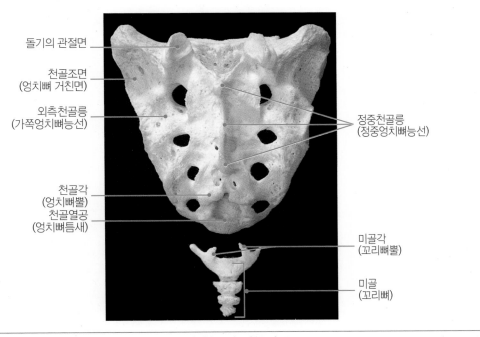

그림 4-9 │ 천골과 미골의 구조

미골

미골(coccyx, 미추, 꼬리뼈)은 보통 유착되어 하나의 뼈로 되어 있다.

⊙ 척주의 연결

척추뼈는 다음과 같은 구조에 의해 순차적으로 연결되어 하나의 척주를 만든다.

⋙ 척추체(추체) 사이에는 추간판이 있어서 각 척추뼈 사이를 연결한다. 추간판(척추사이원반)의 둘레에는 섬유연골조직인 섬유륜이 있으나, 수핵(속질핵)이라는 연조직융기가 중심부를 싸고 있다.

⋙ 상위척추뼈의 하관절돌기와 하위척추뼈의 상관절돌기는 추간관절(돌기사이관절)로 연결되어 있다.

⫸ 각 척추뼈 사이인 극돌기 사이, 추궁 사이, 추체의 전·후면 등에는 여러 개의 강한 인대가 그 연결을 보강하고 있다. 그중에서도 추체의 앞면과 뒷면에서 척추 전체의 위아래로 달리는 인대를 각각 전종인대(앞세로인대), 후종인대(뒤세로인대)라고 하며, 옆에 있는 척추뼈의 추궁 사이 및 극돌기 사이에 있는 것을 각각 황색인대, 극간인대(가시사이인대)라고 한다. 또한 극간인대에 이어져서 극돌기의 등쪽을 위아래로 지나는 일련의 극상인대(가시끝인대)가 있다. 극상인대는 목의 윗부분에서는 외후두융기(바깥뒤통수뼈융기)와 정중앙의 피부와 극돌기 사이를 당기는 삼각형의 판모양으로 되어 있는데, 이것을 항인대(목덜미인대)라고 한다. 항인대는 무게중심이 척주보다 앞쪽에 있는 머리가 앞쪽으로 기울어지지 않도록 지지해주는 중요한 장치로, 네발짐승은 사람보다 훨씬 발달되어 있다. 항인대는 황색인대와 함께 주로 탄력섬유로 이루어졌기 때문에 고무줄처럼 탄력이 있다.

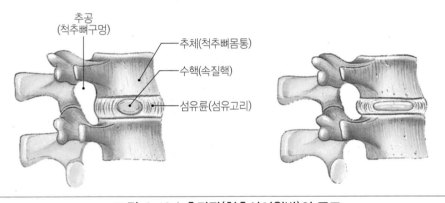

그림 4-10 │ 추간판(척추사이원반)의 구조

요추(lumbar vertebra, 허리뼈)의 주된 인대로는 척추체와 추간판(척추사이원반)으로 구성되어 허리를 앞뒤에서 지지하는 전·후종인대(anterior·posterior longitudinal ligament, 앞·뒤세로인대), 추궁 사이로 뻗어 있는 황색인대, 극돌기 사이로 뻗어 있는 극간인대(가시사이인대), 극돌기의 첨단표면을 잇는 극상인대(가시끝인대)가 있다.

추간판은 원판모양의 섬유연골로, 주변은 강인한 콜라겐섬유가 고리모양으로 짜여 있는 섬유륜(fibrous ring, 섬유고리)이 있으며, 중심부에는 프로테오글라이칸(proteoglycan)을 다량으로 함유하여 물을 흡수하면 팽창하는 성질을 지닌 수핵(속질핵)으로 구성되어 있다. 섬유륜은 척추체의 위아래면을 덮는 연골판에 부착되어 있다. 추간판의 기능은 위아래척추체의 결합과, 그 탄력에 의한 물리적 스트레스의 흡수이다.

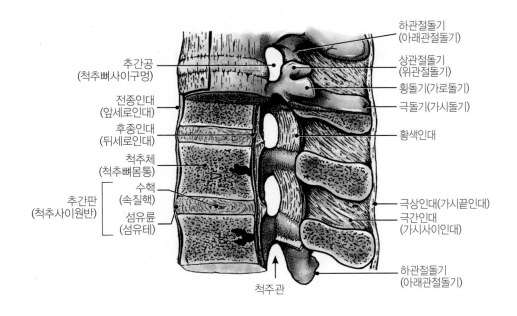

전간공
(척추뼈사이구멍)

전종인대
(앞세로인대)

후종인대
(뒤세로인대)

척추체
(척추뼈몸통)

추간판
(척추사이원반)

수핵
(속질핵)

섬유륜
(섬유테)

하관절돌기
(아래관절돌기)

상관절돌기
(위관절돌기)

횡돌기(가로돌기)

극돌기(가시돌기)

황색인대

극상인대(가시끝인대)

극간인대
(가시사이인대)

하관절돌기
(아래관절돌기)

척주관

그림 4-11 | 요추의 연결

척추뼈는 추간판과 좌우 1쌍의 추간관절(돌기사이관절)로 연결되며, 이 부위에서 일정한 운동과 지지력이 작동되고 있다.

⊙ 척주의 지지구조

다른 관절들과 마찬가지로 척주의 관절도 인대에 의해 지지되고 있다. 인대의 역할은 불필요하거나 과도한 움직임을 막고, 안에 있는 기관을 보호하는 것이다. 이러한 인대의 기능은 매우 중요하다. 왜냐하면 척주의 지지구조가 안전하지 못하면 아주 취약한 척수를 보호할 수 없기 때문이다.

척주를 지지해주는 중요한 인대는 다음의 표와 같다. 그밖에 근육의 활동도 척주를 안정시키고 보호하는 데 중요한 역할을 하고 있다.

등과 배부위의 구조와 질환별 관리

4

 척주의 주요인대

인대이름	부착점	기능	설명
황색인대	추궁판의 앞면에 인접하고 있는 아래쪽 척추뼈의 추궁판 뒷면의 사이	굽히기를 제한한다.	탄력섬유를 많이 포함하고 있다. 척수 뒷면에 있다. 요추에서 가장 두껍다.
극상인대(가시끝인대)와 극간인대(가시사이인대)	C7에서 천골까지의 극돌기 사이	굽히기를 제한한다.	머리와 목에 있는 항인대가 극상인대를 늘리거나 목 뒤 양쪽에 있는 근육을 나누는 사이막 역할을 해서 머리를 지지한다.
횡돌기간인대 (가로사이인대)	인접하고 있는 횡돌기 사이	반대쪽 옆으로 굽히는 것을 제한한다.	경추에는 섬유가 조금밖에 없다. 흉추에서는 둥그스름한 띠 모양으로 근처에 있는 근육과 결합하고 있다.
전종인대 (앞세로인대)	후두골의 밑동에서 천골까지 척추체 전체의 앞쪽 표면에 닿는다.	척주의 안정성을 보강한다. 펴기를 제한하거나 경추와 요추에서 지나치게 전만이 일어나는 것을 제한한다.	
후종인대 (뒤세로인대)	C2에서 천골까지 척추체 전체의 뒷면에 닿는다.	척주의 안정, 굽히기 제한, 섬유륜의 뒷부분 강화 등의 역할을 한다.	척주관 안에 있다. 척수 앞쪽에 위치한다.

◉ 등부위의 관절

추간관절

추간관절(zygapophysial joints, 돌기사이관절)은 위에 있는 척추뼈의 아래 관절면과 아래에 있는 척추뼈의 위 관절면이 이루는 관절이다. 척주의 운동방향과 범위는 주로 추간관절의 방향에 의해 결정된다.

요천관절

L5~S1관절을 요천관절(lumbosacral joint, 허리엉치관절)이라고 한다. 윗몸 전체의 무게가 요천관절을 거쳐서 골반에 전달된다. L5~S1의 연결은 앞쪽에 있는 척추체 사이의 관절과 뒤쪽에 있는 1개의 추간관절로 구성되어 있다. 보통 요천관절은 천골바닥(천골저)이 수평면에 대하여 앞으로 약 40도 기울어져 있는데, 그 경사각을 요천각(lumbosacral angle, 허리엉치각)이라고 한다. L5~S1의 추간관절에서 관절면은 일반적으로 이마면과 거의 일치한다. 그렇기 때문에 요추가 천골 위를 앞쪽으로 평행 이동해서 미끄러져 떨어지는 것이 방지된다.

천골바닥에 대해 요추가 과도하게 앞쪽으로 변위된 병을 척추탈위증(spondylo-listhesis, 척추전방전위증)이라고 한다.

천장관절

천장관절(sacroiliac joint, 엉치엉덩관절)은 천골의 관절면과 좌우에 있는 장골 사이에 있는 관절이다. 천장관절의 주요기능은 윗몸의 무게 때문에 생기는 응력을 V자모양의 천골에 의해서 골반과 다리에 분배하고, 체중부하가 큰 선 자세에서 다리로부터 전해오는 힘의 방향을 바꾸어서 천골(최종적으로는 척주)에 전달하거나, 여자들이 분만할 때 천장관절이 느슨해져서 산도를 여는 작용도 한다.

천장관절은 전혀 움직이지 않는다. 천장관절이 비교적 고정되어 있기 때문에 천골과 장골이 안정될 수 있다. 이것은 걷기나 달리기와 같이 큰 부하(응력)를 정확하게 엉치뼈와 척주에 전달하기 위해 꼭 필요하다. 천장관절은 많은 인대가 지지하고 있다. 특히 천장관절을 교차해서 지나가는 이상근(piriformis, 궁둥구멍근), 햄스트링스(hamstrings), 배부위의 근육 등이 천장관절의 안정화에 직접적 또는 간접적으로 기여한다.

◉ 등부위의 근육과 신경

등위쪽의 근육

등위쪽의 근육에는 승모근(등세모근) · 견갑거근(어깨올림근) · 능형근(마름근) · 광배근(넓은등근) · 대원근(큰원근) · 소원근(작은원근) · 견갑하근(어깨밑근) · 삼각근(어깨세모근) · 극상근(가시위근) · 극하근(가시아래근)이 있다.

- ꒰꒱ **승모근** : 승모근은 후두골 · 경추 · 흉추에서 시작되어 견갑골에 부착된다. 좌우를 맞추면 마름모꼴이다. 승모근은 견갑골을 등가운데쪽으로 끌어당기거나 돌리는 역할을 한다. 승모근은 전거근과 대항하여 움직인다.
- ꒰꒱ **광배근** : 광배근은 척주하반부 · 장골 · 하부늑골에서 시작되어 상완골에 부착되는 넓고 큰 근육으로, 위팔 모으기 · 안쪽돌리기에 관여한다.
- ꒰꒱ **삼각근** : 삼각근은 어깨관절을 덮는 둥그스름한 근육으로, 견갑골과 쇄골에서 시작되어 상완골에 닿는다. 팔 벌리기에 관여한다.

척주기립근

척주기립근(척주세움근)은 척주를 지지 · 기립하는 작용을 하는 근육이다. 등의 깊은 부분에 있으며, 길고 짧은 다양한 근육이 밀집되어 있다. 일반적으로 등근육이라고 할 때는 이들 근육군을 가리킨다. 판상근(널판근) · 장늑근(엉덩갈비근) · 최장근(가장긴근) · 극근(가시근) · 반극근(반가시근) · 다열근(뭇갈래근) · 회선근(돌림근) 등이 척주기립근을 형성한다.

척주기립근은 척추의 횡돌기(가로돌기)와 극돌기(가시돌기)에서 정지한다. 그리고 자세의 유지와 척주의 굽히기 · 펴기, 비틀기, 목운동 등에 관여하며, 척수신경뒤가지의 지배를 받는다.

등부위의 근막

등부위의 근막은 등부위의 근육을 덮고, 위쪽은 목덜미선, 아래쪽은 장골릉선에 걸쳐 분포되어 있다. 흉요근막과 항근막으로 구별된다.

- ꒰꒱ **흉요근막** : 흉요근막(등허리근막)은 목등부위를 제외한 등부위의 여러 근육을 둘러싸는 두껍고 강한 근막이다. 가슴등부위에서는 흉추극돌기~늑골각에, 등허리부위에서는 흉추극돌기~척주기립근 가쪽모서리에 분포되어 있다.
- ꒰꒱ **항근막** : 항근막(목덜미근막)은 흉요근막이 연장된 것으로, 목덜미부분 깊은층의

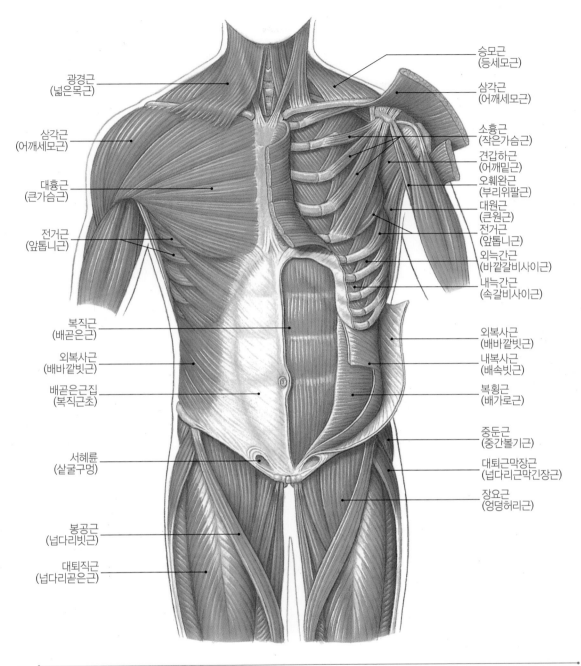

광경근
(넓은목근)

삼각근
(어깨세모근)

대흉근
(큰가슴근)

전거근
(앞톱니근)

복직근
(배곧은근)

외복사근
(배바깥빗근)

배곧은근집
(복직근초)

서혜륜
(샅굴구멍)

봉공근
(넙다리빗근)

대퇴직근
(넙다리곧은근)

승모근
(등세모근)

삼각근
(어깨세모근)

소흉근
(작은가슴근)

견갑하근
(어깨밑근)

오훼완근
(부리위팔근)

대원근
(큰원근)

전거근
(앞톱니근)

외늑간근
(바깥갈비사이근)

내늑간근
(속갈비사이근)

외복사근
(배바깥빗근)

내복사근
(배속빗근)

복횡근
(배가로근)

중둔근
(중간볼기근)

대퇴근막장근
(넙다리근막긴장근)

장요근
(엉덩허리근)

그림 4-12 | 등과 배부위 근육

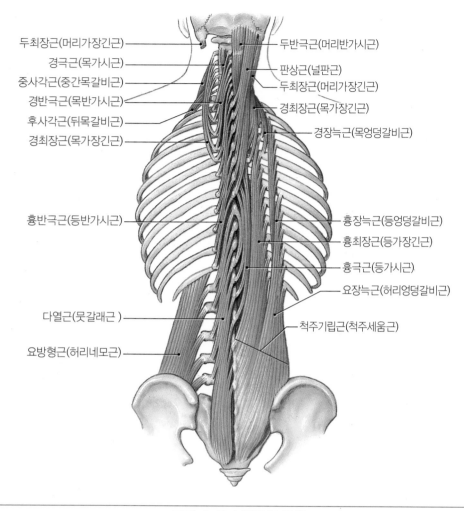

두최장근(머리가장긴근)
경극근(목가시근)
중사각근(중간목갈비근)
경반극근(목반가시근)
후사각근(뒤목갈비근)
경최장근(목가장긴근)

두반극근(머리반가시근)
판상근(널판근)
두최장근(머리가장긴근)
경최장근(목가장긴근)
경장늑근(목엉덩갈비근)

흉반극근(등반가시근)

흉장늑근(등엉덩갈비근)
흉최장근(등가장긴근)
흉극근(등가시근)
요장늑근(허리엉덩갈비근)

다열근(뭇갈래근)

척주기립근(척주세움근)

요방형근(허리네모근)

그림 4-13 │ 척주의 근육

근육군을 둘러싸는 강인한 섬유질이다. 이 근막은 목근막의 척추앞층과 표면층으로 이어진다.

신경

척수는 거대한 신경간(신경줄기)으로, 뇌부터 대퇴골(넙다리뼈)까지의 척주 전체를 관통하고 있다. 이것은 척주관 속을 지나기 때문에 외력으로부터 보호받고 있다. 각 척추체에서 작은 신경가지가 주된 줄기로부터 나누어진다. 이들 신경은 양팔, 몸통, 양다리 등에 분포되어 있다. 뇌는 이들 신경을 통해 각종 조직이 움직이도록 전기적 자극을 보내며, 신경을 통해서 조직으로부터 피드백도 받는다.

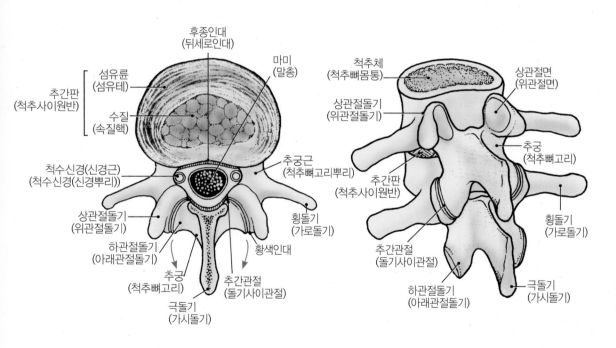

◉ 척주의 운동

일반적으로 척추의 운동은 척추뼈 앞면의 변화(움직임)로 충분하다. 다시 말해서 오른쪽으로 돌아가는 것은 척추뼈의 앞면이 돌아가는 것을 의미한다. 신체 표면에서 보면 (촉진이 가능함) 뒷면의 극상돌기가 반대방향인 왼쪽으로 돌아간다. 특히 척추의 운동은 척추뼈를 통과하는 회전축과 관련이 있는 면 안에서 일어난다.

이것은 머리와 목부위와 등허리부위에서 보여지는 운동으로 설명한다. 각 영역에서 이루어지는 운동은 굽히기, 펴기, 옆으로 굽히기, 수평면상에서 일어나는 축회선 등이다.

앞에서 설명한 바와 같이 척추의 운동은 척추뼈와 척추뼈 사이에서 일어나는 비교적 작은 움직임들이 모두 모여서 나타나는 것이다. 특히 그러한 운동은 주로 추간관절면의 방향에 의해서 자동적으로 결정된다.

요추추간관절(zygapophysial joint of lumbar vertebra, 허리뼈돌기사이관절)의 방향은 시상면에 가깝고, 앞뒤로 굽히는 것은 쉽지만 옆으로 굽히기는 어렵다.

그림 4-14 │ 요추추간관절의 운동

⊙ 척주의 관리지침

척주와 몸통의 기능을 회복시키기 위한 기본 관리지침은 다음과 같다.

⫸ 자세정렬 : 두개, 경추, 흉추, 요추, 골반

⫸ 효율적인 정렬을 위한 척추와 팔다리의 유연성 확보

⫸ 척주의 동적 안정화

　* 심부(core)의 안정화에 기여하는 근육군의 활성화와 트레이닝

　　» 목은 축성 신전을 제어하는 경장근과 다열근군

　　» 허리는 중간영역에서의 요추전만을 제어하는 복횡근(끌어들이기법, drawing in maneuver)과 다열근군

　* 모든 자세유지근육군의 근지구력과 근력

　* 안전한 생체역학을 위한 팔다리와 몸통 사이의 협조적 신경근 제어, 일상생활동작(ADL : activity of daily living), 수단적인 일상생활동작(IADL : instrumental activity of daily living), 일 및 스포츠 관련 활동

⫸ 심폐지구력

⫸ 스트레스 해소 및 관리

⫸ 가정 및 작업환경의 인체공학적 적응

⊙ 관절가동범위 증대를 위한 운동

┃ 경추와 상위흉추

목적 : 경추 스트레치

방법 : 벨트 또는 타월을 이용하여 견인한다.

척주-1

벨트를 이용한 견인법_

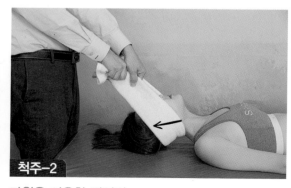

척주-2

타월을 이용한 견인법_

목적 : 사각근군 스트레치

방법

-))》 척추를 축성신전(후퇴)위치로 한다. 경직된 근육에 대하여 목을 반대쪽으로 굽히고 같은쪽으로 돌려준다.

-))》 머리를 고정시킨다.

-))》 환자는 숨을 들이쉰 후 내쉰다.

-))》 숨을 내쉴 때 견갑골에 대하여 아래쪽으로 신장력을 준다.

척주-3

목적 : 후두하근육군 스트레치(머리 굽히기 증대)

방법 : 보조 스트레칭

-))》 엄지와 검지 사이로 C2를 지지한다.

-))》 후두골 아래를 손으로 받치고, 환자의 머리를 끄덕이게 한다.

척주-4

-))》 부드럽게 잡고 이완시킨다. 근육을 수축시키기 위하여 환자의 양눈을 위쪽으로 뜨게 한다. 그리고 양눈을 아래쪽으로 되돌려 이완시킨 다음 머리를 끄덕이게 한다.

목적 : 후두하근육군 스트레치(머리 굽히기의 증대)

방법 : 셀프 스트레칭

-))》 뒤통수밑을 한 손(또는 양손)으로 받친다.

-))》 뒤통수밑을 가볍게 들어올려 머리를 끄덕이게 한다.

척주-5

목적 : 승모근 상부 스트레치(목 옆 굽히기의 증대)

방법

•⫸ 손을 등으로 돌려 견갑골을 고정시킨다(이때 신장한 근육과 같은 쪽 무릎을 내려다본다).

척주-6

목적 : 가슴앞부분 스트레치

방법

•⫸ 머리 뒤에서 양손을 깍지끼고 의자에 앉는다.

•⫸ 숨을 들이쉴 때 흉곽을 넓히고 등은 편평한 상태를 유지한다.

•⫸ 신장력을 부과하기 위하여 양쪽 견갑골 사이에 둥글게 만 타월을 세로방향으로 받친다.

•⫸ 둥글게 만 타월 위에서 양팔을 머리 위로 들어올려 신장한다.

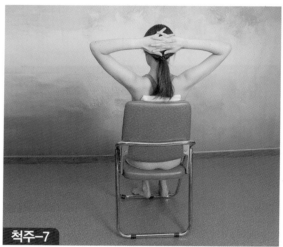

척주-7

┃ 중위흉추, 하위흉추, 요추

목적 : 요추추간관절 신연

방법 : 자세견인법

•⫸ 옆으로 누운 자세에서 위쪽을 신장한다.

•⫸ 옆으로 굽히기 위하여 요추밑에 둥글게 만 타월을 받친다.

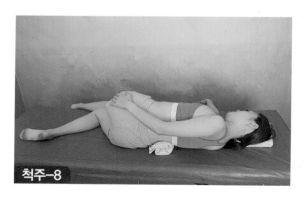

척주-8

•⫸ 치료사는 환자의 흉추에 후방회선력을 가한다(이렇게 하면 위쪽 요추추간관절에 신연력이 부하된다).

목적 : 하위흉추 옆굽히기 증대

방법

•》 옆으로 누운 자세에서 위쪽을 신장한다.

•》 옆으로 굽히기 위하여 하위흉추 밑에 둥글게 만 타월을 받친다.

•》 최대한 스트레치하기 위하여 팔을 머리 위로 들어올린다.

척주-9

목적 : 요추 굽히기 증대

척주-10-①

척주-10-②

목적 : 요추 펴기 증대

척주-11-①

척주-11-②

등과 배부위의 구조와 질환별 관리

4

| 신경 모빌리제이션(nerve mobilization)

목적 : 정중신경의 가동성향상

방법

-))) 상지대 내리기
-))) 어깨관절 벌리기
-))) 팔꿈관절 펴기
-))) 어깨관절 가쪽으로 돌리기, 아래
  팔 뒤치기
-))) 손목관절 등쪽으로 굽히기, 손가락과 엄지 펴기
-))) 경추를 반대쪽으로 굽히기

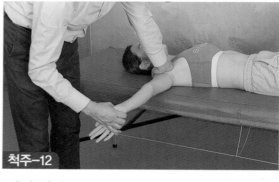

척주-12

목적 : 요골신경의 가동성향상

방법

-))) 상지대 내리기
-))) 어깨관절 벌리기
-))) 주(팔꿈)관절 펴기
-))) 어깨관절 가쪽으로 돌리기, 아래
  팔 엎치기
-))) 손목관절 바닥쪽으로 굽히기, 손가락과 엄지 굽히기
-))) 손목관절 요측으로 굽히기
-))) 경추를 반대쪽으로 굽히기

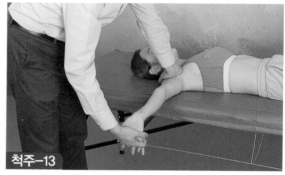

척주-13

목적 : 척골신경의 가동성향상

방법

-))) 상지대 내리기
-))) 어깨관절 가쪽으로 돌리기, 벌리기
-))) 팔꿈관절 굽히기
-))) 아래팔 뒤치기
-))) 손목관절 등쪽으로 굽히기
-))) 손목관절 척측으로 굽히기
-))) 경추를 반대쪽으로 굽히기

척주-14

목적 : 좌골신경의 가동성향상

방법

⫸ 엉덩관절 모으기, 안쪽으로 돌린
　자세에서 다리 바로 들어올리기
　(straight leg raise : SLR)

⫸ 발목관절 등쪽으로 굽히기

목적 : 말초신경 전체의 가동성향상

방법

⫸ 경추, 흉추, 요추의 굽힘을 동
　반한 슬럼프 앉는 자세(slump-
　sitting)

⫸ 무릎관절 펴기

⫸ 발목관절 등쪽으로 굽히기

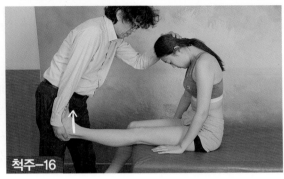

목적 : 대퇴신경의 가동성향상

방법

⫸ 엎드린 자세에서 척추는 중립위
　치(펴지 않는다)

⫸ 엉덩관절 펴기 0도

⫸ 무릎관절 굽히기

등과 배부위의 구조와 질환별 관리

4

18 DISEASE 복부의 수기치료

18-1 복부 수기치료의 효과

배(복부)는 인체의 중앙부에 있으며, 육부(六腑)인 담·위·소장·대장·방광·삼초와 오장 중의 간·비·신(심장·폐를 제외)이 모두 여기에 집중되어 있다. 비위(脾胃)는 복부의 중요한 기관으로 '후천의 본(後天之本)'으로 보고, 임맥이 모든 음맥을 총괄한다는 점에서 '음맥의 바다'라고 불린다. 복부는 음양기혈의 근원이며, 기혈순환·음양승강의 통로이기도 하다. 오장육부·사지백해·오관구규의 영양은 모두 복부에서 화성된 수곡정미(水穀精微)에 의하여 보급된다.

복부를 수기치료하면 간기(肝氣)의 소설을 통창시켜 비기의 운화를 촉진하고 신기의 저장을 증강하여 건강한 몸을 만들 수 있다. 또한 배에서 막힌 것을 제거하고 여분의 지방을 연소시키며, 나아가 소화불량·복통·복창·변비·설사·비뇨계통질환 등의 완화에도 효과가 있다.

18-2 복부 수기치료의 실제

관련경혈 : 중완, 신궐, 천추, 수도, 기해, 관원

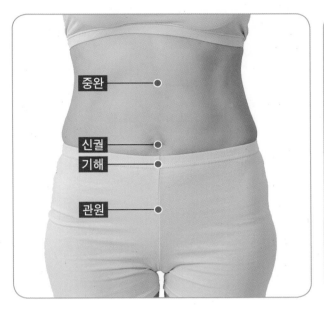

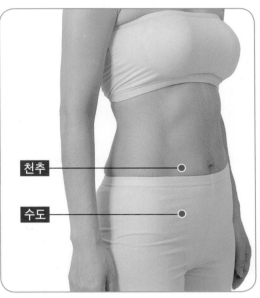

관련근육 : 복직근, 외복사근, 복횡근, 전거근

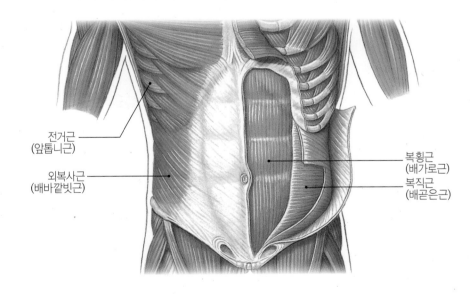

전거근
(앞톱니근)

외복사근
(배바깥빗근)

복횡근
(배가로근)

복직근
(배곧은근)

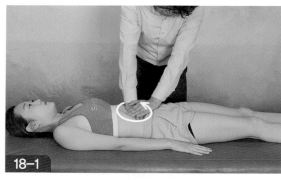

치료사는 환자 옆에 서서 양손바닥을 겹쳐 복부를 시계
방향과 반시계방향으로 각각 30회씩 비벼준다.

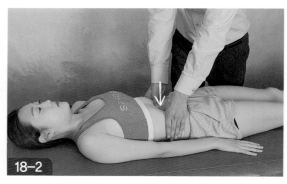

양손 엄지로 중완혈을 누른 다음 신궐혈까지의 사이를
교대로 가볍게 눌러준다.

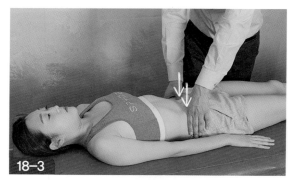

양손 엄지안쪽으로 천추혈을 누르면서 주무른다.

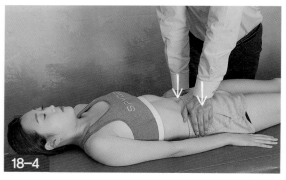

양손바닥으로 하복부에서 상복부까지 교대로 가볍게 눌
러준다(팽만감, 변비에 유효).

양손 엄지안쪽으로 좌우 늑골의 아래모서리를 따라 비벼
준다.

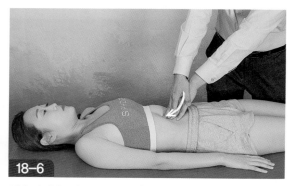

양손바닥을 겹쳐 세손가락(검지 · 중지 · 약지)끝으로 복
부 중앙선(임맥), 좌우 늑골의 아래모서리를 가볍게 누
른다.

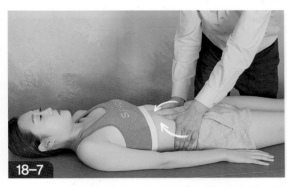

양손바닥으로 늑골 양쪽의 외복사근을 아래에서 위로 들
어올리기를 3회 반복한다.

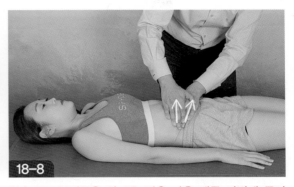

양손으로 복직근을 약 2초 잡은 다음 배를 가볍게 들어
올리면서 가볍게 진동시킨다.

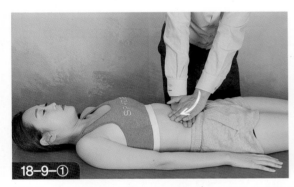

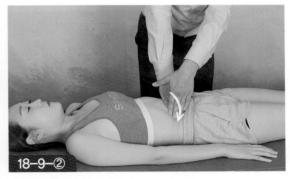

양손목으로 아랫배를 앞쪽으로 밀어내고, 손가락 전체를 이용하여 끌어당긴다. 이것을 6회 반복한다.

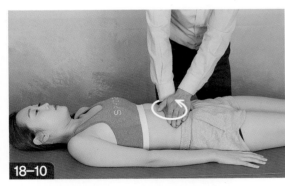

양손바닥을 겹쳐 배를 가볍게 비벼준 다음 눌러준다.

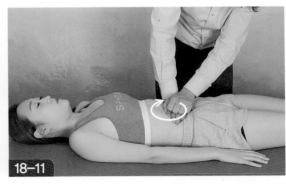

한 손을 가볍게 쥐고, 다른 손을 겹쳐 맨주먹으로 배를
비벼준다.

등과 배부위의 구조와 질환별 관리

4

18-12

양손바닥으로 배를 진동시킨다.

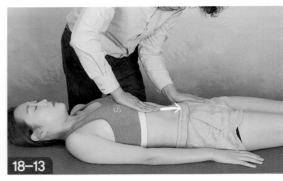

18-13

한 손으로 볼기의 측면을 짚고, 다른 손의 손바닥으로 흉골 아래쪽에서 아랫배쪽으로 6회 밀어준다.

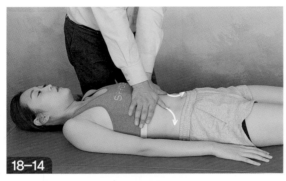

18-14

흉골 아래모서리에서 배 양쪽을 양손바닥으로 비비면서 밀어준다.

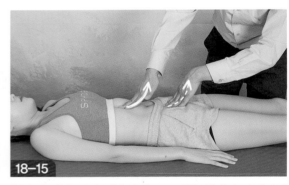

18-15

환자의 옆에 서서 양손바닥으로 배를 위에서 아래까지 교대로 문지르면서 비벼준다.

19 DISEASE 위통

19-1 위통의 원인

위통(胃痛)에는 급성·만성위염, 위십이지장궤양, 위신경증, 위경련 등의 소화관질환이 포함된다. 한의학에서는 위통을 '위완통(胃脘痛)'이라고 하며, 윗배의 위완부(胃脘部)가 반복하여 아픈 것을 가리킨다. 위통의 발병원인은 상당히 많으며, 증상은 위완부의 팽만감이나 경련같은 통증, 타는 듯한 통증이나 트림, 오심이나 구토 등 다양하다.

위의 병 중에서 가장 많이 발증하는 것이 급성과 만성위염이다. 급성위염은 위에 급격히 염증이 생기는 질병으로 안정하고 식사에 주의한다면 2~3일이면 낫는 증상을 가리킨다. 만성위염은 위점막이나 위액분비샘이 위축하는 질병이며, 증상은 더부룩한 느낌이나 명치쓰림, 트림, 둔한 위의 통증 등이다. 그런데 식욕부진, 전신권태감, 구역이나 구토, 토혈 등의 증상을 보이는 사람도 있다.

위통은 위점막이 위축하여 변화해나가는 과정에서 염증이나 미란(erosion, 짓무름) 등이 생겼기 때문에 발생하고, 통상적으로는 실증과 허증의 두 종류로 크게 나누어진다.

실증은 외부에서 한습열사(寒濕熱邪)의 침입이나 식탐 등에 의하여 위의 기혈이 폐색된 것으로 '불통즉통'(不通則痛 : 통하지 않으면 아프다)이 되어 위의 통증을 일으킨다. 허증은 비위(脾胃)허약이나 만성질환으로 인하여 위가 차가워져 자양(滋養)을 잃음으로써 발병하는 것이 많다. 발병부위는 위에 있으나, 간(肝)·비(脾)와 밀접한 관계가 있다.

관련경혈 : 중완, 신궐, 천추, 기해, 관원, 족삼리, 간수, 담수, 비수, 위수, 신수혈, 합곡,
내관, 지양 등

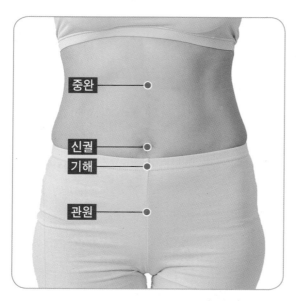

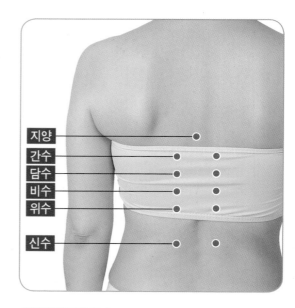

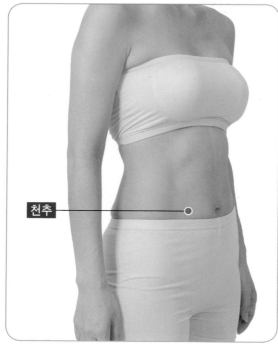

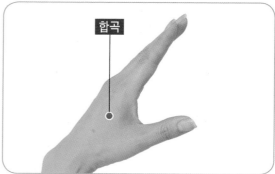

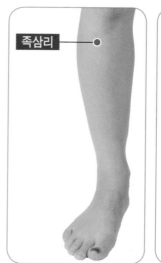

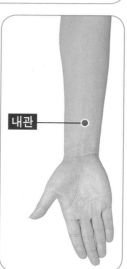

19-2 위통의 관리

환자 | 바로 누운 자세

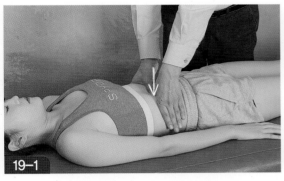

치료사는 환자의 옆쪽에 서서 양쪽 엄지를 겹쳐 윗배앞
쪽의 정중선상에 있는 중완혈을 누른다.

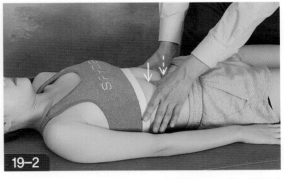

양쪽 엄지로 임맥 라인을 따라 중완혈부터 배꼽 중앙에
있는 신궐혈까지 번갈아 가볍게 눌러준다.

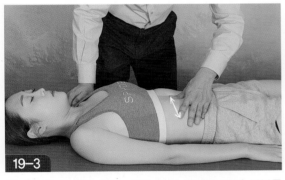

한 손으로 어깨를 짚고, 다른 손의 엄지를 굽혀 복부를
주무른다. 그다음 임맥 라인을 따라 중완혈부터 신궐혈까
지 비벼준다.

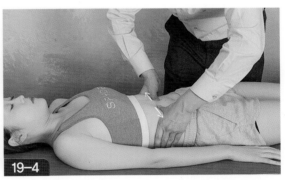

좌우 늑골 아래 안쪽모서리를 따라 양쪽 엄지안쪽으로
비빈다.

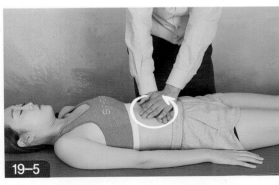

양손 손바닥을 겹쳐 시계방향으로 가볍게 수십 회 비벼
준다.

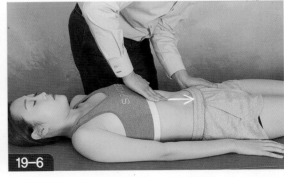

한 손으로 볼기의 측면을 짚고, 다른 손의 손바닥으로 흉
골 아래쪽에서 아랫배쪽으로 밀어준다.

234

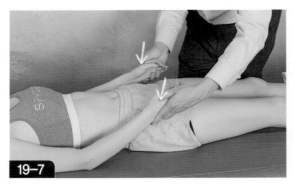

양쪽 엄지로 합곡혈을 누르고 주무른다.

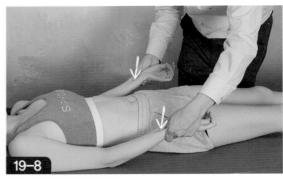

양쪽 엄지로 내관혈을 누르고 주무른다.

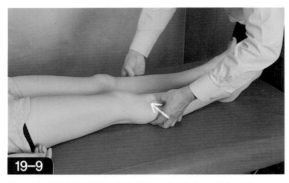

양쪽 엄지를 겹쳐 종아리 앞쪽의 전경골근에 있는 족삼
리혈을 누른다. 그다음 전경골근의 족양명위경 라인을 따
라 누르면서 밀어준다.

환자 | 엎드린 자세

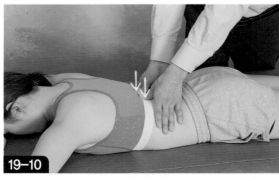

치료사는 양쪽 엄지로 등에 있는 위수혈을 누르면서 위
아래로 부드럽게 주무른다.

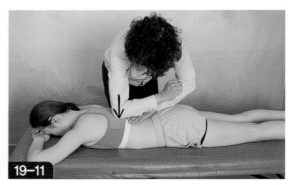

환자의 옆쪽에 서서 한 손은 다른 쪽 팔꿈치에 대고 등위
쪽의 후정중선상에 있는 지양혈을 누른다.

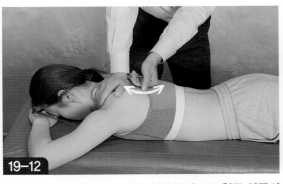

한 손으로 어깨를 잡고, 다른 손의 주먹으로 척주 양쪽의
족태양방광경라인을 따라 굴려간다.

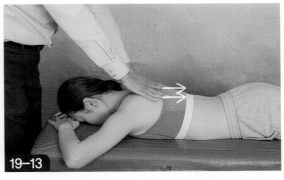

환자의 머리쪽에 서서 척주 양쪽의 족태양방광경라인을
따라 양쪽 손바닥으로 비벼준다.

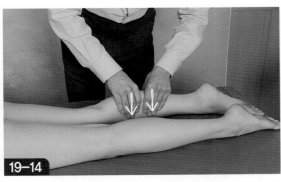

환자의 옆쪽에 앉아 양손으로 종아리 뒤쪽의 근육군을
잡고 주무른다.

증상에 따른 가감

★ 위완부(胃脘部)에 참을 수 있을 정도의 지속성
 둔통(脾胃虛弱者)……관원, 비수, 위수, 장문혈
 을 누른다.
★ 위완부에 팽만감을 동반한 통증(肝胃氣滯
 者)……기문, 간수, 양릉천, 태충혈을 누른다.
★ 위완부에 열사를 동반한 통증(胃熱陰虛者)……
 음양천, 내관, 위수혈을 누른다.

20 DISEASE 척추후만·전만·측만증

20-1 바르지 못한 자세

등부위의 불쾌감은 어떠한 형태든 나쁜 자세(바르지 못한 자세)가 직접적인 원인인 경우가 있다. 대표적인 나쁜 자세는 척주과전만, 척주과후만, 척주측만 등이다.

척주과후만은 후방만곡이 너무 심하기 때문에 등이 둥글게 되어 있다. 이 현상은 흉추부분에서만 발생한다. 척주만곡은 대부분 추골의 비틀림이 원인이다. 왜냐하면 비틀림이 만곡을 조장하기 때문이다. 이러한 비틀림은 척주 어디에서나 발생한다. 그 만곡의 방향을 나타내는 것이 척주전만, 척주후만, 척주측만이라는 단어이다.

한편 일상생활의 동작이 몸에 미치는 영향을 이해하는 것도 중요하다. 이때 문제가되는 것은 구조와 기능이다. 울프의 법칙(Wolff's law)과 데이비스의 법칙(Davis's law)에 의하면 신체기능의 변화는 구조의 변화로 이어진다. 평가(assessment)나 병력을 청취할 때에는 그 배경에 있는 문제나 통증이 구조의 이상 때문인지 좋지 않은 자세 때문인지 등을 확인해야 한다.

자세가 뒤틀리는 원인은 선천성이상, 뼈의 발달, 오랜 시간 형성된 습관 등이다. 신체정렬(body alignment)에 대한 대처에는 '즉효약'은 없다고 이해해두는 것도 중요하다.

뼈의 적응에 관한 울프의 법칙과 데이비스의 법칙

→ **울프의 법칙(Wolff's law)**은 뼈의 형상과 기능, 또는 뼈의 기능만의 어떠한 변화도 뼈 내부의 조직과 외부 형상의 변화로 이어지는 현상을 설명한다. 울프의 법칙에 따르면 골격의 변화는 외부에서 가해진 압력에 의하여 정해진다.

→ **데이비스의 법칙(Davis's law)**은 연조직의 요구에 따라 자기개조하는 것을 설명한다.

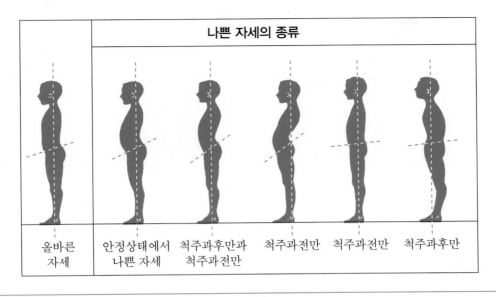

	나쁜 자세의 종류				
올바른 자세	안정상태에서 나쁜 자세	척주과후만과 척주과전만	척주과전만	척주과전만	척주과후만

| 나쁜 자세

출처 : McMorris, R. O.(1961). Faulty postures, Pediatr, Clin. North. Am., 8:27.

20-2 척주후만(후방만곡)

척주후만이란 척주가 몸 뒤쪽으로 굽어진 것을 나타내는 용어이다. 흉추는 20~40도 후방으로 자연스럽게 만곡되어 있는데, 이것이 40도를 넘은 상태가 척주과후만이다.

한편 경추의 후만, 즉 과소전만을 보이는 환자도 있다. 이것은 일반적으로 '스트레이트넥(straight neck, 일자목/turtle neck, forward head, 거북목)'이라고 불리는 머리가 앞으로 기울어진 상태이기도 하다. 또한 이 장애를 '역각도(reverse angle)', '역만곡(reverse curvature)' 등으로 표현하는 사람도 있다. 하지만 이것들은 상태를 정확하게 표현한 단어는 아니다. 요추부도 후만이나 과소전만이 될 수 있는데, 이것은 플랫백(flat back, 편평등)이라고 불리는 상태이다.

척주과후만은 선천적 이상이 원인인 경우도 있으나 대부분은 발달성 또는 진행성 장애가 원인이다. 즉 과후만의 대부분은 퇴행성추간판장애, 습관적인 나쁜 자세, 골다공증 등 다양한 후천적인 이상이 원인이다.

척주과후만에는 주목해야할 몇 가지 자세의 뒤틀림모습을 볼 수 있다. 그중 하나가 머리의 전방경사인데, 이 때문에 목 뒷면의 근육긴장이 증가하고, 경추의 전방만곡이 심해진다. 또한 이 만곡에 의하여 흉곽이 압박되는 경우도 있다. 흉곽이 압박되면 호흡계통과 소화계통의 기능에 영향을 주고, 가슴 윗부분 근육의 긴장으로도 이어진다.

등과 배부위의 구조와 질환별 관리

4

약해진 근육 : 목 심부의 굽힘근육군, 능형근군, 전거근
줄어든 근육 : 흉근군, 승모근, 견갑거근

│ 척주과후만일 때 근육상태

20-3 척주전만(전방만곡)

척주전만이란 척주가 앞쪽으로 만곡된 모습을 표현하는 용어인데, 이 현상은 일반적으로 요추부와 경추부에서 나타난다. 경추부에는 통상 20~30도, 요추부에는 40~60도 전방만곡이 있다. 만곡이 이 범위를 넘은 상태를 척주과전만으로 본다. 그리고 만곡이 이 범위를 밑도는 것은 척주의 평탄화(flattening of the spine) 또는 직선화(straightening of the spine)라고 부른다. 정상적인 노화, 나쁜 자세, 발달성 또는 진행성 장애가 척주의 평탄화와 과전만 두 가지 모두의 원인이 된다.

약해진 근육 : 대둔근, 복부근육군
줄어든 근육 : 척주기립근, 장요근군

│ 척주과전만일 때 근육상태

나쁜 자세와 일상활동은 척주과전만을 촉진하는 2대요소이다. 요추과전만은 엉덩관절굽힘근의 단축과 긴장이 직접적인 원인인 경우가 많다. 이것은 하루의 대부분을 책상 앞에 앉아서 보내는 사람에게 많이 나타나는 현상이다. 앉은 자세에서는 허리근육과 장골근이 줄어드는데, 그것이 계속되면 근육은 그 길이가 되도록 습관화되고, 근막의 움직임도 제한받기 쉽다.

서 있을 때에는 이러한 근육이 늘어나려고 하지 않으므로 요추의 앞면이 앞쪽으로 당겨지기 쉬워지기 때문에 결과적으로 전방만곡이 심해진다.

20-4 척주측만

척주측만은 척주가 옆쪽으로 만곡된 것을 총칭하는 말이다. 척주가 옆으로 만곡된 상태란 척주가 비틀어진 결과 옆쪽으로 만곡이 진행된 상태이다. 이 상태는 어린이에게 비교적 많고, 대부분은 근육의 균형이 흐트러지거나 질병이 원인이다. 구조성 측만인 경우에는 척추에 실제로 기형이 있다. 이것은 유전성 장애로, 치료에는 로드(rod)를 삽입하는 등 수술이 필요하다.

기능성 측만은 요방형근, 척주기립근, 횡돌극근군 등의 긴장항진으로 인하여 근육의 균형이 흐트러져 발생한다. 다만 그러한 근육긴장이 기능성 측만의 주요 원인이라고 하여도 양쪽 다리길이차이 등 사소한 구조상의 이상이 근육의 균형이 흐트러지는 것을 증폭시킬 수도 있다.

  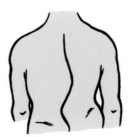 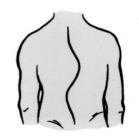

흉추의 오른쪽 만곡 / 흉추와 요추의 오른쪽 만곡 / 요추의 왼쪽 만곡 / 흉추의 오른쪽 만곡과 요추의 왼쪽 만곡(주요 만곡이 2곳)

| 척주측만

출처 : Barkauskas VH et al(2002). Health and Physical Assessment, ed 3. St Louis.

척주측만

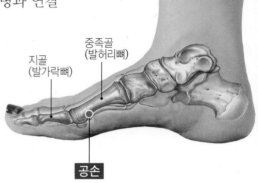

- ⫸ 족태음비경
- ⫸ 공손혈→위장병과 연결
- ⫸ 척추기립근
- ⫸ 족태양방광경

지골
(발가락뼈)

중족골
(발허리뼈)

공손

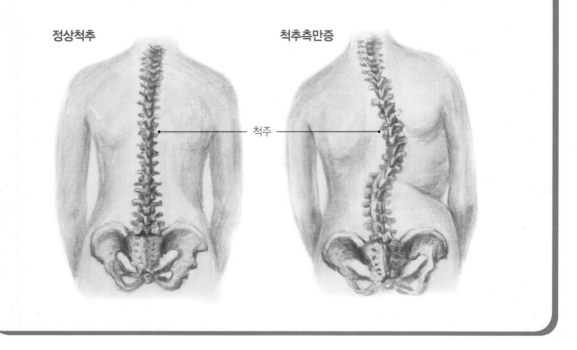

정상척추

척추측만증

척주

20-5 척주과후만의 관리

몸통 윗부분의 워밍업_
강찰법(강하게 쓰다듬기)과 근막스트레치를 이용하여 가슴조직을 워밍업한다.

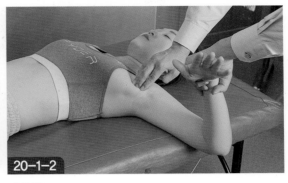

대흉근_
흉근군에 필요한 마사지를 한다. 유념법(주무르기)과 깊은 활주를 안쪽부터 바깥쪽을 향하여 실시하여 단축된 근육을 늘려준다. 근육의 정지점을 강하게 쓰다듬으면 근육을 늘리는 데 효과적이다.

소흉근_
소흉근은 하부교차증후군에 대처할 때에 놓치는 경우가 많다. 여기에는 천천히 하는 활주법이나 압박이 적절하다.

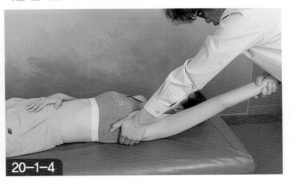

광배근_
광배근을 늘리는 것도 효과적이다. 정지점을 강하게 쓰다듬으면 이 근육을 부드럽게 하는 데 도움이 된다.

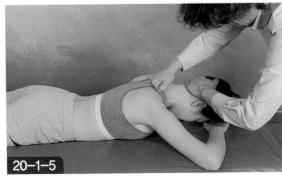

견갑거근_
견갑거근 윗부분에서 아랫부분을 주무른 다음 스트리핑을 실시하고, 정지점을 강하게 쓰다듬으면 이 근육을 부드럽게 하는 데 도움이 된다. 견갑거근 스트레치도 효과적이다.

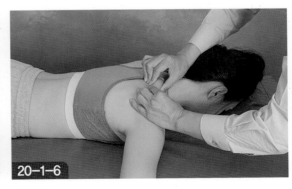

승모근_
승모근 윗부분을 주무른 다음 스트리핑을 시술한다. 시작점에서 정지점으로의 깊은 스트리핑을 하고 강하게 쓰다듬으면 이 근육을 늘리는 데 도움이 된다.

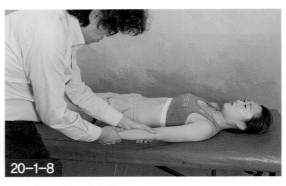

능형근과 거근_
중요한 것은 능형근을 자극하여 어깨를 정상적인 위치로
되돌리는 것이다. 어깨를 손으로 들어올리거나 어깨 아래
에 타월을 받치면 좋다. 그다음 능형근을 자극하는 테크
닉을 사용하여 마사지한다.

스트레치와 혈액순환_
강하게 쓰다듬어서 혈액순환을 촉진하고, 스트레치를 하
여 절차를 마무리한다. 스트레치는 흉강을 넓히기 위해
집중적으로 실시한다.

20-6 척주과전만의 관리

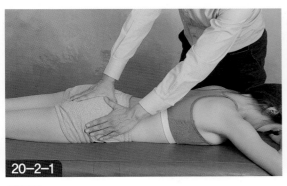

워밍업_
하복부 조직을 강하게 쓰다듬기, 주무르기, 근막테크닉으
로 워밍업한다.

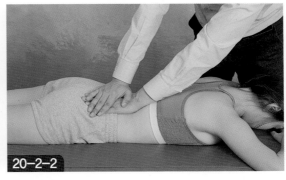

척주기립근_
흔들면서 압박법, 스트리핑, 강하게 쓰다듬기를 이용하여
흉요근막과 척주기립근의 뭉침을 제거한다. 척주기립근
중 최장근에 집중적으로 실시한다.

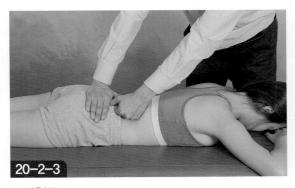

요방형근_
신전법과 스트리핑으로 요방형근을 마사지한다. 장골릉
을 따라 강하게 쓰다듬는 것도 효과적이다.

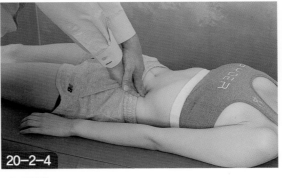

허리근육_
바로 누운 자세 또는 옆으로 누운 자세에서 허리근육을
마사지한다. 능동운동을 이용하여 허리근육의 긴장을 푸
는 것을 돕는다.

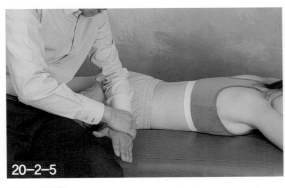

엉덩이근육_
엉덩이근육을 주무른 다음 눌러준다. 능동 및 수동운동과
동시에 압박을 실시하여 근육의 뭉침을 풀어준다.

스트레치_
허리근육과 아랫배의 근육을 스트레치하여 수기치료를
마무리한다.

20-7 척추측만증의 운동요법

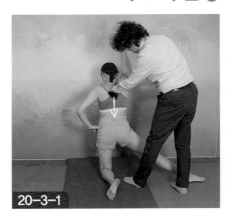

20-3-1

20-3-2

20-3-3

20-3-4

20-3-5

급성요통

21-1 급성요통의 원인

요통의 원인은 요통을 경험하는 사람의 수만큼 다양하다. 대체로 근육긴장, 과신전, 인대나 힘줄의 외상, 염증, 신체구조의 뒤틀림, 잘못된 자세, 질병, 장애 등이 허리통증이나 불쾌감의 원인이라고 할 수 있다. 따라서 환자가 어떠한 통증을 느끼고 있는가를 이해하고, 면밀한 평가를 실시하여 통증의 원인을 파악해두어야 한다.

허리를 삐끗하는 것을 방지하려면, 무거운 물건을 들 때 비교적 조심스럽게 들어올려야 한다. 무거운 물건을 들려는 순간에 허리를 삐끗하는 경우도 있고, 냉장고를 열려고 하는 순간에 허리를 삐끗해서 서 있지도 못하는 사람도 있다. 허리를 삐끗하는 것은 중년 이후의 사람에게 많이 나타나지만, 젊은 사람은 급격한 운동을 할 때에 발생하기 쉽다.

원인의 대부분은 근육의 피로로 인한 근육염증과 경축이다. 이것은 급격한 운동을 하거나, 긴 시간을 같은 자세를 유지하거나, 반대로 운동부족으로 근육이 약화되어 근육이 피로해서 생기는 증상이다.

통증의 양상은 삐끗하는 순간 몸이 움직일 수 없을 정도로 아픈 경우와 처음은 약간 아팠으나 다음날은 격한 통증으로 자리에서 일어날 수 없게 되는 경우도 있다. 대부분은 근육의 염증이지만, 그중에는 요추의 변형, 추간판이상, 헤르니아 등과 같이 중증인 경우도 있고, 신경을 압박해서 좌골신경통의 원인이 되는 경우도 있다.

여기에서는 요통 시에 발생하는 일반적인 근육의 변화에 초점을 맞춘다. 얀다(Janda, B.) 박사는 하부교차증후군(골반교차증후군)이라고 불리는 것을 세계에 퍼뜨렸다.

이 용어는 골반각도의 변화에 따라 발생되는 예측 가능한 근육의 변화를 표현한다. 하부교차증후군은 대체로 골반전방경사를 동반한다. 골반전방경사 상태인 환자는 요방형근, 최장근, 장요근, 대퇴직근 등이 줄어들어 있다. 얀다 박사에 의하면 대항근 억제라고 불리는 현상 때문에 줄어든 근육의 대항근은 길어지고 약해진다. 약해진 근육은 복직근과 몸통근육군과 엉덩이근육군이다. 이러한 골반각도의 변화나 척주과전만이나 근육의 불균형이 있으면 그렇지 않은 경우보다도 장래에 심각한 손상을 입기 쉬워진다.

움직임 테스트와 급성요통의 치료 포인트

운동범위 및 통증 유무 검사

굽히기와 펴기 검사
치료 포인트 : L1, T9

가쪽으로 굽히기 검사
치료 포인트 : L2

회전 검사
치료 포인트 : T11, L3

급성요통 발생 시의 자세

21-2 급성요통의 관리

◈》 허리를 삐끗하면 우선 안정을 취하게 한 다음, 누운자세에서 환부를 차갑게 한다.

◈》 통증이 심하여 복와위를 취할 수 없으면 무릎밑에 베개나 방석을 접어서 넣고 눕는다.

◈》 바로 누울 수 없을 정도로 아프면 옆으로 누워 무릎을 굽히고 휴식을 취한다.

◈》 1~2일 경과해서 통증이 가벼워지면, 이번에는 뜨거운 팩이나 타월을 이용해서 환부에 온찜질을 한다.

◈》 심한 통증이 오면 온찜질과 냉찜질을 교대로 실시하면 효과적이다.

◈》 조금도 좋아지지 않고, 구역질 등의 증세가 있으면 빨리 전문의의 진단을 받아야 한다.

◈》 이와 같이 하여 증상이 어느 정도 완화되면 발의 경혈을 자극해서 치료한다.

◈》 요통은 주로 발허리 근육의 경축으로 나타나므로 이것을 풀어주는 것이 중요하다.

◈》 급성요통을 치료하는 경혈에는 종아리 뒤쪽의 위중, 승산, 위양, 곤륜, 신맥, 임읍 등이 있다.

◈》 눌러서 통증이 심한 경우에는 증상이 거기에 나타나기 때문에 잘 주물러 풀어준다.

◈》 통증부위가 편해질 때까지 주무른다.

◈》 허리의 통증이 완화되면 조금씩 요통체조를 실시하여 허리근육을 항상 부드럽게 해준다.

◈》 특히 아침에 깨면 침상에서 무릎을 세우고 좌우로 틀면서 허리근육을 펴면 근육이 풀어져 편하게 일어날 수 있다.

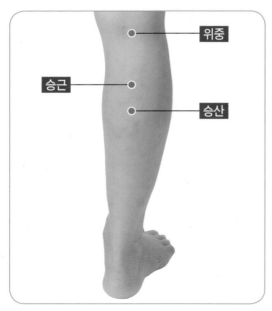

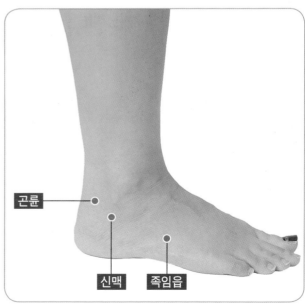

21-3 요통완화 체조

◈ 바로 누워서 양무릎을 세운 채로 무릎을 좌우로 천천히 넘어뜨리면 어느 한쪽 허리에 통증이 느껴지지만, 반대쪽으로는 자유롭게 넘어뜨릴 수 있는 것을 알 수 있다.

◈ 무릎을 세운 채로 통증이 없는 쪽의 무릎을 통증이 있는 쪽의 다리에 포개 놓는다.

◈ 다리를 꼰 채로 숨을 들이마시고 천천히 숨을 내쉬면 자유스러운 쪽으로 끌어당기는 것과 같은 느낌으로 쓰러뜨린다.

◈ 바닥에 가능한 한 무릎이 닿을 수 있도록 많이 쓰러뜨려서 2~3초간 정지자세로 있는다.

◈ 다음에는 전신의 힘을 빼고 편안하게 눕는다.

◈ 자유스러운 쪽만을 위의 동작을 일률적으로 3회 정도 반복한다.

무릎을 세워 통증이 없는 쪽의 무릎을 통증이 있는 쪽의 다리 위에 포개 놓는다.

무릎을 세우고 쓰러지기 쉬운 쪽의 무릎을 포개어 숨을 내쉬면서 쓰러지기 쉬운 쪽으로 넘어뜨린다

2~3초 동안 힘껏 누른 후에 전신의 힘을 빼고 편안한 자세를 갖는다.

22 DISEASE 허리염좌

22-1 허리염좌의 원인

허리염좌(허리삠)는 격렬한 통증이나 돌발적인 동작에 의하여 허리의 연조직에 급발생하여 허리의 통증·직립곤란·운동불능 등이 나타나는 증상을 가리킨다. 특히 중년 이상에게 나타나는 요추의 퇴행성변화에서 심해진 돌발성 급성질환이 많다. 허리염좌는 운동범위에 따라 통증 등이 갈비뼈부위에 미칠 수도 있다.

한의학에서는 경락이 손상되면 기혈이 정체하고, 불통칙통(不通則痛 : 기혈이 안 통하면 통증이 발생한다)이 된다고 추측하고 있다. 허리삠도 마찬가지이다. 발증의 초기단계에서 바로 치료하면 거의 완치되지만, 치료를 게을리하거나 오진으로 장시간 방치하면 만성요통으로 바뀌게 되어 허리의 나른함과 통증이 심해지고, 발작이 반복되고, 과로나 풍한(風寒) 등으로 점점 악화되어간다.

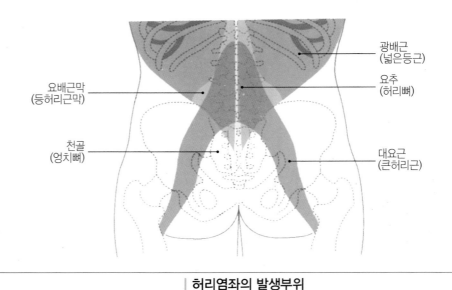

요배근막
(등허리근막)

천골
(엉치뼈)

광배근
(넓은등근)

요추
(허리뼈)

대요근
(큰허리근)

| 허리염좌의 발생부위

관련경혈 : 승산, 위중, 환도, 대장수, 신수, 아시혈 등

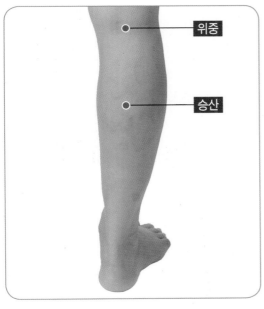

위중

승산

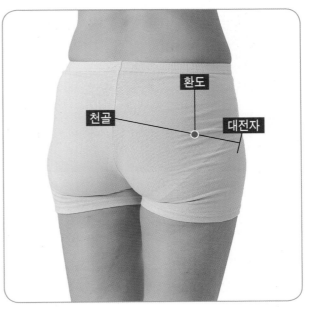

환도

천골

대전자

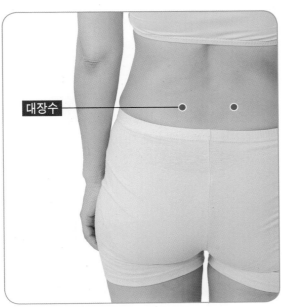

대장수

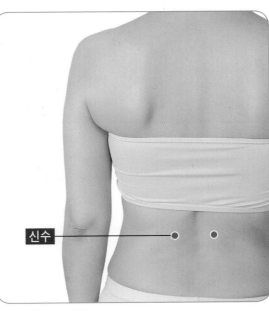

신수

등과 배부위의 구조와 질환별 관리

4

22-2 허리염좌의 관리

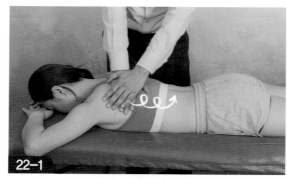

치료사는 환자 옆에 서서 양손 손바닥을 겹쳐 환자의 견갑골에서 요배부(등허리부위)까지의 근육군을 주무른다.

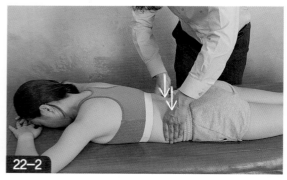

양손 엄지로 허리에 있는 신수혈을 누르고 주무른다.

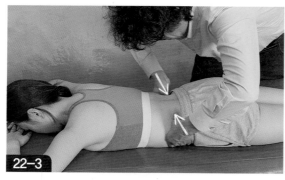

양손 엄지로 요천부(허리엉치부위) 후상장골극 위에 있는 대장수혈 부위를 끼우듯이 잡고 누르면서 손가락으로 진동시킨다.

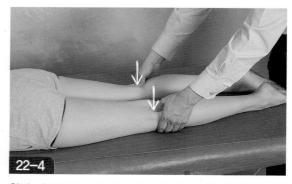

환자 아래쪽에 서서 양손 엄지로 오금주름 안에 있는 위중혈을 누르고 주무른다.

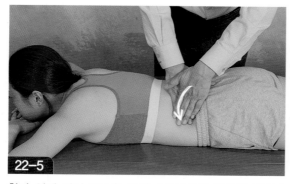

환자 옆에 서서 양손을 겹쳐 손가락으로 허리의 근육군을 가볍게 잡고 누르면서 주무른다.

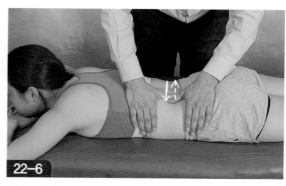

양손 엄지를 겹쳐 척주 양쪽의 척주기립근을 따라 가볍게 흔들어준다.

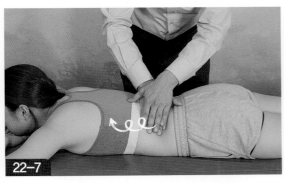

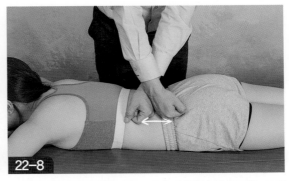

양손 손바닥을 겹쳐 허리에서 등의 근육군(요방형근, 광배근 등)을 주무른다.

양손을 가볍게 주먹을 쥐고 요추 양쪽의 근육군을 교대로 누르면서 굴린다.

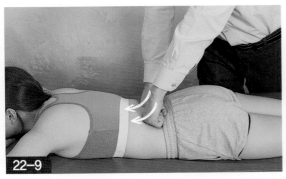

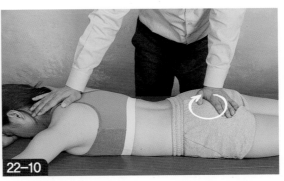

마찬가지로 요추 양쪽의 근육군을 누르면서 양손 주먹을 가볍게 굴린다(사진 08, 09는 가벼운 증상에 적용한다).

한 손으로 어깨를 지지하고, 다른 손의 손바닥으로 요천부(허리엉치부위)를 원을 그리듯이 문질러준다.

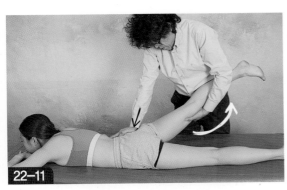

한 손으로 요천부(허리엉치부위)를 지지하고, 다른 손으로 넙다리를 무리가 없는 범위에서 가쪽으로 들어올리고, 동시에 반대방향으로 비틀면서 압력을 가한다.

23 DISEASE 허리디스크

23-1 허리디스크의 원인

허리디스크(요추추간판헤르니아)는 요통증의 하나로, 주로 제4·5요추 사이, 제5요추·천골 사이를 연결하는 추간판에 퇴행성 변화나 손상 등이 생겨 쿠션역할을 하지 못하게 됨으로써 발까지 방산통이 동반되는 통증이 발생하는 증상이다.

원래 탄력성이 풍부한 수핵(척수속질, 척수핵)이 요추추간판의 중심부에 있고 주변은 치밀한 교원섬유륜에 둘러싸여 있다. 그런데 추간판에 연령증가에 의한 퇴행성 변화가 생기거나 역학적 균형이 무너지면 압력이 급격하게 증가하여 수핵이 팽창하고, 섬유륜에 균열이나 파열이 발생하며, 수핵이 균열로부터 돌출·탈출해버린다. 따라서 추간판은 후종인대를 밀어올리거나 관통하여 요추간 및 요추간공으로 들어가 요통 및 다리의 방산통·저림 등을 일으킨다.

요추추간판헤르니아가 발생하면 통증에 의한 파행으로 요추의 만곡상태가 나빠져 허리 등쪽의 근육이 긴장·경직하는 급성발작과 요통, 한쪽의 다리통, 운동 시 통증이 가중되는 만성증상 등이 나타난다. 또한 수핵의 돌출·탈출 정도와 방향에 따라 통증이 다르지만, 다리의 방산통이나 저림, 신경근의 지배영역에 압박통 등이 나타난다.

통상적으로 초기단계의 주된 증상은 허리통증이며, 종종 발에 방산통이 동반된다. 또한 기침이나 재채기를 할 때, 힘을 주어 배변을 할 때 등에 통증이 가중된다. 엉덩관절과 무릎관절을 굽히고 자리에 누우면 통증이 조금 경감된다.

장기간 한랭자극을 계속 받으면 근육이나 혈관이 경련수축하고, 국부의 혈액순환이 영향을 받아 추간판의 영양제공에도 폐해를 끼친다. 근육의 경련으로부터 추간판 내부의 압력이 강해지고, 수핵의 돌출도 심해진다.

허리삠, 퇴행성척주염, 이상근손상증후군 등과 감별할 필요가 있다.

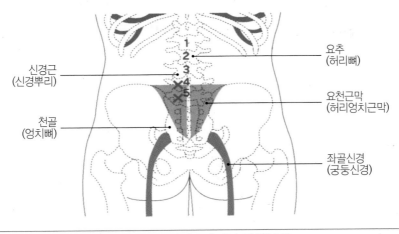

신경근
(신경뿌리)

요추
(허리뼈)

요천근막
(허리엉치근막)

천골
(엉치뼈)

좌골신경
(궁둥신경)

| 요추추간판헤르니아의 발생부위

관련경혈 : 태계, 해계, 족삼리, 풍시, 충문, 곤륜, 승산, 위중, 승부, 환도, 대장수, 신수, 은문, 곡택 등

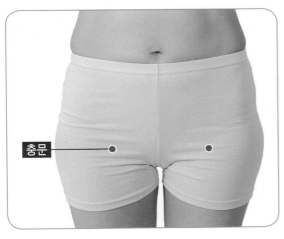

충문

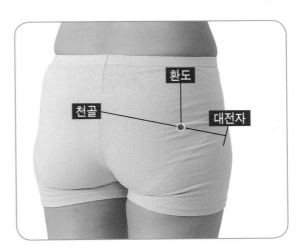

환도

천골

대전자

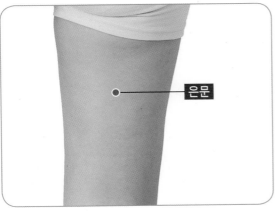

은문

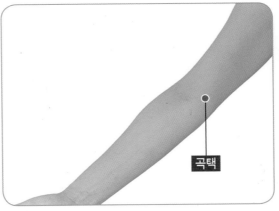

곡택

등과 배부위의 구조와 질환별 관리

4

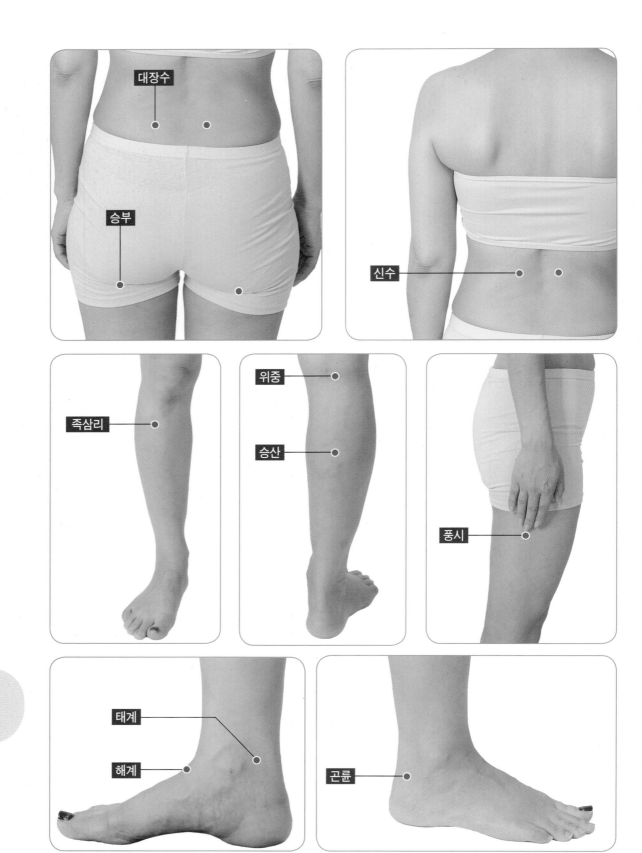

요추추간판헤르니아(허리디스크)의 증상

탈출부위	통증	저린 감각	근육약화	근위축	반사
L3-L4 디스크 : 제4요추신경근	허리, 볼기, 후외 측대퇴(넙다리), 앞쪽 종아리	앞안쪽넙다리와 무릎	대퇴사두근	대퇴사두근	무릎반사 감소
L4-L5 디스크 : 제5요추신경근	천장관절위, 볼기, 넙다리가쪽, 종아리	종아리가쪽, 엄지발가락갈퀴	엄지발가락과 발의 등쪽굽히기, 발꿈치로 걷기 어려움, 하수족 (발처짐) 발생기능	적음	변화가 적다 (후방경골반사가 없거나 감소)
L5-S1 디스크 : 제1천골신경근	천장관절위, 볼기, 넙다리 뒤가쪽, 종아리에서 발꿈치까지	장딴지뒤쪽, 발꿈치, 발·발가락가쪽	발과 엄지발가락의 바닥쪽 굽히기에 영향, 발가락으로 걷기 어려움	비복근과 가자미근	발목반사 감소 또는 부재
미골 (꼬리뼈) 중간선 대량돌출	병변의 정도에 따라 허리, 넙다리, 종아리 및 서혜부 양쪽으로 나타날 수 있음	넙다리, 종아리, 발 및 회음부 변동가능, 양쪽으로 나타날 수 있음	종아리의 다양한 마비 또는 불완전마비, 변실금, 요실금	클 수 있음	발목반사 감소 또는 부재

등과 배부위의 구조와 질환별 관리

4

요추추간판헤르니아(허리디스크)

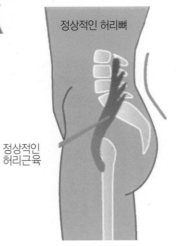

정상적인 허리뼈

정상적인
허리근육

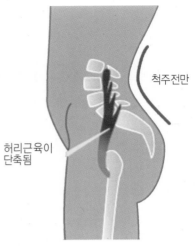

척주전만

허리근육이
단축됨

중립위치

골반 뒤로 기울이기

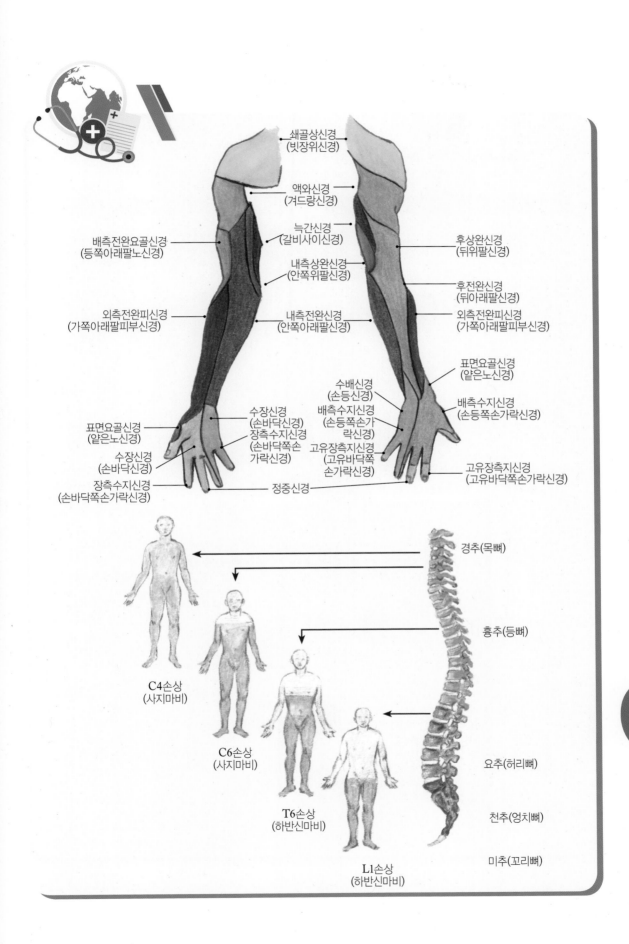

쇄골상신경
(빗장위신경)

액와신경
(겨드랑신경)

늑간신경
(갈비사이신경)

배측전완요골신경
(등쪽아래팔노신경)

내측상완신경
(안쪽위팔신경)

후상완신경
(뒤위팔신경)

후전완신경
(뒤아래팔신경)

외측전완피신경
(가쪽아래팔피부신경)

내측전완신경
(안쪽아래팔신경)

외측전완피신경
(가쪽아래팔피부신경)

표면요골신경
(얕은노신경)

수배신경
(손등신경)

배측수지신경
(손등쪽손가락신경)

표면요골신경
(얕은노신경)

수장신경
(손바닥신경)

장측수지신경
(손바닥쪽손가락신경)

배측수지신경
(손등쪽손가락신경)

수장신경
(손바닥신경)

고유장측지신경
(고유바닥쪽손가락신경)

장측수지신경
(손바닥쪽손가락신경)

정중신경

고유장측지신경
(고유바닥쪽손가락신경)

C4손상
(사지마비)

C6손상
(사지마비)

T6손상
(하반신마비)

L1손상
(하반신마비)

경추(목뼈)

흉추(등뼈)

요추(허리뼈)

천추(엉치뼈)

미추(꼬리뼈)

등과 배부위의 구조와 질환별 관리

4

교감신경계통과 부교감신경계통

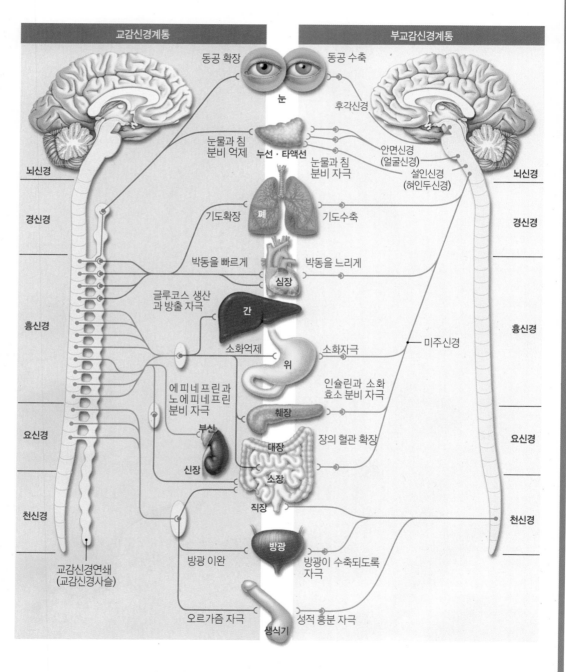

교감신경계통	부교감신경계통

동공 확장 · 동공 수축 · 눈

후각신경

눈물과 침 분비 억제 · 누선 · 타액선 · 눈물과 침 분비 자극 · 안면신경(얼굴신경) · 설인신경(혀인두신경)

기도확장 · 폐 · 기도수축

박동을 빠르게 · 심장 · 박동을 느리게

글루코스 생산과 방출 자극 · 간

소화억제 · 위 · 소화자극 · 미주신경

인슐린과 소화효소 분비 자극 · 췌장

에피네프린과 노에피네프린 분비 자극 · 부신 · 장의 혈관 확장 · 대장 · 소장 · 직장

신장

방광 이완 · 방광 · 방광이 수축되도록 자극

오르가즘 자극 · 생식기 · 성적 흥분 자극

뇌신경 · 경신경 · 흉신경 · 요신경 · 천신경

교감신경연쇄(교감신경사슬)

뇌신경 · 경신경 · 흉신경 · 요신경 · 천신경

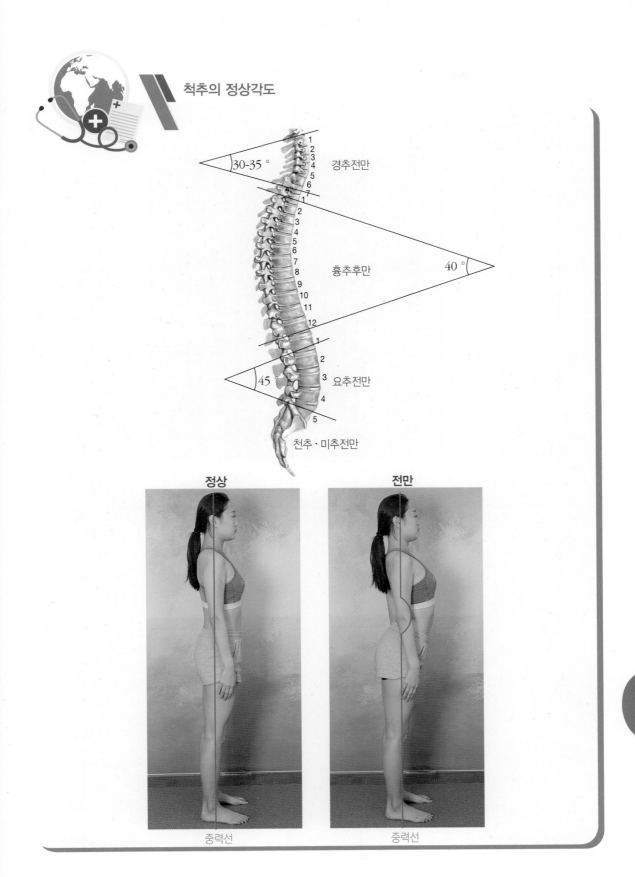

척추의 정상각도

30-35° 경추전만

흉추후만 40°

45° 요추전만

천추·미추전만

정상

전만

중력선

중력선

요추추간판헤르니아(디스크)의 X선 사진

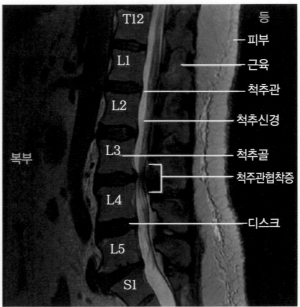

척추와 추간판의 크기와 방향

⟩ 경추 : 척추는 전후방 두께 같음. 추간판은 후방이 작음.
⟩ 흉추 : 척추는 전방이 작고 후방이 큼. 추간판은 같음.
⟩ 요추 : 위치에 따른 크기가 다름. 추간판은 뒤쪽이 작음.

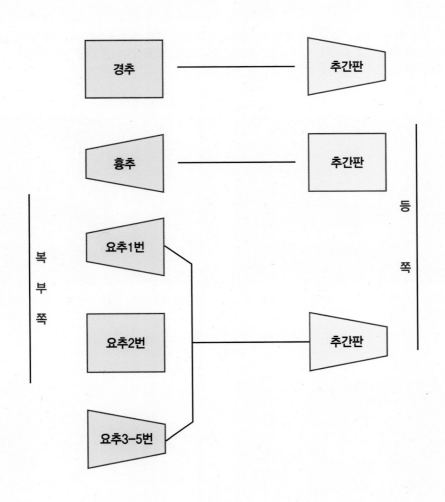

등과 배부위의 구조와 질환별 관리

4

23-2 허리디스크의 관리   환자 | 바로 누운 자세 · 엎드린 자세

치료사는 환자 옆에 서서 한쪽 겨드랑이로 환자의 발목을 안고, 다른 손으로 종아리를 지지하고, 허리를 이완시킨 다음 조금 벌리면서 당긴다.

한쪽 팔로 무릎 뒤쪽을 받치고, 다른 손으로 발목을 잡고 넙다리를 이완시킨 다음 가볍게 굽혀준다.

한 손으로 환자의 종아리를 잡고, 다른 손으로 발을 잡고 발목을 굽혔다폈다 해준다.

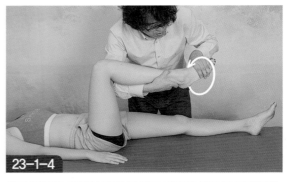

앞의 방법에 이어서 같은 자세로 발목을 좌우로 돌려준다.

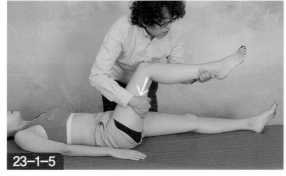

한 손으로 환자의 종아리를 잡고, 다른 손의 손바닥으로 넙다리 뒤쪽의 좌골신경 라인을 문질러준다.

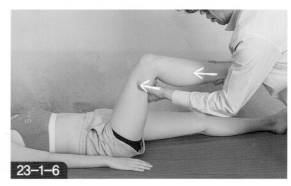

한 손으로 환자의 종아리를 잡고, 다른 손의 엄지로 넙다리 뒤쪽 옆에 있는 은문혈을 누른 후 좌골신경 라인을 따라 눌러준다.

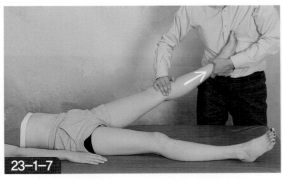

23-1-7

한 손으로 환자의 발목을 잡고, 다른 손으로 무릎을 잡고
무릎을 굽혀준 후 발을 2회 늘려준다.

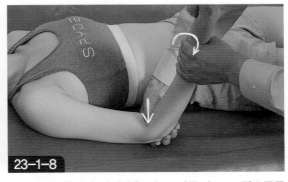

23-1-8

한 손으로 환자의 아래팔을 잡고, 다른 손으로 팔오금주
름에 있는 곡택혈을 누르면서 아래팔을 굽혔다펴준다. 동
시에 환자에게 아픈쪽 발을 들어올리게 한다.

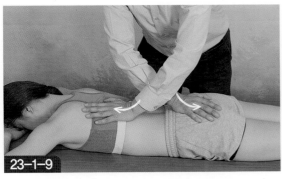

23-1-9

팔을 교차하여 한 손은 천골에, 다른 손을 허리에 대고
반대방향으로 펴주면서 주무른다.

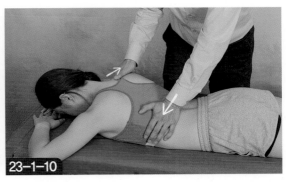

23-1-10

한 손으로 환자의 어깨를, 다른 손으로 등을 잡고 반대방
향으로 동시에 비틀면서 압력을 가한다.

11~15의 방법은 환자의 체형·증상에 맞추어 선택한다.

환자 | 옆으로 누운 자세

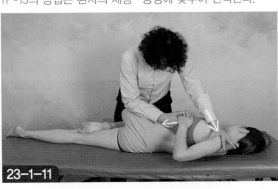

23-1-11

양손으로 환자의 아래팔을 잡고, 한쪽 팔꿈치로 어깨를,
다른 쪽 팔꿈치로 장골부위를 잡고, 각각 반대방향으로
비틀면서 재빨리 압력을 가한다.

23-1-12

한 손으로 환자의 어깨를, 다른 쪽 팔꿈치로 장골부위를
잡고, 각각 반대방향으로 비틀면서 재빨리 압력을 가한다.

266

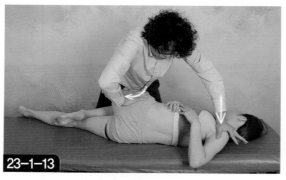

한 손으로 환자의 어깨를, 다른 손의 손바닥으로 장골부위를 잡고, 각각 반대방향으로 비틀면서 재빨리 압력을 가한다.

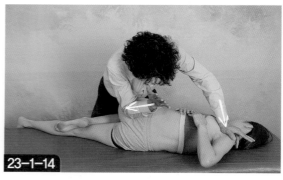

한 손으로 환자의 어깨를, 다른 쪽 팔꿈치로 극돌기부위의 관절을 잡고, 각각 반대방향으로 비틀면서 재빨리 압력을 가한다.

양손으로 환자의 아래팔을 잡고, 한쪽 아래팔로 어깨를, 다른 쪽 아래팔로 장골부위를 누르면서, 각각 반대방향으로 비틀면서 재빨리 압력을 가한다.

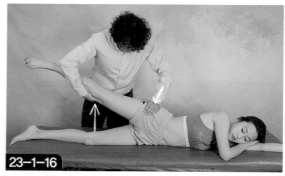

한 손으로 환자의 볼기를 잡고, 다른 손으로 무릎밑을 들고 수직방향으로 위아래로 여러 번 움직인다. 움직임을 요추까지 연동시킨다.

16, 17의 기법은 요추의 S형측만증상의 개선에 효과가 있다.

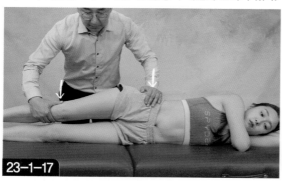

앞에서 한 위아래의 움직임이 요추까지 연동되도록 실시한다.

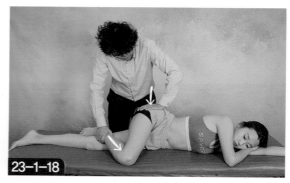

한 손으로 환자의 볼기를 잡고, 다른 손으로 발목을 들고, 굽혔다펴기를 위한 준비를 해둔다.

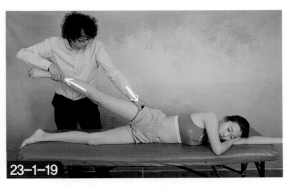

다리를 천천히 2회 굽혔다편 후에 1회 크게 펴준다. 체형이 큰 사람은 크게 펴줄 때 양손으로 발목을 잡아도 좋다.

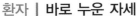

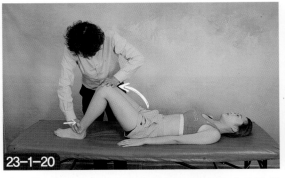

치료사는 환자의 양쪽 무릎을 동시에 굽혀 한 손으로 무릎 위를, 다른 손으로 양쪽 발목을 가볍게 잡고, 요천관절(허리엉치부위관절)의 운동기능을 개선하기 위하여 다리를 좌우로 스트레치한다.

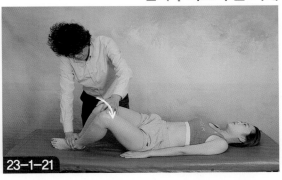

앞의 동작과 마찬가지로 무리가 없는 범위에서 스트레치를 실시한다.

한 손으로 환자의 어깨를, 다른 쪽 아래팔로 무릎밑을 받치고, 골반을 중심으로 하여 무리가 없는 범위에서 좌우로 돌려준다.

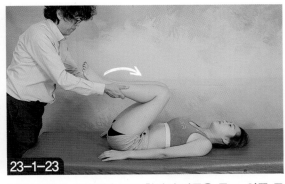

환자 발쪽에 서서 양손으로 환자의 발목을 들고, 양쪽 무릎을 되도록 깊게 굽혀 가슴쪽으로 밀어나간다.

등과 배부위의 구조와 질환별 관리

4

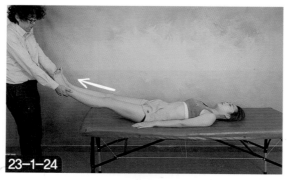

이어서 2회 가볍게 가슴쪽으로 굽혀준 후 양발을 치료사 쪽으로 똑바로 잡아늘려준다.

환자 | 엎드린 자세

한 손의 손바닥으로 환자의 요천부위(허리엉치부위)를 짚고, 다른 손으로 양발을 끌어안고 돌려준 후에 마지막으로 비틀어준다.

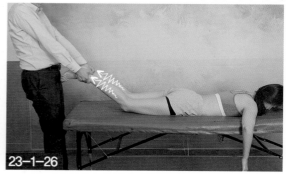

환자 발쪽에 서서 양손으로 환자의 양쪽 발목을 잡고, 허리관절 기능을 개선시키기 위하여 몸을 좌우로 여러 번 흔들어준다. 마지막으로 환자의 허리가 부드러워진 것을 확인한 다음, 발목을 재빨리 들어올린 후 되돌려준다.

디스크환자의 윗몸일으키기 금지

허리디스크환자는 윗몸일으키기를 해서는 안 된다. 이 동작은 장요근(iliopsoas)의 수축을 일으켜 디스크 내압을 높인다. 이것이 바로 누울 때 무릎을 굽혀서 요추가 바닥에 닿게 누워 있어야 하는 이유이다.

무릎을 펴고 바로 누우면 장요근이 요추에 작용하여 압력을 20% 정도 높인다.

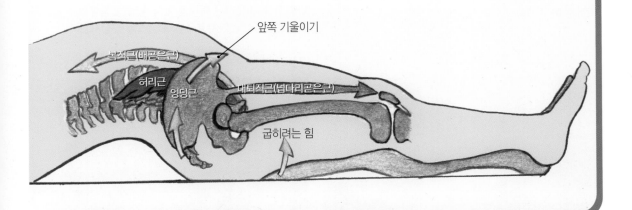

앞쪽 기울이기

꼿직근(배곧은근)

허리근

엉덩근

대퇴직근(넙다리곧은근)

굽히려는 힘

23-3 허리디스크환자의 운동요법

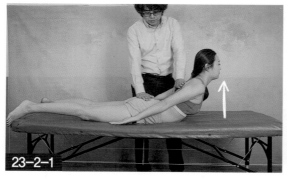

복부근육 강화운동_
저항력을 가한다.

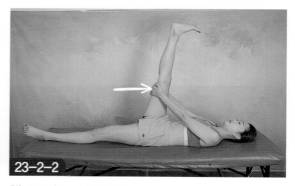

햄스트링스 스트레치_
다리를 펴서 올리는 동작을 한다. 발을 발등쪽으로 굽히면
스트레치감이 높아지고, 햄스트링스를 신장시킨다.

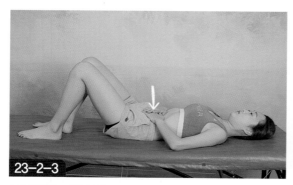

복부근육 강화운동_
복부근육을 수축시킨다(등척성 운동).

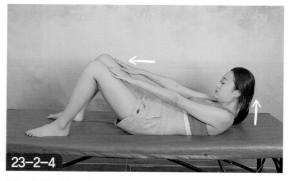

복부근육 강화운동_
견갑골 아래모서리가 바닥에서 올라가는 만큼 머리를 들
어올린다.

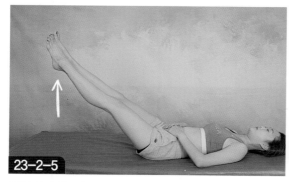

하복부근육 강화운동_
골반부위가 앞으로 기울어지지 않게 하고 다리를 들어올
린 자세를 유지한다.

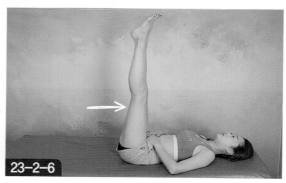

하복부근육 강화운동_
다리를 위쪽으로 들어올린다.

척주 펴기_
팔꿈치를 굽힌 자세에서 시작한다.

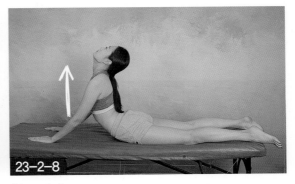

척주 펴기_

햄스트링스 스트레치_

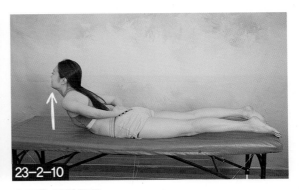

등근육 강화운동_
아랫배에 쿠션 등을 받친다. 몸통이 펴지지 않는 정도에
서 멈춘다.

장요근 스트레치_
한쪽 다리를 굽히고 다른 쪽 다리를 편다.

몸통을 고정시킨 채 팔·다리운동_
몸통 얼라인먼트를 유지한 상태에서 실시한다.

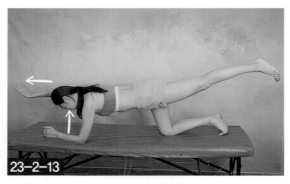

23-2-13

몸통을 고정시킨 채 팔·다리운동_

척추분리증과 척추탈위증

24-1 척추분리증과 척추탈위증의 원인

척추분리증(spondylolysis)은 요추의 과도한 펴기 및 굽히기에 의한 하중부하가 상·하관절돌기 사이에 반복하여 가해져서 일어나는 일종의 피로골절(stress fracture)이다.

허리부위의 어디에서든 반복된 스트레스, 특히 잦은 앞뒤굽히기는 척추분리증(spondylolysis)으로 알려진 일부 척추뼈의 피로골절(stress fracture)을 일으킨다. 이것을 방치하면 약해진 척추뼈는 완전히 골절되어 전위되는데, 이것이 척추탈위증이다. 등을 자주 뒤로 굽혀 척추전만(lordosis : 척추만곡증으로 알려져 있다) 상태가 된 것이 원인이다.

척추탈위증(spondylolisthesis, 척추일출증, 척추미끄러짐증)은 1개의 척추가 다른 척추에 대해 앞쪽으로 전위된 것으로, 보통 제5요추가 천골에, 또는 제4요추가 제5요추에 대해 앞쪽으로 전위된다. 이는 보통 관절몸통부위의 발육부전에 기인한다.

척추분리증과 척추탈위증의 증상은 다음과 같다.

- 증상은 서서히 일어나지만, 1회의 갑작스런 등부위 펴기(뒤굽히기) 후에 일어날 수도 있다.
- 한쪽 또는 허리부위 전체에 통증과 경직된 느낌이 있다.
- 뒤굽히기가 어렵게 되며, 굽히더라도 통증이 동반된다.
- 때때로 '좌골신경통(궁둥신경통)'이 된다. 이때 통증과 경련이 볼기부터 종아리에 걸쳐서 나타나며, 중(重)증이면 새끼발가락끝까지 방산된다.
- 척추분리증(spondylolysis)을 조기에 발견하여 올바른 치료를 하지 않으면 척추탈위증(spondylolisthesis)으로 이행된다.

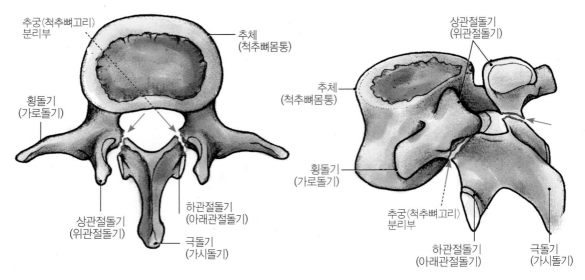

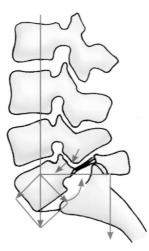

| 척추분리증(spondylolysis)의 모식도

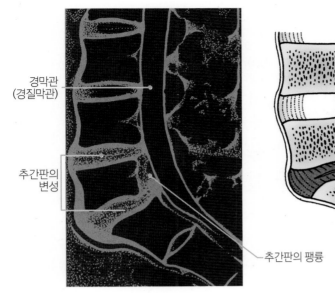

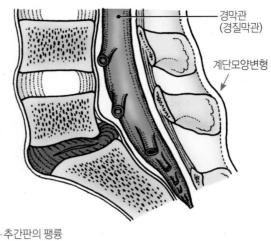

시상단면 사진 : 탈위된 추체 바로 아래 L5-S1 추간판이 뒤쪽으로 팽륭되어 있으며 L4-5, L5-S1추간판의 신호강도가 저하되어 있어 고도의 변성이 보인다.

모식도 : 분리탈위증의 경우 추궁이 뒤쪽에 남아 있기 때문에 경막관(spinal dural tube)의 협착이 일어나지 않는다.

| 척추탈위증(spondylolisthesis)의 MRI 사진

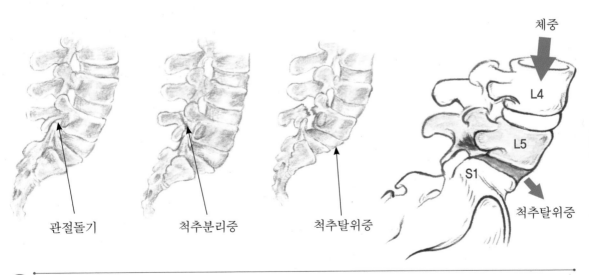

| 척추분리증, 척추탈위증

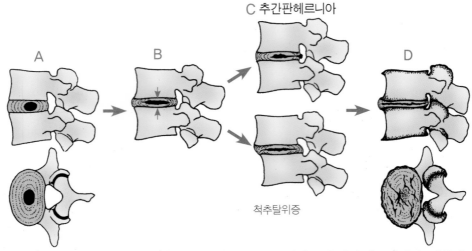

C 추간판헤르니아

척추탈위증

A. 정상적인 추간판으로 척주기능단위의 기능은 정상이다.

B. 추간판이 변성하면 척주 사이의 틈이 좁아진다. 동시에 추간관절도 교합에 문제가 생긴다.

C. 때때로 추간판헤르니아나 척추탈위증이 일어나기도 한다.

D. 추간판변성이 진행되면 척추뼈는 부어올라 변형되고 추간관절도 덩어리모양으로 부어올라 변형된다. 그 결과 척주관이 좁아진다.

 | **추간판의 변성과정**

24-2 척추분리증과 척추탈위증의 관리

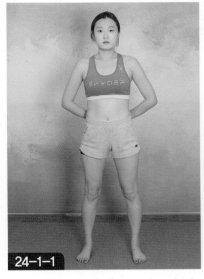

24-1-1

24-1-2

24-1-3

선 자세에서 몸통 얼라인먼트 유지_
특히 골반이 앞으로 기울어지지 않도록
한다.

몸통의 동적 얼라인먼트 유지_
회선축이 흔들리거나 골반이 앞으로 기울어지지 않도록 주의한다.

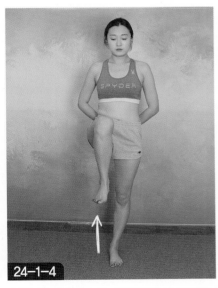

24-1-4

24-1-5

몸통 얼라인먼트를 유지하면서 다리들어올리기_
다리를 들어올릴 때에도 얼라인먼트가 변화하지 않도록
한다.

몸통근육 강화운동_
몸통의 얼라인먼트를 무너뜨리지 않게 하면서 팔다리를
움직인다.

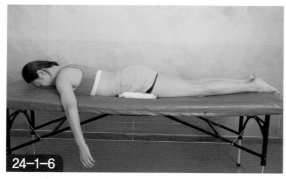

엉덩관절굽힘근군이 뻣뻣한 경우의 스트레치_
엎드린 자세는 골반이 앞으로 기울어지기 쉽고 통증을
유발하기 쉽다. 베개 등으로 골반의 전방경사자세를 예방
한 후 실시한다.

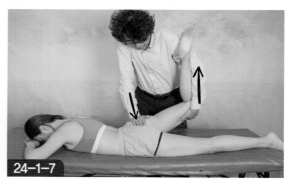

엉덩관절 스트레치_
골반을 단단히 고정시키고 실시한다.

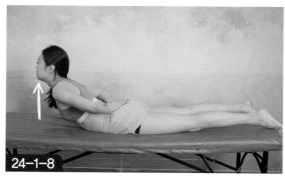

몸통펴기_
골반과 어깨가 직선을 이룰 정도로 세운다.

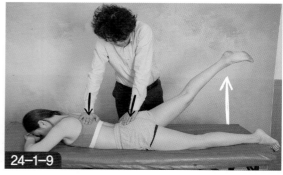

엉덩관절펴기_
골반이 앞쪽으로 기울어지지 않게 하고 다리를 들어올
린다.

24-3 척추분리증과 척추탈위증의 운동요법

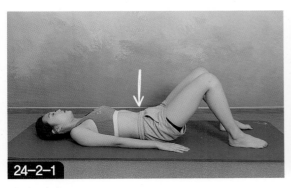

골반 경사_

둔부 스트레치_

사이드 플랭크_

24-2-4

윗몸 반 일으키기_

24-2-5

양무릎 가슴에 대기_

24-2-6

무릎꿇고 엎드려 팔·다리 올리기_

24-2-7

데드버그(dead bug) 엑서사이즈_

25 DISEASE 척추관협착증

25-1 척추관협착증의 원인

척추관협착증(spinal stenosis)이란 어떤 원인으로 척추 중앙의 척추관, 신경관 또는 추간공이 좁아져서 허리의 통증을 유발하거나 다리에 여러 복합적인 신경증세를 일으키는 질환을 말한다.

척추관이란 척추 가운데 있는 관 모양의 속이 빈 곳으로, 아래위 척추에 의해 추간공이 생기며, 가운데 관 속은 뇌로부터 팔다리까지 신경(척수)이 지나가는 통로가 된다. 관 모양은 타원형 또는 삼각형으로 경추부위(목쪽)에서 가장 크며, 흉추부위(가슴쪽)에서 좁아졌다가 요추부위(허리쪽)에서 다시 커진 후 하부로 갈수록 좁아지는 구조를 갖고 있다.

척추의 뼈와 뼈 사이에 있는 탄력적인 추간조직을 추간판(디스크)이라 하는데, 내부는 부드러운 수핵(척수핵, 속질핵)으로 되어 있고 겉은 단단한 섬유륜으로 싸여 있다. 보통 30세 이후부터 수핵과 섬유륜에 퇴행성 변화가 시작된다. 이로 인해 추간판이 척추에 부착된 부위가 떨어져 골극(가시 같은 모양으로 뼈가 튀어나온 것)이 형성된다.

동시에 척추관을 구성하는 후관절돌기, 추궁, 황색인대 등에서도 변성이 오면서 두꺼워져서 척추관 전후·좌우 사방이 좁아지는데, 여기에 척추가 앞쪽 또는 뒤쪽으로 휘어 척수와 신경근을 직접 누르고 혈류장애를 일으켜 증상이 나타나는 것이다. 이런 퇴행성 척추관협착증은 운동량이 많은 요추와 경추에서 잘 발생되고, 흉추에서는 드물다.

등과 배부위의 구조와 질환별 관리

4

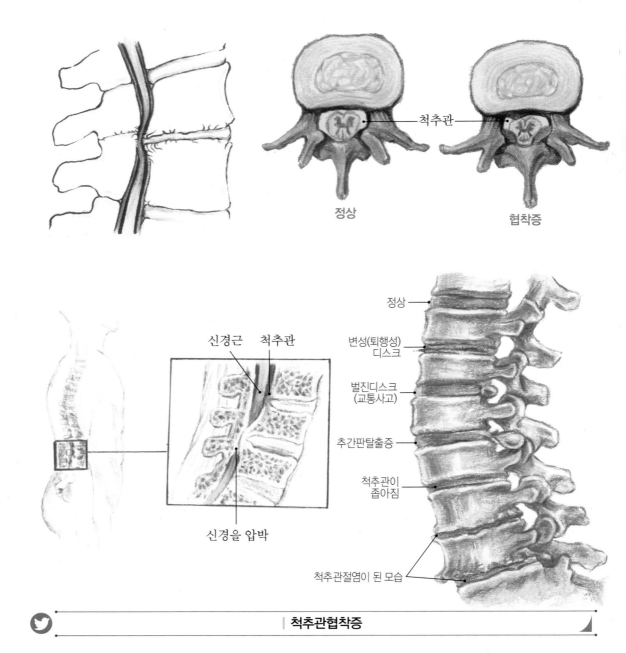

정상

협착증

척추관

신경근   척추관

신경을 압박

정상

변성(퇴행성)
디스크

벌진디스크
(교통사고)

추간판탈출증

척추관이
좁아짐

척추관절염이 된 모습

| 척추관협착증

25-2 척추관협착증의 운동요법

복부 크런치_

다리 교대로 들어올리기_

브릿지 자세_

엎드려 다리올리기_

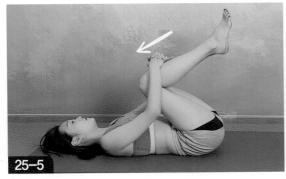

스파인 컬_

엎드려 상체들기_
※ 이 동작이 힘든 사람은 팔꿈치를 바닥에 대고 한다.

등과 배부위의 구조와 질환별 관리

4

26 DISEASE 등부위통증

26-1 등부위통증의 원인

등부위(배부)통증은 단순히 근육피로나 타박이 원인인 경우가 있으나, 때때로 척추질환이나 배·허리 등의 질환이 원인인 경우도 적지 않다. 증상이나 통증의 가벼움과 무거움은 각각 다르지만, 공통점은 아픈 곳이 확실하지 않고 광범위하게 통증을 느낀다는 것이다. 지압요법을 계속해도 전혀 변화가 보이지 않으면, 다른 병이 있는 경우도 생각할 수 있기 때문에 전문의의 진단을 받아보는 것이 좋다.

이 증상은 제대로 치료만 하면 오랫 동안 지속되는 것은 아니지만, 이것쯤 하고 무리하면 긴 세월 고생할 수도 있다. 이 증상의 발생은 무거운 짐을 지는 사람, 상체에 힘을 갑자기 무리해서 썼을 때, 등을 오랫동안 굽히고 일하는 사람, 갑자기 등근육에 무리한 움직임을 했을 때, 아침에 순간적으로 벌떡 일어나는 것 등 많은 원인이 있다. 이런 행동은 평소에 운동부족으로 약해진 근육을 갑자기 활동시켜서 일어나는 것이므로 언제나 준비운동이 필요하다. 경결부위는 대개 앞가슴과 옆구리 또는 등부위이므로, 호흡으로 조절하는 것이 좋은 통증완화 방법이다.

26-2 등부위통증의 관리

◉)) 환자는 엎드린 자세에서 다리를 벌려 양쪽 발꿈치를 허리너비로 벌린다. 양팔을 몸쪽에 붙이고 턱을 바닥에 붙여 얼굴을 똑바로 밑을 향하게 한다.

◉)) 치료사는 환자의 발끝에 서서 한 손으로 환자의 한쪽 손바닥을 펴서 슬와(오금)의 위중혈에 닿게 하고, 쥔 발등을 밀어서 그 발바닥을 환자의 볼기로 향하게 밀어붙여 무릎을 굽혀준다. 밀어주는 발은 통증이 있는 부위를 향하도록 각도를 정하는 것이 중요하다.

◉)) 굽힌 발의 반동으로 발끝을 앞으로 돌아오게 해서 무릎을 부드럽게 한다.

◉)) 2~3회 호흡 사이를 두고 3회 반복한다.

◉)) 다른쪽 발도 위와 같은 요령으로 움직여준다.

◉)) 다음에 환자의 흉추 12번 극돌기아래모서리에서 접골혈을 찾는다. 이 경우 경혈은 좌우로 5~6cm 정도 이동해 있을 수도 있으므로 결림과 통증이 있는 곳을 손가락으로 눌러 경혈을 찾는다.

◉)) 경혈을 찾았다면, 그 위에 3~5회 지압을 한다.

◉)) 환자가 아픔을 느꼈다면 신호를 하게 하고, 지압을 중지하는 것이 방법이다.

◉)) 다음으로 환자를 바르게 앉게 하고, 등 뒤에 앉는다. 환자의 상체를 전후 · 좌우로 굽히거나 돌려서 자세의 변화에 따라 통증을 하소연하는 부분을 조사한다.

◉)) 이렇게 해서 아픈 부분을 찾았다면 그 곳을 3회 정도 지압한다.

◉)) 아픈 곳이 다른 부분으로 옮겨졌다면, 아플 때마다의 자세를 취하게 하고, 그 위에 또 다시 지압을 한다.

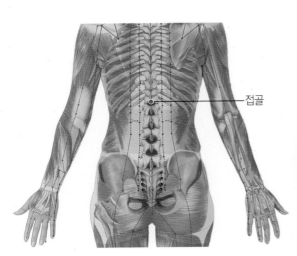

접골

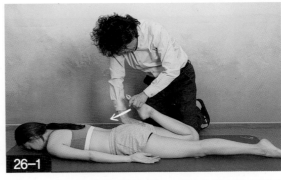

26-1

치료사는 환자의 한쪽 발을 잡고 가볍게 무릎을 굽히게 하여 한쪽 손바닥을 슬와(오금)에 대고 등 가운데의 통증 부위를 향하여 발을 굽혀서 댄다.

◈》 환자를 엎드리거나 옆으로 눕게 한 다음, 그림의 경혈 순서대로 지압을 하되 누를 때에는 환자는 입으로 길게 숨을 내쉬게하고, 뗄 때에는 코로 숨을 들이마시게 한다.

◈》 경압→쾌압 정도로 3~5초간 지속압을 한다.

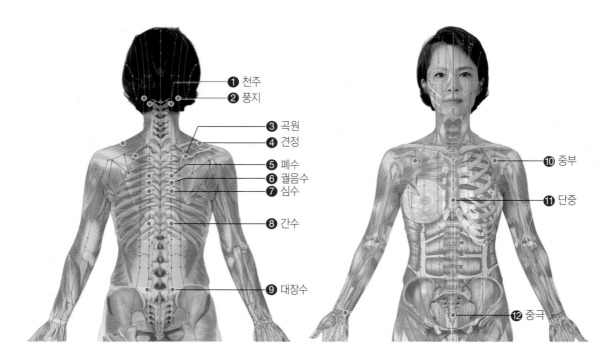

❶ 천주
❷ 풍지
❸ 곡원
❹ 견정
❺ 폐수
❻ 궐음수
❼ 심수
❽ 간수
❾ 대장수
❿ 중부
⓫ 단중
⓬ 중극

5

골반·고관절 및 넙다리의 구조와
질환별 관리

◉ 골반과 고관절의 개요

골반은 몸에서 지극히 중요한 부위이며, 다리가 천장관절에 의하여 기둥골격(colum-nar skeleton)으로 이어지는 부위이다. 골반 안에는 소화계통의 일부와 비뇨계통과 생식계통이 들어 있다. 다리·몸통·척주는 골반의 움직임과 각도에 영향을 미치고, 골반의 각도는 다리·몸통·척주의 움직임과 각도에 영향을 미친다.

골반의 심층에 있는 자세근육은 척주의 안정성과 적절한 각도를 유지하기 위하여 항상 중노동을 강요당한다. 골반의 심부에 있어서 수기치료하기 어려운 근육이 있는데, 이러한 근육이 경직되면 몸은 정상적인 자세를 유지할 수 없게 된다. 예를 들어 장골근이나 심부의 가쪽돌림근이 경직되면 고관절이 바깥쪽으로 비틀리는 원인이 된다. 이 바깥방향의 비틀림은 천골의 어긋남으로 이어지기 쉽고, 천골의 어긋남에 의하여 문제가 있는 쪽의 고관절이 들려 올라간다.

좌우 골반이 모두 경직되면 골반후방경사가 되기 쉽고, 골반후방경사는 플랫백, 즉 요추 전방만곡의 과소로 이어지기 쉽다. 이 플랫백증후군(flat back syndrome)은 흉추부 척주과후만의 전조가 되기도 한다. 요통뿐만 아니라 두통의 원인이 둔근과 '심층6근'의 긴장인 경우도 있다.

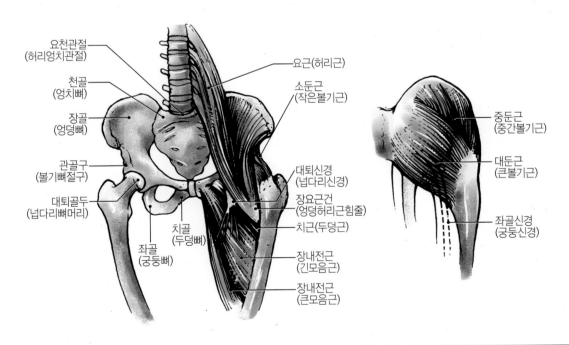

그림 5-1 | 고관절, 골반 및 서혜부의 구조

⊙ 고관절, 골반 및 서혜부(샅굴)의 뼈

골반을 이루는 3개의 뼈(장골, 좌골, 치골)는 하지대(다리이음뼈)를 형성하면서 다리와 척주를 연결한다. 척주와 미추의 융합부(허리엉치부위)는 하지대 윗부분 뒤쪽에서 골반과 연결되어 있다. 척주와 골반이 이루는 관절은 천장관절(엉치엉덩관절)이다. 다리는 고관절부위에서 골반저(골반바닥)에 부착되어 있다.

⊙ 고관절의 구조

고관절(엉덩관절)은 넙다리(대퇴)를 골반에 연결하는 볼과 소켓모양의 관절이다. 넙다리 위쪽의 대퇴골두는 골반의 소켓, 즉 관골구(acetabulum, 볼기뼈절구) 안에 파묻혀 있다. 이 볼과 소켓 전체는 연골모양의 인대로 활액낭(윤활주머니)이 둘러싸고 있다. 몇 개의 강인한 인대가 고관절을 유지시키고 있다.

관골구의 앞쪽은 얇고, 뒤쪽은 깊게 바깥아래앞쪽으로 열려 있다. 관절연골은 중심부가 얇고 가장자리는 두텁다. 관절면은 말굽모양을 하고 있어 반달면이라고 불린다. 중심부의 연골이 없는 부분이 구개와(acetabular fossa, 절구오목)인데, 여기에는 윤활막으로 덮인 지방덩어리가 있다. 또 이 부위에는 원인대(ligament of femoral head, 넙다리뼈머리인대)가 부착되어 있다.

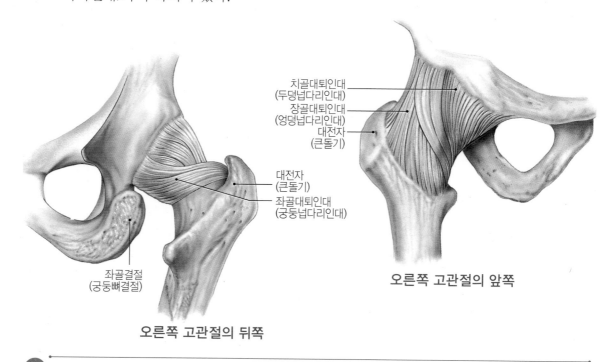

치골대퇴인대
(두덩넙다리인대)
장골대퇴인대
(엉덩넙다리인대)
대전자
(큰돌기)

대전자
(큰돌기)
좌골대퇴인대
(궁둥넙다리인대)

좌골결절
(궁둥뼈결절)

오른쪽 고관절의 앞쪽

오른쪽 고관절의 뒤쪽

그림 5-2 | 고관절의 구조

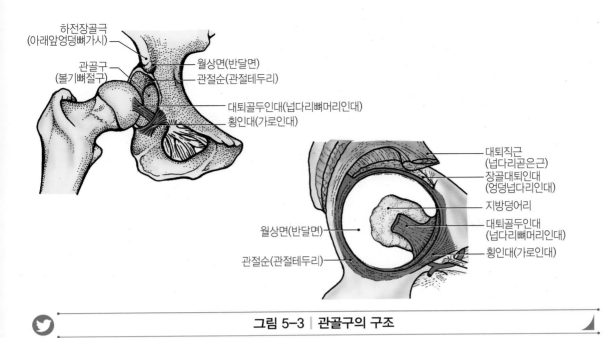

그림 5-3 │ 관골구의 구조

구개연(margin of acetabulum, 절구모서리)에는 섬유성연골인 관절순이 붙어 있고, 관골구와(절구오목)에서는 횡인대(가로인대)와 연결되어 완전한 원형을 형성하면서 최대의 하중관절로서 안전성을 증가시킨다.

혜서부(inguinal region, 샅굴)는 넙다리와 배 사이의 공간이다.

◉ 고관절의 지지구조

고관절 안에서 고관절을 지지하는 구조물은 관골구횡인대(절구가로인대), 대퇴골두인대(넙다리뼈머리인대), 관절순(절구테두리), 관절연골 등이다.

고관절 밖에서 고관절을 지지하는 고관절 관절주머니의 가쪽은 두껍고 강한 세 개의 인대, 즉 엉덩넙다리인대, 궁둥넙다리인대, 두덩넙다리인대로 보강되어 있다. 이들 인대는 볼기뼈절구의 가장자리에서 넙다리뼈의 앞면에 부착된다.

◉ 고관절의 운동

고관절은 다음과 같은 굽히기, 펴기, 벌리기, 모으기, 안쪽돌리기, 가쪽돌리기 등 6가지 운동을 할 수 있다.

⋙ 고관절 굽히기는 안쪽-가쪽축에서 일어나는 골반과 대퇴골의 운동이다. 고관절이 굽혀지면 골반 앞면과 대퇴골 앞면의 거리가 줄어든다.

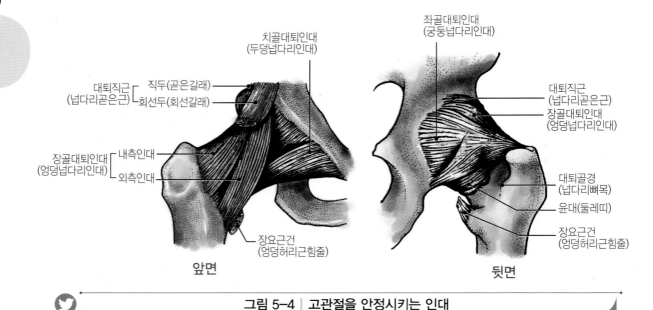

그림 5-4 | 고관절을 안정시키는 인대

⦜ 고관절 펴기는 안쪽-바깥쪽축에서 이루어지는 골반과 대퇴골의 운동이다. 고관절을 펴면 골반 뒷면과 대퇴골 뒷면의 거리가 줄어든다.

⦜ 고관절 벌리기는 앞-뒤축에서 이루어지는 대퇴골과 골반의 운동이다. 고관절을 벌리면 장골릉과 대퇴골 가쪽면의 거리가 줄어든다.

⦜ 고관절 모으기는 앞-뒤축에서 이루어지는 골반과 대퇴골의 운동이다. 고관절을 모으면 정중선을 넘어 골반과 대퇴골 안쪽면의 거리가 줄어든다.

⦜ 고관절 안쪽돌리기와 가쪽돌리기는 수직축에서 이루어지는 운동이다. 고관절 안쪽돌리기와 가쪽돌리기는 비슷한 운동이므로 한꺼번에 설명한다.

고관절의 운동은 보통 오목면인 골반관골구에서 볼록면인 대퇴골두가 움직이는 것으로 설명하는 경우가 많다. 이 운동은 구르기나 미끄러지기가 동반되는 모으기, 벌리기, 안쪽돌리기, 가쪽돌리기이다. 고관절을 굽히거나 펼 때 대퇴골두는 안쪽-가쪽축의 적절한 장소에서 돌아간다. 고관절의 정상가동범위는 표와 같다.

🍎 **고관절의 가동범위**

운동	정상가동범위(각도)	회전축	운동면
굽히기	0~120도	안쪽-가쪽	시상면
펴기	0~20도	안쪽-가쪽	시상면
벌리기	0~40도	앞-뒤	이마면
모으기	0~25도	앞-뒤	이마면
안쪽돌리기	0~35도	수직(세로방향)	수평면
가쪽돌리기	0~45도	수직(세로방향)	수평면

◉ 골반의 근육

골반에는 많은 근육-힘줄이 부착되어 있다. 몸통과 넙다리의 근육은 대부분 골반에 부착되어 있다.

- ⮞ 척주기립근(척주세움근 : 척주옆에서 척주를 지지하고 있는 근육)과 복부의 모든 근육은 골반에서 시작된다.
- ⮞ 볼기와 고관절 위쪽에 있는 모든 근육과 햄스트링스(hamgstrings)와 대퇴사두근 (넙다리네갈래근)의 일부는 골반에 부착되어 있다.
- ⮞ 요근(psoas m., 허리근육)은 고관절을 굽혀 무릎을 가슴쪽으로 들어올려주는 역할을 한다.
- ⮞ 장요근(iliopsoas m., 엉덩허리근)은 허리에서부터 대퇴골 윗부분의 안쪽에 있는 매우 중요한 근육이다. 장요근의 대항근은 대둔근(gluteus maximus m., 큰볼기근)으로, 고관절을 펴는 기능을 한다.
- ⮞ 고관절벌림근(abductor of hip joint)은 골반부터 대퇴골 아래쪽을 향해 있으며, 다리를 고관절에서 가쪽으로 끌어당기듯이 움직이게 한다. 3개의 주요한 벌림근은 대퇴근막장근(넙다리근막긴장근), 소둔근(작은볼기근), 대둔근(큰볼기근)이다.

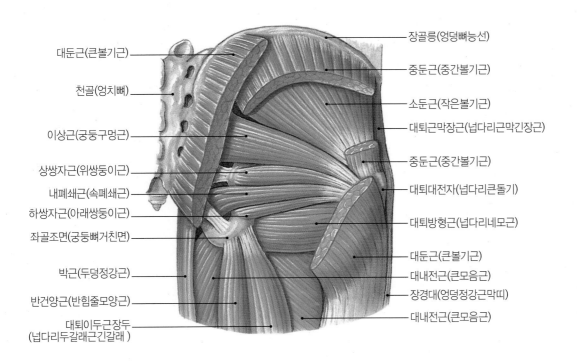

대둔근(큰볼기근)
천골(엉치뼈)
이상근(궁둥구멍근)
상쌍자근(위쌍둥이근)
내폐쇄근(속폐쇄근)
하쌍자근(아래쌍둥이근)
좌골조면(궁둥뼈거친면)
박근(두덩정강근)
반건양근(반힘줄모양근)
대퇴이두근장두
(넙다리두갈래근긴갈래)

장골릉(엉덩뼈능선)
중둔근(중간볼기근)
소둔근(작은볼기근)
대퇴근막장근(넙다리근막긴장근)
중둔근(중간볼기근)
대퇴대전자(넙다리큰돌기)
대퇴방형근(넙다리네모근)
대둔근(큰볼기근)
대내전근(큰모음근)
장경대(엉덩정강근막띠)
대내전근(큰모음근)

그림 5-5 │ 하지대(다리이음뼈)의 근육

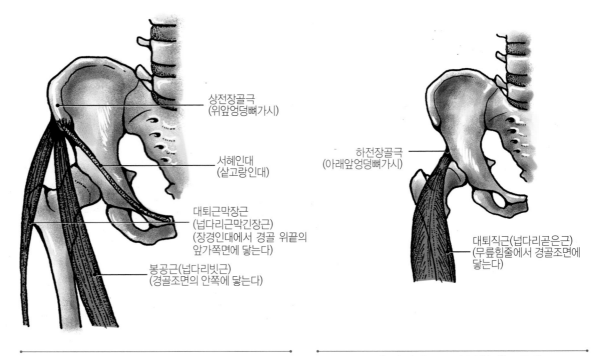

상전장골극
(위앞엉덩뼈가시)

서혜인대
(샅고랑인대)

대퇴근막장근
(넙다리근막긴장근)
(장경인대에서 경골 위끝의
앞가쪽면에 닿는다)

봉공근(넙다리빗근)
(경골조면의 안쪽에 닿는다)

하전장골극
(아래앞엉덩뼈가시)

대퇴직근(넙다리곧은근)
(무릎힘줄에서 경골조면에
닿는다)

그림 5-6 │ 상전장골극에 부착되는 근육

그림 5-7 │ 하전장골극에 부착되는 근육

·》 고관절모음근(adductor of hip joint)은 서혜부근육(muscles of inguinal region)으로,
넙다리안쪽에서 다리를 안쪽으로 끌어당긴다.

·》 가장 중요한 모음근은 장내전근(긴모음근), 대내전근(큰모음근), 치골근(두덩근)
이다.

·》 골반과 고관절영역에 있는 2개의 주된 신경은 좌골신경(궁둥신경)과 대퇴신경(넙
다리신경)이다.

⊙ 고관절을 벌리는 근육

고관절의 주요벌림근(외전근)은 중둔근(중간볼기근), 소둔근(작은볼기근), 대퇴근막
장근(넙다리근막긴장근)이다. 그밖에 이상근(궁둥구멍근), 봉공근(넙다리빗근) 및 두 번
째 고관절 벌림근이라고 알려진 대둔근 위섬유가 있다.

골반을 고정시킨 채 고관절 벌림근을 수축시키면 대퇴골은 정중선에서 멀어지는 방향
으로 벌어진다. 이러한 벌림은 근육에게 비교적 가벼운 부하를 걸어 수행할 수 있다. 고
관절벌림근에 많은(또는 보통의) 부하를 거는 활동은 이른바 한 발로 선 자세인데, 이것
은 대퇴골을 지면에 고정한 폐쇄운동연쇄로 일어난다.

오른쪽 다리만으로 설 때의 골반 왼쪽의 '올리기'는 오른쪽 고관절벌림근의 강한 수축에 의하여 일어난다는 것을 스스로 확인할 수 있다(고관절벌림근은 큰돌기와 엉덩뼈 능선 사이에서 촉진할 수 있다). 이와 같이 골반의 왼쪽을 천천히 내리는 경우에는 오른쪽 고관절벌림근에 원심성 수축이 발생한다. 두 경우 모두의 골반 회전축도 대퇴골두(넙다리뼈머리)의 앞-뒤방향이다.

고관절벌림근이 가장 많은 요구를 받는 활동은 보행이다. 보행에서 왼쪽 다리를 흔들기 시작하면서 오른쪽 다리 하나로 지지하게 되는데, 이때 고관절벌림근이 받는 요구를 생각해보자. 흔들기 시작한 왼쪽 다리에 의하여 발생하는 골반의 '낙하'를 방지하기 위하여 오른쪽 고관절벌림근은 큰 수축력을 공급해야 한다. 따라서 고관절벌림근의 근력저하는 보행 및 한쪽 다리로 서 있을 때에 골반의 불안정을 초래한다.

중둔근

중둔근(gluteus medius m., 중간볼기근)은 고관절벌림근 중에서 가장 크며, 벌림근 단면적의 약 60%를 차지하고 있다. 중둔근의 주요작용은 벌리기이다. 앞쪽섬유는 굽히기와 안쪽돌리기를 보조하고, 뒤쪽섬유는 펴기와 가쪽돌리기를 보조한다.

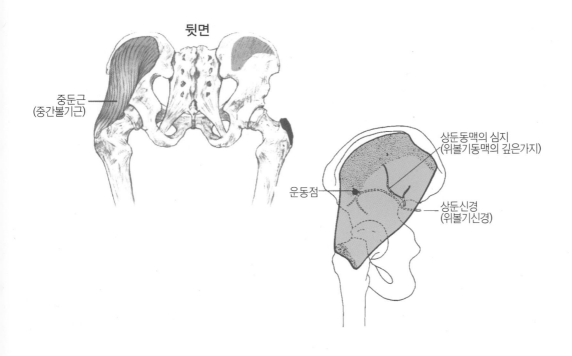

뒷면

중둔근
(중간볼기근)

상둔동맥의 심지
(위볼기동맥의 깊은가지)

운동점

상둔신경
(위볼기신경)

그림 5-8 │ 중둔근

소둔근

소둔근(gluteus minimus m., 작은볼기근)은 중둔근과 형태는 비슷하지만 약간 작다. 깊은부위에 있으며, 중둔근의 앞쪽에 위치한다. 소둔근은 고관절 안쪽돌리기 시에 작용하고, 앞쪽섬유에서 고관절 굽히기를 보조한다.

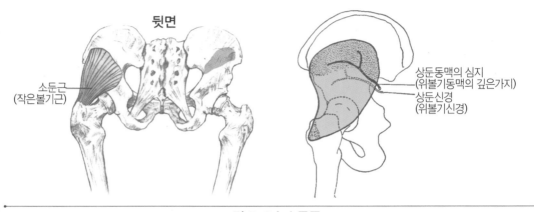

그림 5-9 │ 소둔근

대퇴근막장근

장경인대(엉덩정강인대)는 장골릉부터 경골외측결절까지 주행하는 두꺼운 결합조직의 띠이다. 대퇴근막장근(tensor fasciae latae m., 넙다리근막긴장근)의 기능은 장경인대를 긴장시키는 것이며, 고관절과 무릎관절의 가쪽면을 가로질러 안정성을 강화시킨다.

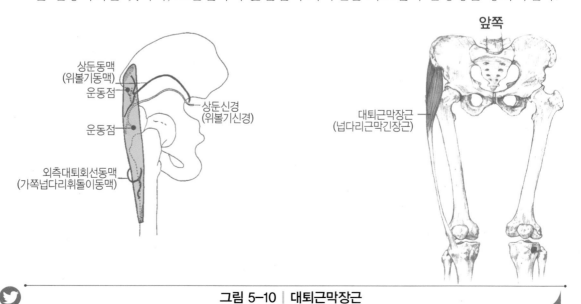

그림 5-10 │ 대퇴근막장근

⊙ 고관절을 펴는 근육

고관절의 주요폄근은 큰볼기근과 무릎관절의 굽힘근(넙다리두갈래근, 반힘줄모양근, 반막모양근긴갈래)이다. 큰모음근 무릎힘줄부분 역시 주요 고관절폄근으로 볼 수 있다. 이러한 강력한 근육군은 달리기, 계단오르기, 일어서기 등과 같은 위쪽 및 앞쪽 추진력을 필요로 하는 일상적인 활동을 할 때 이용된다. 또한 대퇴골을 고정하여 고관절폄근을 활성화시킴으로써 골반후방경사도 수행한다.

⊙ 고관절을 모으는 근육

고관절의 주요모음근은 치골근, 장내전근, 박근, 단내전근, 대내전근이다. 이 근육군의 주요작용은 모음토크를 발생시켜 다리를 정중선 방향으로 움직이게 하는 것이지만, 이 모음토크는 골반의 치골결합을 대퇴골 근처까지 움직이게 만드는 것도 가능하다. 또한 고관절의 자세에 따라서 고관절모음근은 굽힘근으로도 작용한다.

⊙ 장골근막

장골근막(iliac fascia, 엉덩근막)은 골반 속에 있는 근육인 장요근의 근막이다. 윗부분은 요(허리)근막에 연결되고, 아래부분은 골반분계선에 닿는다. 이 근막은 서혜인대(샅고랑인대)와 장치융기(엉덩두덩융기) 사이에 장치근막궁(iliopectineal arch, 칸사이근막활)을 만들고, 서혜인대와 관골 사이의 구멍을 안과 밖으로 나눈다.

그중에서 바깥쪽구멍을 근열공(lacuna musculorum, 근육칸 : 장요근 · 대퇴신경이 통과한다)이라 하고, 안쪽구멍을 혈관열공(lacuna vasorum, 혈관칸 : 대퇴동 · 정맥이 통과한다)이라고 한다. 대퇴정맥 안쪽에는 대퇴륜(femoral ring, 넙다리관구멍)이 있다.

⊙ 골반의 인대

골반은 두 개의 관골(hip bone, 볼기뼈)과 천골(sacrum, 엉치뼈), 미골(coccyx, 꼬리뼈)로 구성되어 있으며, 이들은 강인한 인대로 단단하게 연결되어 있다. 따라서 천장관절(엉치엉덩관절)은 활막접합이나 정상적인 상태에서는 거의 움직이지 않는다.

치골결합(두덩결합)은 섬유연골성 치골간판(두덩사이원반)을 중간에 두고 상치골인대(위두덩인대), 치골궁인대(arcuate pubic ligament, 두덩활꼴인대)로 결합되어 있다.

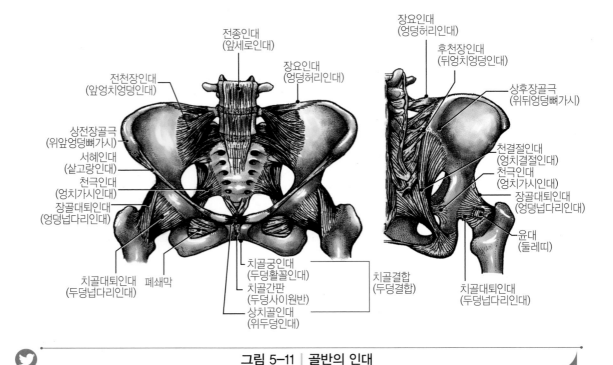

그림 5-11 │ 골반의 인대

◉ 대퇴(넙다리)의 구조

대퇴골(femur)은 인체에서 가장 길고 강한 뼈이다. 양쪽 다리의 대퇴골 위쪽의 뼈머리는 골반의 깊은 소켓(socket, 확)에 깊숙이 박혀 있다.

각 대퇴골의 밑부분에는 사이의 고랑을 가로지르는 2개의 공모양의 관절융기(condyle, 과)가 있어서 무릎관절(knee joint)을 형성하는 비골(fibula, 종아리뼈)·경골(tibia, 정강뼈)과 무릎관절을 이어준다.

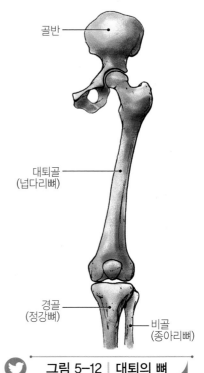

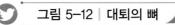

그림 5-12 │ 대퇴의 뼈

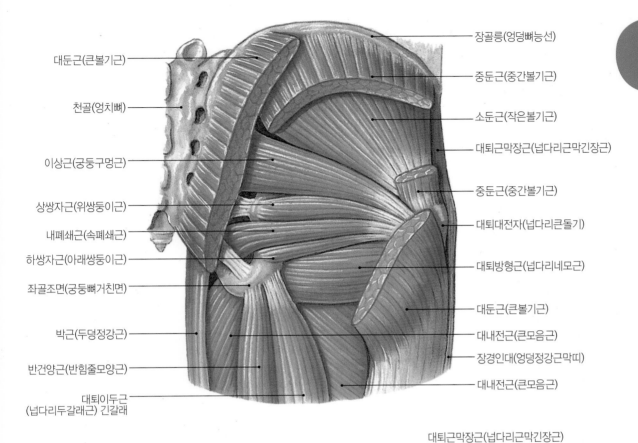

대둔근(큰볼기근)

천골(엉치뼈)

이상근(궁둥구멍근)

상쌍자근(위쌍둥이근)

내폐쇄근(속폐쇄근)

하쌍자근(아래쌍둥이근)

좌골조면(궁둥뼈거친면)

박근(두덩정강근)

반건양근(반힘줄모양근)

대퇴이두근
(넙다리두갈래근) 긴갈래

장골릉(엉덩뼈능선)

중둔근(중간볼기근)

소둔근(작은볼기근)

대퇴근막장근(넙다리근막긴장근)

중둔근(중간볼기근)

대퇴대전자(넙다리큰돌기)

대퇴방형근(넙다리네모근)

대둔근(큰볼기근)

대내전근(큰모음근)

장경인대(엉덩정강근막띠)

대내전근(큰모음근)

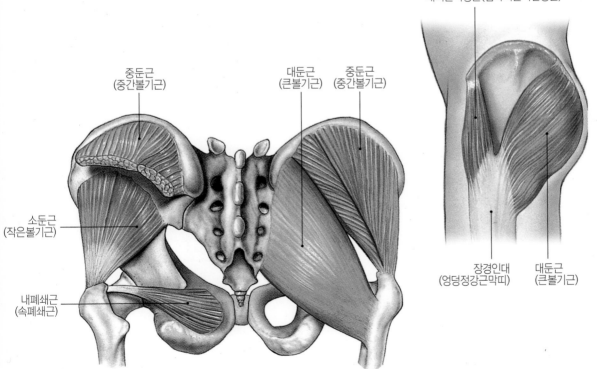

중둔근
(중간볼기근)

소둔근
(작은볼기근)

내폐쇄근
(속폐쇄근)

대둔근
(큰볼기근)

중둔근
(중간볼기근)

대퇴근막장근(넙다리근막긴장근)

장경인대
(엉덩정강근막띠)

대둔근
(큰볼기근)

그림 5-13 | 골반 및 대퇴의 근육

⊙ 대퇴의 근육

대퇴(넙다리)의 근육은 폄근육(넙다리 앞면에 분포), 굽힘근육(넙다리 뒷면에 분포), 모음근육(넙다리 안쪽에 분포)의 세 종류로 나누어지며, 이들 근육은 대퇴근막(fascia lata, 넙다리근막)으로 이루어진 치근간중격(뿌리사이중격)에 의해 서로 막혀 있다.

그중에서 외측(대퇴)치근간중격은 폄근육과 굽힘근육을, 후(대퇴)치근간중격은 모음근육과 굽힘근육을, 내측(대퇴)치근간중격은 모음근육과 폄근육을 각각 가로막고 있다.

⊙ 대퇴사두근

무릎관절(knee joint)은 구조가 복잡하고 크며 상해가 발생하기 쉬운 관절이다. 무릎관절에 걸리는 부하는 매우 큰데, 안정성유지는 인대가 맡고, 운동기능은 근육군이 맡고 있다.

대퇴앞면의 대퇴사두근(quadriceps femoris m., 넙다리네갈래근)은 슬개골(무릎뼈)과 경골을 연결하고, 무릎관절의 운동에 크게 관여한다. 대퇴사두근 중에서 특히 내측광근이 중요한데, 무릎관절이 상해를 입으면 이 근육군의 근력이 가장 빨리 저하된다. 따라서 무릎관절상해 시에는 대퇴사두근강화훈련을 실시해야 한다.

대퇴앞쪽의 근육군인 대퇴사두근은 4개의 다른 근육, 즉 대퇴직근(rectus femoris m., 넙다리곧은근), 내측광근(vastus medialis m., 안쪽넓은근), 외측광근(vastus lateralis m., 가쪽넓은근), 중간광근(vastus interme-dius m., 중간넓은근)으로 이루어져 있다(통상적으로 대퇴사두근은 이 네 근육을 가리킨다).

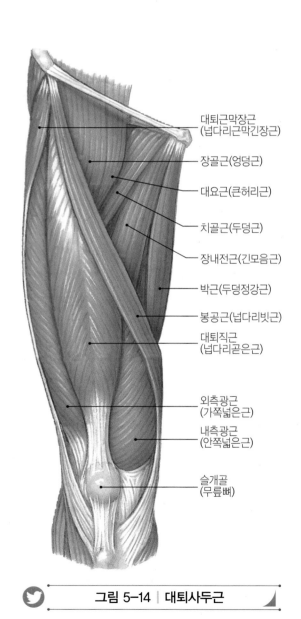

대퇴근막장근
(넙다리근막긴장근)

장골근(엉덩근)

대요근(큰허리근)

치골근(두덩근)

장내전근(긴모음근)

박근(두덩정강근)

봉공근(넙다리빗근)

대퇴직근
(넙다리곧은근)

외측광근
(가쪽넓은근)

내측광근
(안쪽넓은근)

슬개골
(무릎뼈)

그림 5-14 ┃ 대퇴사두근

대퇴직근

이 근육은 고관절과 무릎관절의 앞쪽에 있기 때문에 고관절의 굽힘근과 무릎관절의 폄근으로 활동한다. 이 긴 깃근육은 고관절을 펴서 무릎관절을 굽히는 무릎굽힘근육군(hamstrings)과 대비된다. 단 하나의 대항근이다.

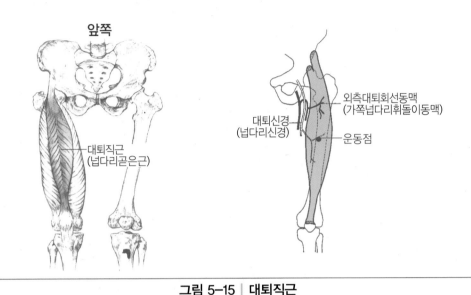

앞쪽

대퇴직근
(넙다리곧은근)

외측대퇴회선동맥
(가쪽넙다리휘돌이동맥)

대퇴신경
(넙다리신경)

운동점

그림 5-15 │ 대퇴직근

외측광근

외측광근(vastus lateralis m., 가쪽넓은근)은 대퇴사두근 중에서 가장 큰 근육이기 때문에 근력이 가장 세다. 이 근육이 발생시키는 근력의 특징은 견인의 방향이 가쪽으로 향하는 것이다. 이러한 가쪽으로 향하는 견인의 힘이 내측광근이 안쪽으로 견인하는 힘보다도 커지면 안쪽-가쪽 방향의 힘의 균형이 무너진다. 이 균형의 붕괴가 슬개골의 이상한 움직임이나 가쪽방향으로의 슬개골탈구가 일어나기 쉬운 이유 중의 하나이다.

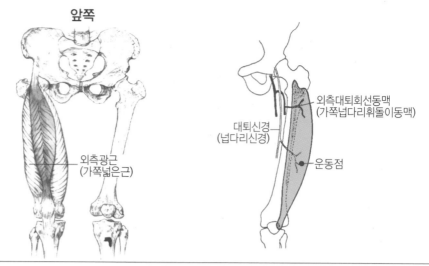

그림 5-16 │ 외측광근

내측광근

이 근육은 슬개골로 향하여 먼쪽방향으로 주행하며, 2개의 다른 근육섬유의 그룹이다. 장내측광근(긴안쪽넓은근)과 사내측광근(빗안쪽넓은근)으로 나누어진다. 장내측광근의 섬유는 정중선에서 약 18° 가쪽 아래쪽으로 주행하므로 이 근육이 무릎관절을 펴는 근력의 활동방향은 그 대부분이 대퇴골과 병행하거나 가까운 방향으로 활동한다.

사내측광근은 정중선에서 대략 50~55°의 각도로 슬개골에 결합된다. 사내측광근의 대각선 방향의 근력은 슬개골을 안쪽으로 잡아당기듯이 활동하며, 외측광근(가쪽넓은근)의 근력에 의하여 슬개골이 가쪽방향으로 잡아당겨지는 것에 대항한다. 이러한 두 가지 힘이 무릎관절에서 평형상태를 유지하기 때문에 슬개골은 최적의 위치에서 활동할 수 있다.

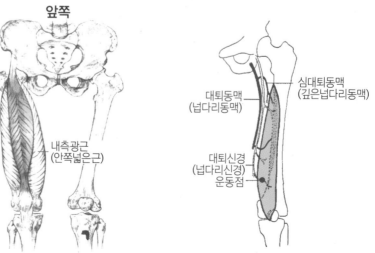

그림 5-17 │ 내측광근

중간광근

중간광근(vastus intermedius m., 중간넓은근)은 대퇴사두근 중에서 가장 깊은부위에 있으며, 대퇴직근 바로 아래에 위치한다.

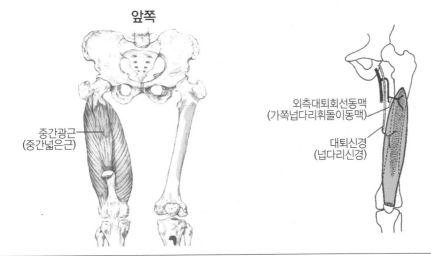

앞쪽

중간광근
(중간넓은근)

외측대퇴회선동맥
(가쪽넙다리휘돌이동맥)

대퇴신경
(넙다리신경)

그림 5-18 │ 중간광근

◉ 대퇴굽힘근육군

대퇴굽힘근육군(flexors of thigh, hamstrings, 대퇴굴근군)은 대퇴이두근(넙다리두갈래근) · 반건양근(반힘줄모양근) · 반막양근(반막모양근)의 3가지 근육으로 이루어진다. 이 근육군은 좌골결절(궁둥뼈결절)에서 시작되며, 대퇴이두근은 비골에 부착되고, 나머지 두 근육은 경골에 부착된다. 무릎관절의 굽히기와 가쪽돌리기, 대퇴를 뒤로 당기는 역할을 한다.

대퇴이두근

대퇴이두근(biceps femoris m., 넙다리두갈래근)은 장두(긴갈래)와 단두(짧은갈래)로 구성된다. 대퇴이두근장두는 무릎굽힘근육군(hamstrings)의 대표적인 근육으로, 고관절과 무릎관절의 뒷면을 가로지르는 2관절근이지만, 단두는 단일관절근육이다. 무릎관절을 굽힐 때 저항력을 가하면 굽힌 무릎관절의 뒤-가쪽면에서 대퇴이두근의 먼쪽힘줄을 쉽게 촉진할 수 있다.

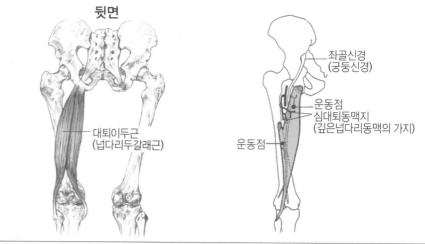

뒷면

좌골신경
(궁둥신경)

운동점
심대퇴동맥지
(깊은넙다리동맥의 가지)

운동점

대퇴이두근
(넙다리두갈래근)

그림 5-19 | 대퇴이두근

반건양근

반건양근(semitendinosus m., 반힘줄모양근)은 띠모양을 하고 있으며, 무릎관절의 뒤쪽-안쪽면에서 쉽게 만질 수 있다. 저항력을 주면서 무릎관절을 굽히면 보다 쉽게 만질 수 있다.

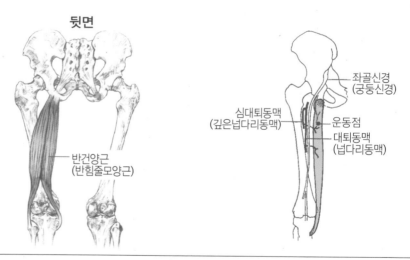

뒷면

좌골신경
(궁둥신경)

심대퇴동맥
(깊은넙다리동맥)

운동점

대퇴동맥
(넙다리동맥)

반건양근
(반힘줄모양근)

그림 5-20 | 반건양근

반막양근

종종 반막양근(semimembranous m., 반막모양근)과 반건양근을 합하여 안쪽무릎굽힘근육군(hamstrings)이라고 부른다. 반막모양근은 그 이름대로 반건양근보다 평평한 모양의 근육이다.

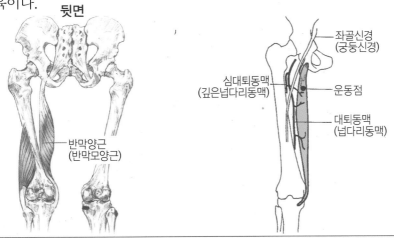

그림 5-21 │ 반막양근

◉ 대퇴내전근육군

대퇴내전(모음)근육군(adductors of thigh)은 장내전근(긴모음근) · 단내전근(짧은모음근) · 대내전근(큰모음근) · 치골근(두덩근) · 외폐쇄근(바깥폐쇄근) · 박근(두덩정강근)의 6개 근육으로 구성되어 있다.

장내전근

가장 표면층에 있는 내전근(모음근) 중의 하나이다.

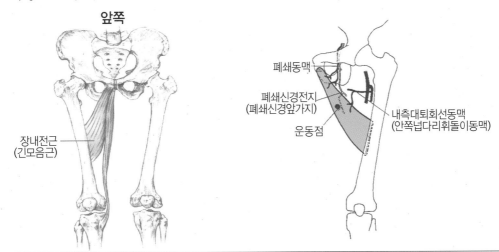

그림 5-22 │ 장내전근

단내전근

단내전근(adductor brevis m.)은 내전근(모음근)의 중간층을 차지한다. 정확히 대내전근의 깊은부위에 위치한다.

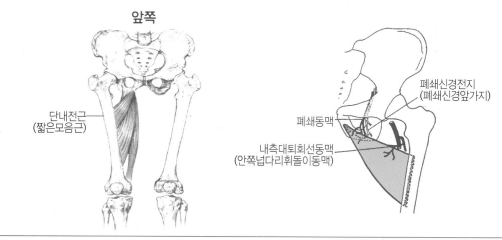

앞쪽

단내전근
(짧은모음근)

폐쇄신경전지
(폐쇄신경앞가지)

폐쇄동맥

내측대퇴회선동맥
(안쪽넙다리휘돌이동맥)

그림 5-23 │ 단내전근

대내전근

대내전근(adductor magnus m.)은 모음(앞)갈래와 폄(뒤)갈래의 두 가지 다른 갈래를 가지고 있다. 둘 다 고관절의 주요 내전근(모음근)이다. 그러나 폄(뒤)갈래는 신경지배(좌골신경), 고관절 펴기 및 시작점의 세 가지는 무릎굽힘근육군(hamstrings)과 유사하다. 한편 모음(앞)갈래는 신경지배(폐쇄신경), 고관절 굽히기 및 시작점의 세 가지가 단내전근과 유사하다.

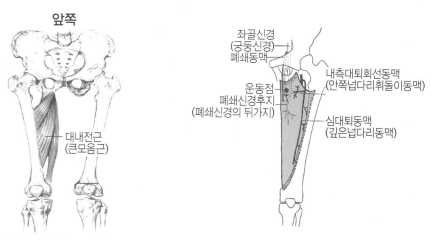

앞쪽

대내전근
(큰모음근)

좌골신경
(궁둥신경)
폐쇄동맥

운동점
폐쇄신경후지
(폐쇄신경의 뒤가지)

내측대퇴회선동맥
(안쪽넙다리휘돌이동맥)

심대퇴동맥
(깊은넙다리동맥)

그림 5-24 │ 대내전근

치골근

짧은 직사각형의 치골근(두덩근)은 고관절모음근 중에서 대퇴골의 가장 몸쪽에 부착된다.

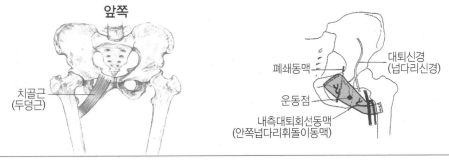

그림 5-25 | 치골근

박근

박근(두덩정강근)이라는 말은 '가냘프고 우아한(gracile)'이라는 단어와 관련이 있다. 박근에 부착된 힘줄은 아족(거위발)의 일부를 형성하여 무릎관절 안쪽에 지지성을 부여한다.

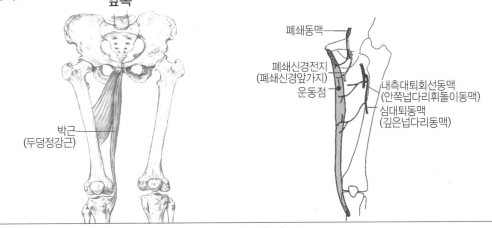

그림 5-26 | 박근

외폐쇄근

외폐쇄근(바깥폐쇄근)고관절 모으기(내전)와 가쪽돌리기에 관여한다.

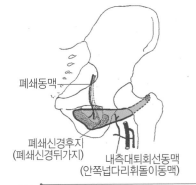

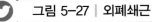

그림 5-27 | 외폐쇄근

⊙ 무릎의 굽힘근육군

3종류의 대퇴굽힘근이 무릎의 굽힘에 관여한다. 대퇴이두근은 비골두(종아리뼈머리)에, 반건양근은 경골안쪽 부근에, 반막양근은 경골앞안쪽에 부착된다.

⊙ 대퇴근막

대퇴근막(fascia lata, 넙다리근막)은 넙다리 전체를 칼집모양으로 덮는 근막이다. 앞쪽 윗부분은 서혜인대에 이어진다. 이 근막은 서혜인대 안쪽아래에서 구멍(복재열공)을 만드는데, 이것은 대퇴륜(femoral ring)의 출구를 이루면서 대복재정맥(큰두렁정맥)과 대퇴피부밑 림프관 속의 통로를 이룬다.

대퇴근막은 대퇴 바깥쪽에서 현저하게 부풀어올라 장경인대(상전장골극~경골 외측 상과를 잇는다)를 형성하여 대퇴근막장근과 대둔근의 일부가 닿는다. 그리고 대퇴근막의 일부는 대퇴근 속으로 들어가는데, 이것을 폄근, 굽힘근, 모음근으로 나눈다.

⊙ 고관절의 관리

다음은 고관절과 골반부위의 기능회복을 위한 기본지침이다.

- ⫸ 요추골반부위의 자세정렬 및 동적 안정성에는 다음의 것들이 관여한다.
  * 골반경사의 인식 및 자세에 대한 영향
  * 활용되지 않는 고관절을 안정화시키는 근육군(중둔근후부섬유, 가쪽돌림근육군, 대둔근)의 활성화 및 트레이닝
  * 고관절과 몸통근육군의 근력강화
  * 다리정렬에 필요한 장비의 사용 및 지지
- ⫸ 고관절의 가동성 및 결합조직/근육의 신장성
- ⫸ 안전한 생체역학, ADL, IADL 및 일 또는 스포츠활동을 위한 요추골반과 팔다리근육군 사이의 신경근제어 조정
- ⫸ 관련된 신체부위·시스템의 기능
  * 심폐지구력
  * 무릎관절과 발목관절의 근력 및 유연성
  * 팔의 근력 및 유연성

◉ 관절가동범위 증대를 위한 운동

┃ 관절 모빌리제이션

목적 : 골반 위쪽의 신연

방법 : 대퇴골 장축견인법

자세 : 바로 누워서 고관절을 이완
시킨다(고관절을 30도 굽히고, 30도
벌리고, 가볍게 가쪽으로 돌린 자세).

목적 : 고관절 굽히기 증대

방법 : 대퇴골 몸쪽의 뒤쪽활주법

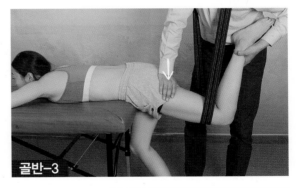

목적 : 고관절 펴기 증대

방법 : 대퇴골 몸쪽의 앞쪽활주법
(엎드린 자세)

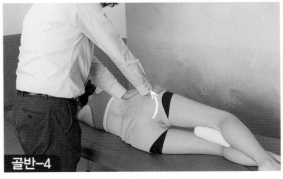

목적 : 고관절 펴기 증대

방법 : 대퇴골 몸쪽의 앞쪽활주법
(옆으로 누운 자세)

운동병용 모빌리제이션

목적 : 고관절 안쪽돌리기 증대

방법

‒⟫ 손바닥으로 골반을 고정시킨다.

‒⟫ 대퇴와 무릎 주위를 잡고 대퇴
   골을 돌린다.

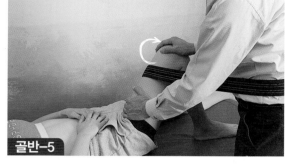

골반-5

목적 : 고관절 굽히기 증대

방법

‒⟫ 손바닥으로 골반을 고정시킨다.

‒⟫ 넙다리와 무릎 주위를 잡고 대
   퇴골을 굽힌다.

골반-6

목적 : 하중부하 시 고관절 펴기 증대

방법

‒⟫ 환자는 의자 위에 건강한 쪽 발을 올리고 선다.

‒⟫ 양손으로 골반을 고정시킨다.

‒⟫ 가쪽 활주법을 실시한다.

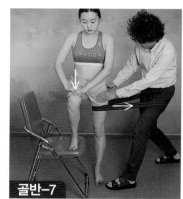

골반-7

스트레칭

목적 : 고관절 굽힘근육군 스트레치
(고관절 펴기 증대)

방법

‒⟫ 골반을 고정시킨다. 반대쪽 고
   관절은 굽힌 자세를 유지한다.

‒⟫ 환자가 이완해갈수록 넙다리의
   무게에 의하여 스트레치된다.

‒⟫ 장요근을 스트레치하려면 무릎을 펴야 한다.

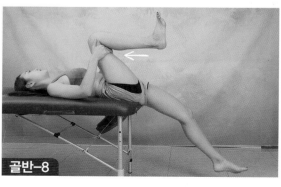

골반-8

⫶▶ 대퇴직근과 대퇴근막장근을 스트레치하려면 고관절을 중립위치를 유지한 채 무릎 관절을 굽힌다.

목적 : 고관절 굽힘근육군 스트레치(고관절 펴기 증대)

방법 : 변형 스쿼트

⫶▶ 뒤쪽 다리는 중립위치를 유지한다.

골반-9

목적 : 고관절 굽힘근육군 스트레치(고관절 펴기 증대)

방법 : 한쪽 무릎을 세운 자세를 유지한다.

골반-10

목적 : 대퇴직근 스트레치(고관절 펴기와 무릎관절 굽히기 증대)

방법

⫶▶ 골반을 후방경사한 채로 고관절을 편 상태를 유지한다(등을 굽히거나 비틀지 않는다).

⫶▶ 넙다리 앞면에서 스트레치감각을 느낄 때까지 무릎을 굽힌다.

골반-11

목적 : 고관절 모음근육군(내전근군) 스트레치(고관절 벌리기 증대)

방법

⫶▶ 누워서 양쪽 다리를 벽에 기댄다.

⫶▶ 다리의 무게를 이용하여 스트레치한다.

골반-12

목적 : 고관절 모음근육군과 안쪽돌림근육군 스트레치(고관절 벌리기와 가쪽돌리기 증대)

방법

⫸ 앉아서 등을 벽에 기댄다.

⫸ 양쪽 발바닥을 맞대고 골반쪽으로 발꿈치를 당긴다.

⫸ 양쪽 팔꿈치를 이용하여 양쪽 넙다리를 스트레치한다.

목적 : 고관절 모음근육군 스트레치(고관절 벌리기 증대)

방법

⫸ 한쪽 발을 앞으로 내밀고 체중을 싣는다.

⫸ 옆쪽 런지(스트레치한 쪽에서 멀어지듯이)

⫸ 몸통을 바로 세운 자세를 유지한다.

목적 : 대둔근 스트레치(고관절 굽히기 증대)

방법 : 골반의 전방경사자세를 유지한 채로 몸통(골반)을 발꿈치를 향하여 뒤쪽으로 움직인다.

목적 : 햄스트링스 스트레치(고관절 굽히기와 무릎관절 펴기 증대)

방법

⫸ 앞에 있는 발판 또는 의자의 앉는 면에 한쪽 발을 얹는다.

⫸ 무릎을 편다.

⫸ 고관절을 앞쪽으로 굽힌다(대퇴 방향으로 배꼽을 움직인다).

⫸ 흉곽 또는 요추는 굽히지 않는다.

목적 : 햄스트링스 스트레치(고관절 굽히기와 무릎관절 펴기 증대)

방법

- ⫸ 바닥에 누워서 다리를 펴서 한쪽은 벽에 올리고 반대쪽은 편다.
- ⫸ 스트레치효과를 높이기 위해서는 무릎을 편 채로 볼기를 이동시키거나 벽에서 종아리를 뗀다.

골반-17

목적 : 고관절 안쪽돌림근육군 스트레치(고관절 가쪽벌리기 증대)

방법

- ⫸ hook-lying자세(누워서 양쪽 고 · 무릎관절을 굽힌 채로 발바닥은 바닥에 붙인다)를 취한다.
- ⫸ 반대쪽 무릎에 발목을 얹는다.

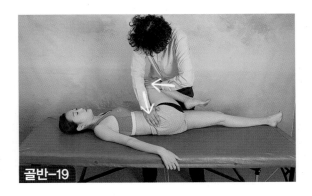

골반-18

- ⫸ 한쪽 손으로 발꿈치를 자기쪽으로 끌어올리고, 다른 손으로 무릎을 아래쪽으로 민다.

목적 : 이상근 스트레치(고관절 안쪽돌리기 증대)

방법

- ⫸ 골반을 고정시킨다.
- ⫸ 무릎이 가슴을 넘어가도록 움직인다. 고관절을 안쪽으로 돌리는 방향으로 누른다.

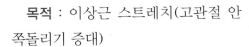

골반-19

목적 : 대퇴근막장근 스트레치(고관절 펴기 · 모으기 · 안쪽돌리기 증대)

방법

- ⫸ 고관절 펴고, 모으고, 가쪽으로 돌린 위치
- ⫸ 편 다리를 반대쪽 다리의 뒤쪽에 위치시킨다.
- ⫸ 스트레치 효과를 증대하기 위하여 의자에서 멀어지도록 골반을 옆으로 이동한다.

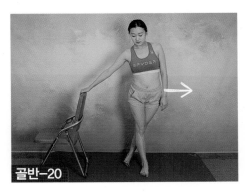

골반-20

27 DISEASE 대퇴통증

27-1 대퇴통증의 원인

대퇴(넙다리)통증은 대퇴 바깥쪽에 있는 근육·신경이 둔화되는 듯한 증상이다. 대퇴근은 상체를 떠받치고 있는 근육이기 때문에 어떤 근육보다도 힘이 많이 쓰는 근육이다. 그러므로 이 근육은 피로로 이상·장애가 빨리 오며, 또한 대퇴통증은 고관절과 무릎관절까지 괴롭히며 저리게 하는 증상이다.

대퇴사두근 중에서도 특히 대퇴직근은 골반에서 고관절을 굽혀주는 역할을 할 뿐만 아니라 무릎에서 무릎을 펼 때 중요한 역할을 한다. 시작점인 하전장골극은 고관절을 굽히는 역할을 할 수 있도록 돕고 있으며, 또 다른 시작점인 관골구는 대퇴골이 골반에 이어지는 것을 돕고 있다.

이 근육은 골반에 다음의 두 가지 영향을 미친다.

⫸ 골반을 당겨 전방경사시킨다.
⫸ 고관절에 압력을 가한다.

이 두 가지 영향이 있기 때문에 이 근육이 긴장하였을 때에는 늘려서 뭉침을 풀어주는 것이 중요하다.

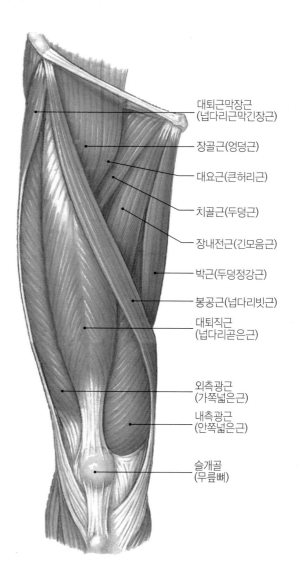

대퇴근막장근
(넙다리근막긴장근)

장골근(엉덩근)

대요근(큰허리근)

치골근(두덩근)

장내전근(긴모음근)

박근(두덩정강근)

봉공근(넙다리빗근)

대퇴직근
(넙다리곧은근)

외측광근
(가쪽넓은근)

내측광근
(안쪽넓은근)

슬개골
(무릎뼈)

골반·고관절 및 넙다리의 구조와 질환별 관리

27-2 대퇴통증의 관리-1

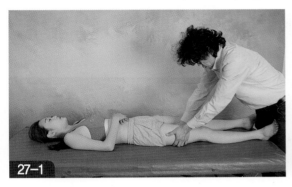

27-1

조직의 워밍업_
경찰법(쓰다듬기), 유념법(주무르기), 신전법으로 넙다리
의 조직을 워밍업한다.

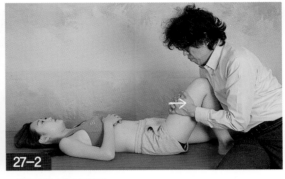

27-2

고관절을 풀어준다_
환자에게 무릎을 굽히고 고관절을 굽히게 한다. 환자의
발을 치료사의 넙다리로 고정시킨다. 양쪽 손가락을 깍지
끼고 손바닥을 대퇴사두근에 건다. 천천히 깊게 손바닥을
몸쪽부착점에서 먼쪽부착점까지 활주시킨다.
가볍게 활주하면서 몸쪽부착점으로 되돌아온다. 이를
3~5회 반복한다.

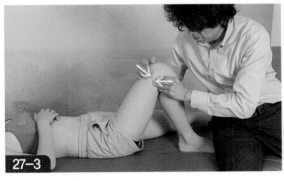

27-3

강찰법_
무릎인대를 강하게 쓰다듬는다. 슬개골 주변, 내측 및 외
측측부인대, 경골조면의 슬개인대와 슬개건을 강하게 쓰
다듬는다.

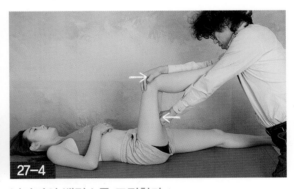

27-4

넙다리의 밸런스를 조정한다_
햄스트링스에 활주법과 스트레치를 시술하여 넙다리의
밸런스를 조정한다.

27-3 대퇴통증의 관리-2

⫸ 환자를 눕게 한 다음 치료사는 먼저 환자의 볼기쪽을 양쪽 손바닥으로 위에서 아래로 점점 빨리 진동시켜 이완시킨다.

⫸ 그다음 환자를 바로 눕게 하여 그림의 경혈 순서대로 양쪽 엄지로 경압→쾌압→강압의 순으로 3~5초씩 여러 번 지속압을 가한다.

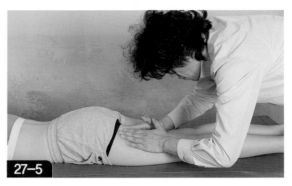

27-5

양쪽 손바닥으로 허벅지를 빠른 속도로 진동시킨다.

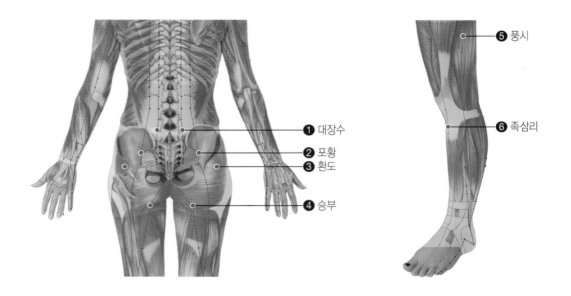

❶ 대장수
❷ 포황
❸ 환도
❹ 승부
❺ 풍시
❻ 족삼리

28 DISEASE 이상근증후군

28-1 이상근증후군의 원인

이상근증후군은 외상이나 이상근(piriform m., 궁둥구멍근)이 긴장되어 발생하는 좌골신경의 압박이나 장애 등의 총칭이다. 주된 증상은 이상근을 중심으로 한 볼기의 통증 및 좌골신경의 주행에 따른 방산통이다.

이상근은 대퇴(넙다리)를 벌려주는 기능을 하는데, 이상근 밑으로 좌골신경이 대좌골공을 위아래로 나누어 통과한다. 외상을 입으면 이상근은 급격하게 수축하거나 견인되기 때문에 충혈·수종·경련·비후가 발생하고, 좌골신경을 압박·자극하여 볼기와 좌골신경에 통증을 낳는다. 이상근에 가장 압통이 심하고, 만성이 되면 근육의 위축이나 유착이 발생한다.

한편 이상근 사이에 있는 좌골신경이 교액되어 일이나 운동으로 스트레스가 가해져 발증할 수도 있다. 나쁜 자세가 이상근 만성손상의 원인이 되기 쉽고, 걸을 때 통증이 증가하므로 신체를 옆으로 굽힌 자세로 파행을 하는 증상이 나타난다.

관련경혈 : 위중, 풍시, 태계, 환도, 해계, 아시혈 등

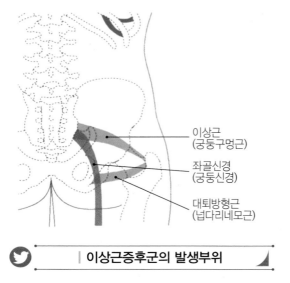

이상근
(궁둥구멍근)

좌골신경
(궁둥신경)

대퇴방형근
(넙다리네모근)

| 이상근증후군의 발생부위

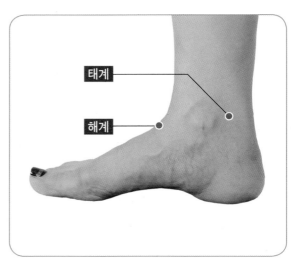

태계

해계

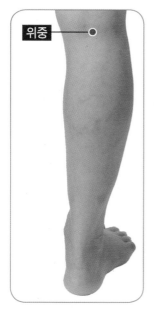

위중

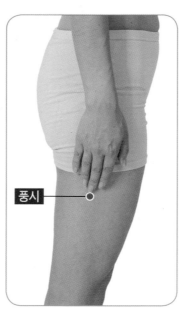

풍시

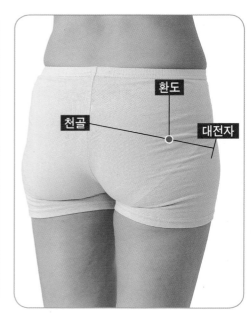

환도

천골

대전자

28-2 이상근증후군의 관리-1

환자 | 바로 누운 자세

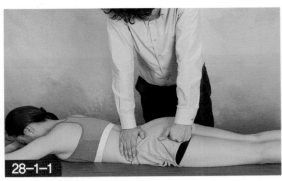

조직의 워밍업_
유념법(주무르기), 깊은 슬라이드, 스트리핑을 이용하여
볼기(둔부)조직을 워밍업한다.

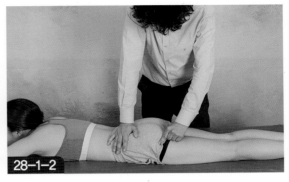

강찰법_
대퇴골대전자 주변의 모든 부착부를 강하게 쓰다듬는다.

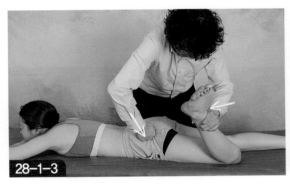

트리거포인트와 관절가동범위 증대_
과민한 부위에 압박법을 시술하고 무릎을 굽히게 한다.
고관절을 안쪽 및 가쪽으로 돌려준다.

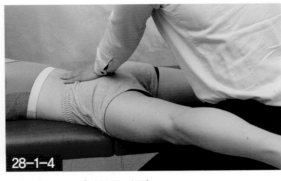

심부의 외선근(가쪽돌림근)_
환자의 고관절을 벌리고 굽혀서 다리를 테이블 밖으로
낸다. 환자의 다리를 치료사의 넙다리에 댄다. 이렇게 하
면 심부의 외선근(가쪽돌림근)을 만지기 쉬워진다.
압박법을 시술하고, 환자에게 치료사의 넙다리를 누르게
함으로써 근육이 능동적으로 수축하게 한다. 이 수축상태
를 조금 유지한 후 이완시킨다. 무릎을 테이블 머리쪽으
로 조금 비켜놓으면서 스트레치를 크게 한다. 이를 반복
한다.

28-2 이상근증후군의 관리-2

환자 | 엎드린 자세

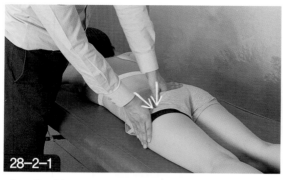

치료사는 환자 옆에 서서 양쪽 엄지를 겹쳐 환도혈과 통점을 누른 다음 손가락으로 비벼준다.

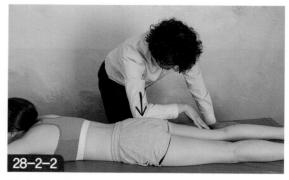

한 손으로 시술대를 짚고, 다른 쪽 팔꿈치로 통점을 누른 후 아래팔 척골쪽 근육으로 볼기의 근육군을 문질러준다.

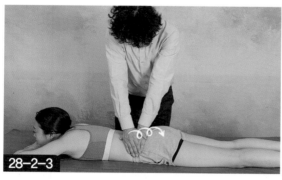

양손 손바닥을 겹쳐 허리부터 볼기까지의 근육군을 누르면서 주무른다.

환자 | 바로 누운 자세

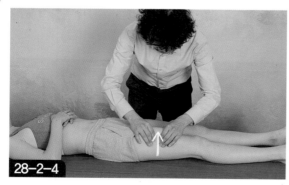

치료사는 환자 옆에 서서 양손 엄지를 겹쳐 넙다리 가쪽에 있는 풍시혈을 누른 다음, 다른 쪽 손바닥으로 넙다리가쪽 근육군(장경인대, 외측광근)을 누르면서 주물러준다.

치료사는 무릎을 굽혀 한 손으로 환자의 무릎을 지지하고, 다른 손 엄지로 볼기근의 통점을 가볍게 누르면서 고관절을 안쪽 및 가쪽으로 돌려준다.

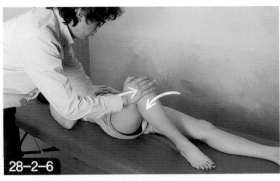

28-2-6

고관절을 가쪽으로 돌릴 때에는 무리가 없는 범위에서 실시한다.

28-2-7

환자 옆에 서서 한 손으로 발목을 들고, 다른 손으로 무릎 밑을 지지하고, 90도 정도 굽혀 안쪽 및 가쪽으로 돌려준다.

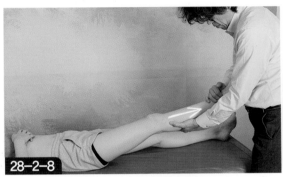

28-2-8

이어서 무릎을 가볍게 2회 굽혔다펴는데, 마지막 1회는 탄력을 주어 크게 편다.

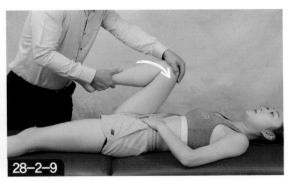

28-2-9

한 손으로 발목을 들고, 무릎이 점점 굽혀지도록 여러 번 굽혀준다.

28-2-10

무리가 없는 범위에서 볼기근을 편 채로 고관절을 모은다.

29 DISEASE 좌골신경통

29-1 좌골신경통의 원인

좌골신경통은 다리를 굽혔다펴는 감각을 관장하는 가장 두껍고 긴 말초신경인 좌골신경의 분포영역에 지속적인 격통이 발생하는 질환을 총칭하는 말이다.

요추 아랫부분부터 골반강·대좌골공을 지나 대둔근과 넙다리 뒷면을 내려가서 발쪽으로 주행하는 좌골신경은 무릎오금에서 총비골신경과 경골신경으로 나누어진다. 좌골신경통을 일으키는 원인은 척추관협착·척추전방전위증·척추분리증·변형성요추증·이상근증후군 등으로 다양하다. 한의학에서는 이 질환을 '비증(痺證)', '요퇴통(腰腿痛)'이라고 한다.

좌골신경통의 증상은 주로 걸을 때나 일어설 때 통증이 발생하고, 허리·볼기·대퇴·종아리·발 등에 격통이 있다. 요추의 신경근이 헤르니아 등에 의하여 자극을 받고, 볼기부터 넙다리뒷면에 걸친 통증·다리의 지각둔마·저림·탈력감이 종아리의 뒤가쪽과 발등에 발생하는 경우도 많다. 검사를 하면 좌골신경에 국부적인 압통이 발견되고, 라세그징후(Lasegue's sign)는 양성을 나타낸다.

좌골신경통의 원인

➔ 허리디스크, 척추관협착증, 이상근증후군, 종양 등에 의하여 좌골신경이 지나가는 구조물이 눌리는 경우
➔ 좌골신경 자체에 손상이 있어 염증이 발생했거나 요추와 골반이 틀어지면서 압박하는 경우
➔ 높은 구두를 착용하거나 고도비만인 경우
➔ 요통이 동반되는 경우도 많으며, 일부에서는 통증이 있는 부위로 감각기능이 저하되어 있을 수도 있음
※ 좌골신경통은 하나의 증상이며, 최종적인 진단명은 아니다.

 좌골신경통의 검사

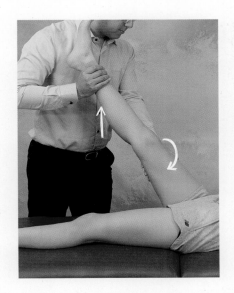

한 손으로 발꿈치를 잡고, 다른 손으로 무릎을 눌러 편 상태에서 다리를 들어올려 통증발생 여부를 확인한다.

추간판탈출증 등으로 인해 허리 또는 천추(엉치)신경이 자극을 받으며 통증으로 인해 30도에서 70도 구간에서 좌골신경통이 유발된다.

➔ SLR(다리 바로 들어올리기 검사)가 대표적이다.

➔ 침대에 바로 누워 아픈 다리를 뻗은 채 들어올리다 보면 올린 각도가 30도~70도 사이에서 허벅지 및 종아리 뒤쪽으로 통증이 유발되는데, 이때 다리 바로 들어올리기 검사의 양성으로 판단한다.

➔ 이 검사는 많은 좌골신경통환자에서 양성으로 나타나지만, 특이도가 떨어지는 즉 좌골신경통이 없는 단순 요통환자에서도 양성으로 나타나는 경우가 단점이 있다.

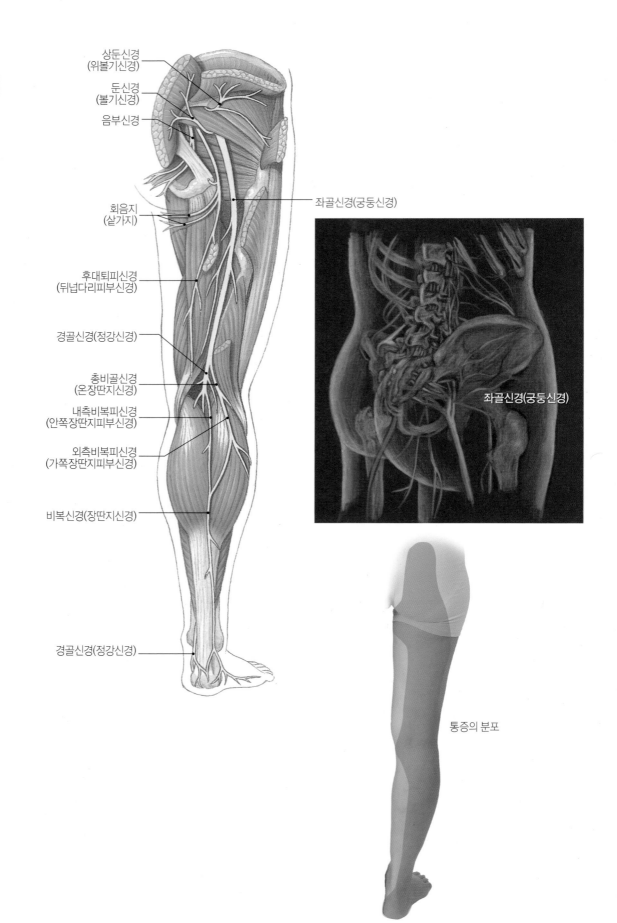

상둔신경
(위볼기신경)

둔신경
(볼기신경)

음부신경

좌골신경(궁둥신경)

회음지
(샅가지)

후대퇴피신경
(뒤넙다리피부신경)

경골신경(정강신경)

총비골신경
(온장딴지신경)

내측비복피신경
(안쪽장딴지피부신경)

외측비복피신경
(가쪽장딴지피부신경)

비복신경(장딴지신경)

경골신경(정강신경)

좌골신경(궁둥신경)

통증의 분포

관련경혈 : 대장수, 환도, 승부, 은문, 승산, 곤륜, 해계, 용천, 위중 등

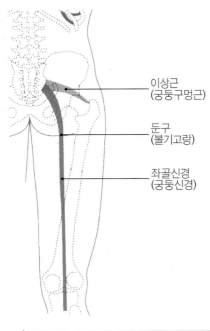

이상근
(궁둥구멍근)

둔구
(볼기고랑)

좌골신경
(궁둥신경)

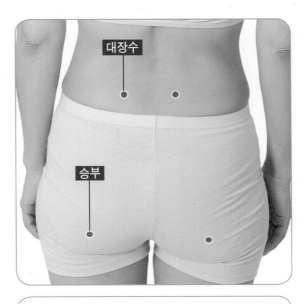

대장수

승부

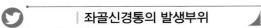

| 좌골신경통의 발생부위

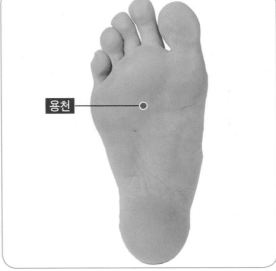

용천

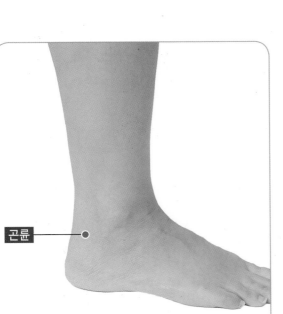

곤륜

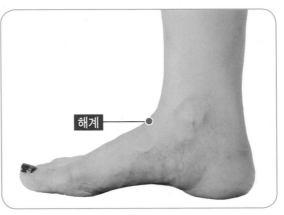

해계

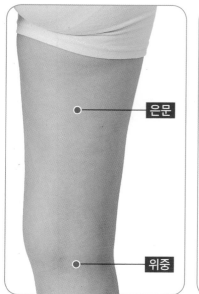

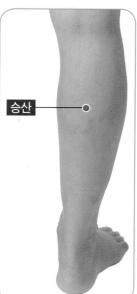

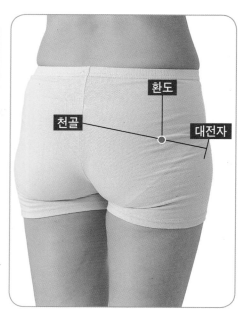

29-2 좌골신경통의 관리

환자 | 엎드린 자세

29-1-1

치료사는 환자 옆에 서서 양손 엄지를 겹쳐 환자의 둔구 중점에 있는 승부혈을 누른 후 좌골신경 라인을 따라 주무르고 흔든다.

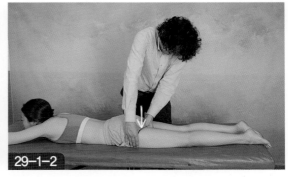

29-1-2

양손 엄지를 겹쳐 은문혈을 누르고 주무른다.

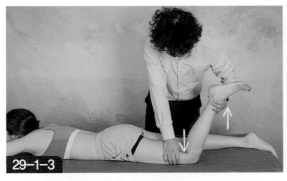

29-1-3

한 손으로 환자의 발목을 들어올리고, 다른 손의 엄지로 위중혈을 누르고 주무른다.

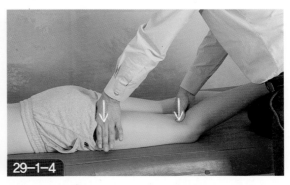

29-1-4

환자의 종아리를 치료사의 넙다리에 올리고, 한 손의 엄지로 위중혈을, 다른 손의 엄지로 승부혈을 동시에 누르고 주물러준다.

환자 | 옆으로 누운 자세

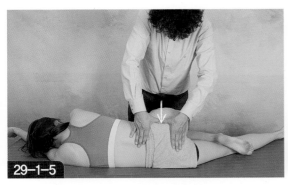

29-1-5

양손 엄지를 겹쳐 환자의 대전자 정점과 상전장골극 사이에 있는 환도혈을 누르고 주물러준다.

29-1-6

한 손으로 환자의 볼기를 짚고, 다른 손의 손바닥으로 넙다리 가쪽을 문질러준다. 그 후 양손의 엄지로 넙다리 가쪽부터 종아리까지 비벼준다.

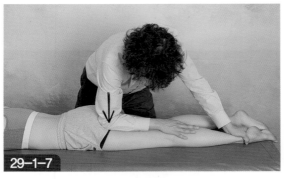

29-1-7

한 손으로 환자의 발목을 가볍게 지지하고, 다른 손의 팔꿈치로 승부혈에 누른 후 팔꿈치로 비벼준다.

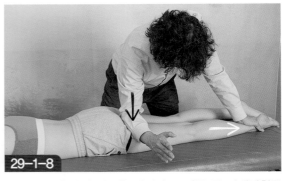

29-1-8

한 손으로 환자의 발목을 지지하고, 다른 쪽 아래팔척골쪽의 근육으로 넙다리 뒤쪽의 좌골신경 라인을 따라 누르고 주무른다.

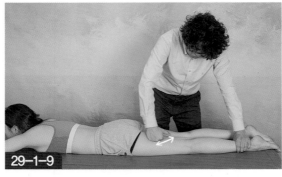

29-1-9

한 손으로 환자의 종아리를 가볍게 지지하고, 다른 손은 주먹을 쥐어 넙다리 뒤쪽 근육군에 주먹굴리기를 실시한다.

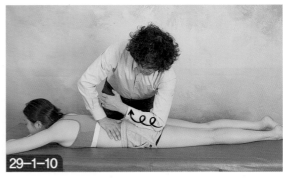

29-1-10

한 손으로 시술대를 짚고, 다른 쪽 팔꿈치로 환도혈을 누른 아래팔척골쪽 근육으로 볼기의 근육군을 주무른다.

29-1-11

환자 발쪽에 서서 양손으로 환자의 한 발을 들어올려 가볍게 당기면서 흔들어준다. 반대쪽 발에도 실시한다.

29-3 좌골신경통의 운동요법-1

햄스트링스 스트레치_

대퇴사두근 스트레치_

고관절내전근 스트레치_

양무릎 사이에 공을 끼우고 고관절 모으기_

누워서 하지 돌리기_

누워서 양쪽 무릎 가슴쪽으로 당기기_

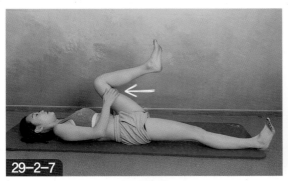

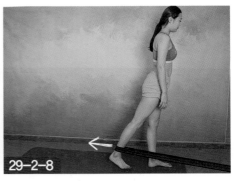

누워서 한쪽 다리 펴고 반대쪽 무릎 가슴쪽으로 당기기_   밴드를 이용한 고관절 펴기_

29-4 좌골신경통의 운동요법-2

다리펴고 허리세우고 앉기_

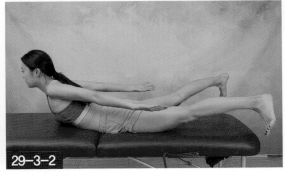

메뚜기 자세_

브릿지 자세(받침대 이용)_

누워서 발에 타월 걸고 당기기_

비둘기 자세_

전체 동작을 15분 동안 실시한다.

30 DISEASE 고관절염좌

30-1 고관절염좌의 원인

고관절은 인체에서 가장 크고 깊은 절구관절인데, 여기에 염좌가 발생하면 고관절(엉덩관절)에 동통이 있고 기능 및 활동장애가 나타난다. 고관절 주위는 근육이 두껍고 인대도 강인하므로 일반적으로 연부조직의 손상률은 낮다.

그러나 직접 또는 간접적인 외력에 의한 고관절낭과 관절연골의 급성손상, 또는 고관절의 과도한 움직임으로 인한 연골의 과도마찰에 의한 만성손상이 많이 나타난다. 그밖에 연골파열이나 관절주머니의 삼출·혈종·무균성 염증·유착 등과 같은 국소의 동통과 기능장애가 발생하는 경우도 있다.

고관절염좌는 외상·만성피로·손상경력 등에 의하여 발생하는 경우가 많다. 이때에는 아픈쪽 고관절과 서혜부에 압통·가벼운 종창이 있으며, 대퇴골의 벌리기·가쪽돌리기·굽힌자세가 나타나고, 곧게 펼 수 없으며, 운동기능장애나 보행곤란 등이 나타난다. 급성손상 또는 발작 시에는 아픈 쪽으로 바닥을 밟거나 걷기조차 불가능하다.

고관절의 신경은 주로 좌골신경과 폐쇄신경의 앞가지이다. 폐쇄신경의 감각가지는 무릎관절에 분포되어 있기 때문에 고관절질환은 무릎의 증상으로 반응하는 일이 종종 있어 무릎질환으로 오진될 우려가 있다.

한의학에서는 서근통락(舒筋通絡 ; 근맥을 풀어주고 경락을 소통한다), 활혈화어(活血化瘀 ; 어혈을 제거하고 혈류를 개선한다), 소종지통(消腫止痛 ; 종창을 해소하고 통증을 멈춘다)을 치료의 원칙으로 한다.

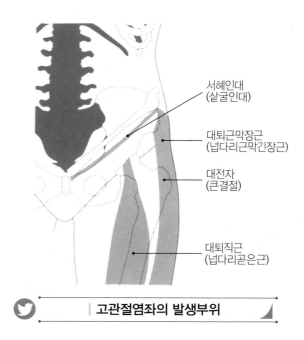

서혜인대
(샅굴인대)

대퇴근막장근
(넙다리근막긴장근)

대전자
(큰결절)

대퇴직근
(넙다리곧은근)

🔹 | 고관절염좌의 발생부위

관련경혈 : 풍시, 기문, 거료, 환도, 충문, 은문 및 통점

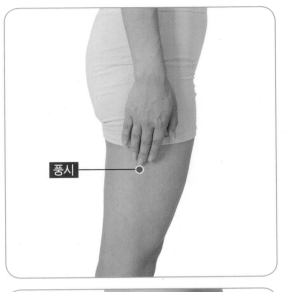

풍시

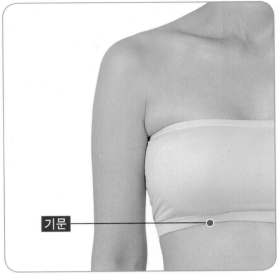

기문

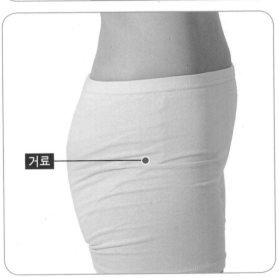

거료

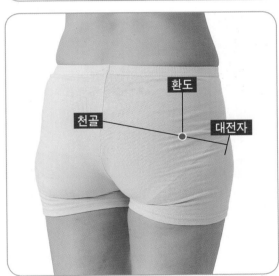

환도

천골

대전자

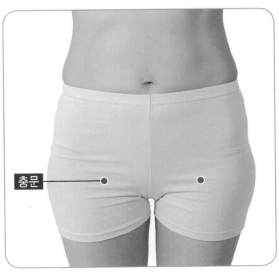

충문

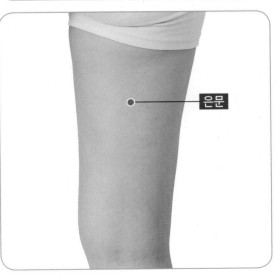

은문

30-2 고관절염좌의 관리

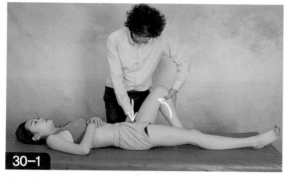

30-1

치료사는 환자 옆에 서서 한 손으로 굽힌 무릎을 잡고, 다른 손 엄지로 서혜부에 있는 충문혈을 누르면서 천천히 고관절을 가쪽으로 돌려준다.

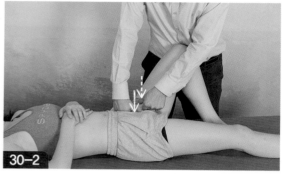

30-2

치료사는 자기의 몸으로 환자의 무릎을 누르고, 양손 엄지로 서혜인대 라인을 따라 손가락으로 누른다.

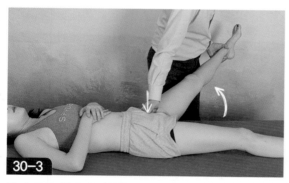

30-3

한 손으로 환자의 발목을 들고, 다른 손 엄지로 서혜부의 통점을 누르면서 고관절을 벌려준다.

30-4

양쪽 엄지를 겹쳐 넙다리 안쪽의 봉공근과 장내전근 사이에 있는 기문혈을 누르고 주무른다.

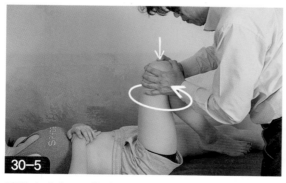

30-5

양쪽 손바닥으로 환자의 무릎을 잡고, 고관절을 안쪽 및 가쪽으로 돌려준 다음 마지막으로 시술대쪽으로 재빨리 압력을 가한다.

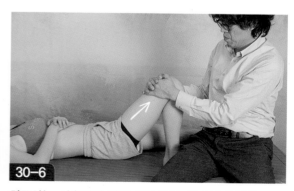

30-6

치료사는 시술대에 앉아 양손으로 환자의 무릎을 굽혀 잡고, 허리를 들어올리듯이 펴준다.

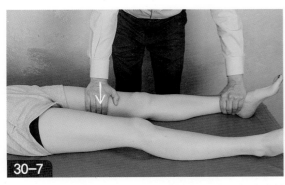

30-7

환자 옆에 서서 한 손으로 넙다리를 짚고, 다른 손의 손바닥으로 넙다리 앞쪽의 근육군을 따라 누르면서 비벼준다.

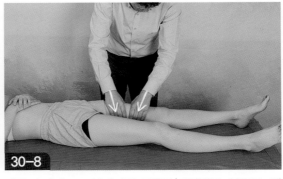

30-8

양쪽 손바닥으로 넙다리의 근육군(대퇴직근, 봉공근, 내측광근)을 누른다.

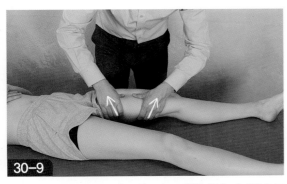

30-9

양손으로 넙다리의 근육군을 잡고 위쪽에서 아래쪽으로 주무른다.

환자 | 옆으로 누운 자세

30-10

한 손으로 환자의 넙다리를 짚고, 다른 쪽 팔꿈치로 환도혈과 통점을 누른 다음 손바닥으로 주무른다.

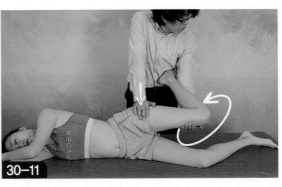

30-11

한 손으로 환자의 볼기를 짚고, 다른 손으로 넙다리를 들어올려 고관절을 뒤쪽으로 편 후 돌려준다.

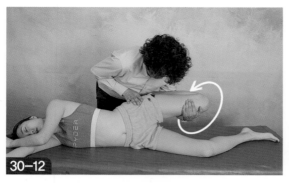

한 손 엄지로 볼기의 통점을 누른 채로 다른 손으로 고관절을 굽힌 후 돌려준다.

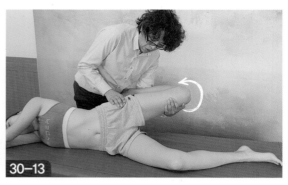

한 손으로 볼기를 짚고, 다른 손으로 발목을 들어올려 고관절을 펴준다.

6

무릎 및 종아리의 구조와
질환별 관리

⊙ 무릎뼈

　무릎뼈(patella, 슬개골)는 대퇴사두근 및 무릎뼈인대·힘줄을 포함한 폄기구 속에서 무릎관절 앞쪽을 보호함과 동시에 폄근육군이 가장 유효하게 작동할 수 있도록 하는 도르래 역할을 하고 있다.

　정상적인 무릎뼈(patella)는 무릎관절을 편 자세에서는 무릎면보다 위쪽에 위치하기 때문에 불안정한 상태에 있으며, 굽힐 때에는 무릎면으로 들어가 서서히 딱 들어맞아간다. 20도 이하의 얕은 굽힘각도에서 관절면은 적합상태가 되는 것이 정상이다.

　그러나 무릎뼈는 굽힘 30도 부근까지 가장 불안정하며, 60도 이상의 굽힘각도가 되지 않으면 적합한 상태가 되지 않는다. 무릎을 안정시키는 중요한 조직은 슬개대퇴인대(무릎넙다리인대)·슬개경골인대(무릎정강인대)·슬개지대(무릎지지띠)·대퇴사두근(넙다리네갈래근)·내측광근사섬유(안쪽넓은근빗섬유) 등이다. 그리고 무릎을 안정시키는 또 다른 요소는 무릎면과 무릎뼈의 형태 및 적합성이다.

　한편 넙다리네갈래근과 무릎뼈인대는 약 10도 밖굽이(외반)되어 있어 무릎뼈는 필연적으로 가쪽으로 치우치기 쉬운 구조를 이룬다. 이에 대해서는 무릎뼈안쪽지지조직이 가쪽으로 벗어나지 않도록 제어하고 있지만, 그중에서도 내측슬개대퇴인대(안쪽무릎넙다리인대)가 첫 번째 안정제 역할을 한다.

　무릎의 안쪽지지조직 중에서 내측슬개대퇴인대는 넙다리뼈의 내측측부인대(안쪽곁인대) 부착점 뒤위쪽부터 무릎뼈중추 안쪽모서리 2/3 및 내측광근사섬유의 뒷면에 부채모양으로 부착된 인대인데, 이것은 굽힘 15~30도 이외의 각도에서는 항상 긴장상태로 있다. 내측광근사섬유는 대내전근(큰모음근막)에서 시작하여 일부는 내측슬개대퇴인대에 융합되고, 그밖의 것들은 내측슬개지대(안쪽무릎지지띠)로 이행되고 있다. 이 때문에 그 근육섬유가 이루는 각도는 내측광근과 비교하면 둔각이기 때문에 무릎뼈의 가쪽편위에 대한 동적 안정제 역할을 하고 있다.

　가쪽지지조직의 기능해부에서 외측광근의 면쪽에 위치하는 외측광근사섬유(가쪽넓은근빗섬유)는 장경인대(엉덩정강근막띠)에서 시작하여 외측슬개지대(가쪽무릎지지띠)로 이행하는 특징이 있다. 무릎뼈가 탈구(patella dislocation)될 때에는 무릎뼈가쪽방향에 대한 첫 번째 안정제 역할을 하는 내측슬개대퇴인대의 손상이 많이 발견된다. 이에 덧붙여 내측슬개경골인대(안쪽무릎정강인대), 내측관절낭, 내측슬개지대(안쪽무릎지지띠), 내측광근사섬유 등의 손상과 단열도 나타나기 때문에 안쪽지지기구가 파열되어 무릎뼈의 안정성에 영향을 미친다.

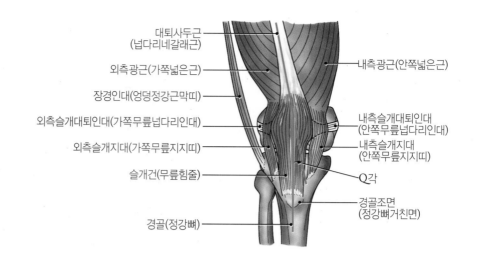

대퇴사두근
(넙다리네갈래근)

외측광근(가쪽넓은근)

장경인대(엉덩정강근막띠)

외측슬개대퇴인대(가쪽무릎넙다리인대)

외측슬개지대(가쪽무릎지지띠)

슬개건(무릎힘줄)

경골(정강뼈)

내측광근(안쪽넓은근)

내측슬개대퇴인대
(안쪽무릎넙다리인대)

내측슬개지대
(안쪽무릎지지띠)

Q각

경골조면
(정강뼈거친면)

그림 6-1 │ 무릎뼈주변의 해부

◉ 무릎관절

무릎을 이루는 무릎관절(knee joint, 슬관절)이 운동할 때에는 대퇴경골관절(넙다리정강관절)과 대퇴슬개관절(넙다리무릎관절)은 각각 자기가 맡은 역할을 수행한다. 예를 들면 걸을 때 다리를 앞으로 내밀려면 대퇴경골관절이 정상적으로 움직여야 한다. 대퇴경골관절 주위의 결합조직은 이 관절의 운동을 유도할 뿐만 아니라 외력을 흡수·전달하여 관절을 안정시킨다. 또, 그 관절주위에 있는 근육조직은 무릎관절 전체를 안정시키고 충격을 흡수하는 역할을 한다.

대퇴슬개관절은 정교한 무릎관절 내부를 보호함과 동시에 대퇴사두근이 하는 운동 팔(moment arm)의 역할을 크게 하여 폄토크의 효율을 높여준다. 대퇴사두근은 활동의 크기에 비례하여 무릎뼈와 넙다리뼈 사이에 커다란 압박력(compression force)을 발생시킨다.

◉ 무릎관절의 정상적인 얼라인먼트

넙다리뼈 몸쪽부분이 이루는 125도의 경체각(neck shaft angle : 대퇴골경의 중심축과 대퇴골체의 중심축이 이루는 각도)에 의해 대퇴골체 면쪽부위가 정중선에 가까워지고 정강뼈와 무릎관절이 이어진다. 정강뼈는 선 자세일 때 지면에 대해 수직이 되어야 한다. 따라서 넙다리뼈와 정강뼈가 만나는 관절은 필연적으로 직선모양이 되지 않는다.

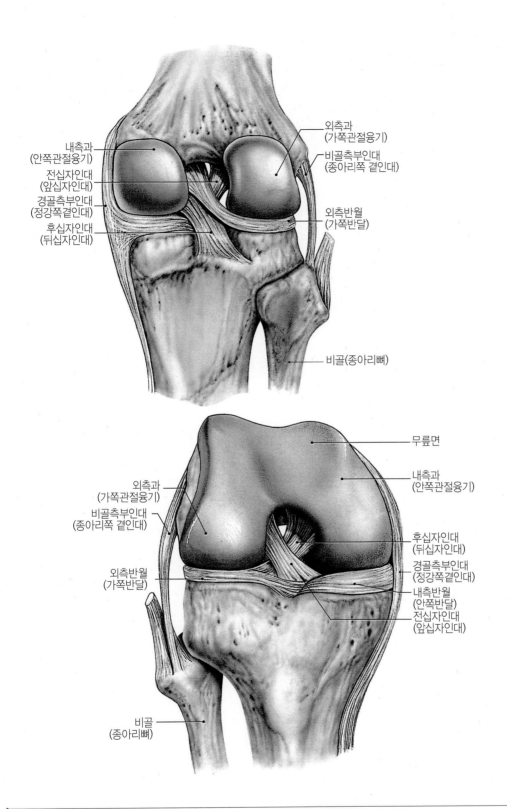

내측과
(안쪽관절융기)

전십자인대
(앞십자인대)

경골측부인대
(정강쪽곁인대)

후십자인대
(뒤십자인대)

외측과
(가쪽관절융기)

비골측부인대
(종아리쪽 곁인대)

외측반월
(가쪽반달)

비골(종아리뼈)

외측과
(가쪽관절융기)

비골측부인대
(종아리쪽 곁인대)

외측반월
(가쪽반달)

무릎면

내측과
(안쪽관절융기)

후십자인대
(뒤십자인대)

경골측부인대
(정강쪽곁인대)

내측반월
(안쪽반달)

전십자인대
(앞십자인대)

비골
(종아리뼈)

그림 6-2 | 무릎을 완전히 폈을 때(위)와 굽혔을 때(아래)의 모습(오른무릎 앞면)

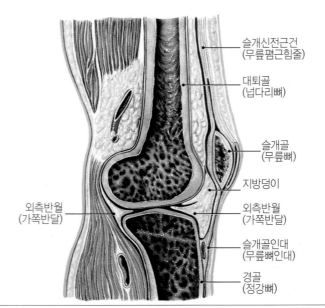

슬개신전근건
(무릎폄근힘줄)

대퇴골
(넙다리뼈)

슬개골
(무릎뼈)

지방덩이

외측반월
(가쪽반달)

외측반월
(가쪽반달)

슬개골인대
(무릎뼈인대)

경골
(정강뼈)

그림 6-3 | 무릎관절의 구조

일반적으로 넙다리뼈는 가쪽각도가 170~175도일 때 정강뼈와 접한다. 이 넙다리뼈와 정강뼈의 얼라인먼트는 정상적인 외반슬(genu valgum, 밖굽이무릎)이라고 불린다. 이 각도는 변하기 쉽다. 왜냐하면 엉덩관절(고관절)이나 발목관절에 문제가 생기면 무릎관절이 그 변화에 적응하려고 하기 때문이다.

가쪽각도가 170도 이하인 경우에는 과잉외반슬(excessive genu valgum 또는 knock-knee, 과잉밖굽이무릎)이라고 한다. 반대로 가쪽각도가 180 이상이면 내반슬(genu varum, 안굽이무릎)인데, 이는 이른바 O다리이다.

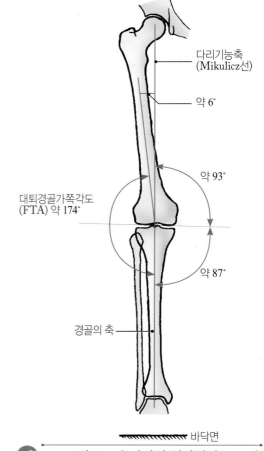

다리기능축
(Mikulicz선)

약 6°

약 93°

대퇴경골가쪽각도
(FTA) 약 174°

약 87°

경골의 축

바닥면

그림 6-4 | 다리의 얼라인먼트

⊙ 무릎관절의 운동

대퇴경골관절의 운동

대퇴경골관절(femorotibial joint, 넙다리정강관절)은 굽히기와 펴기, 안쪽돌리기와 가쪽돌리기의 두 종류의 운동을 한다. 굽히기와 펴기는 안쪽-가쪽축을 회전축으로 하는 시상면에서의 운동인데, 가동범위는 5도 과다펴기부터 130~140도 굽히기이다.

넙다리뼈의 내측과(안쪽관절융기)는 외측과보다 크며 정강뼈 내측과의 관절면도 외측과보다 길다. 따라서 굽히거나 펼 때의 어떤 움직임에서도 넙다리뼈외측과의 구르기와 미끄럼비율이 크기 때문에 과간융기를 중심으로 돌리기를 하게 된다. 굽힌 자세에서 정강뼈는 안쪽돌림자세를 취하고 있으나, 펴짐에 따라 정강뼈는 넙다리뼈에 대해 가벼운 가쪽돌림운동을 일으키고, 결국 무릎관절을 가장 안정된 자세로 유도한다(screw-home movement).

무릎관절의 안쪽돌리기와 가쪽돌리기에서 회전축은 수직축 혹은 뼈의 세로축으로, 수평면에서 이루어지는 운동이다. 이것이 축성돌리기인데, 정강뼈와 넙다리뼈 사이에서 이루어진다. 무릎관절 굽히기에서는 무릎관절 돌리기의 가동범위가 최대 40~50도이다. 그러나 무릎관절을 완전히 펴면 돌리기가 전혀 일어나지 않는다.

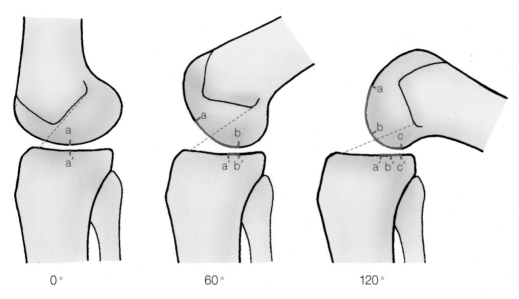

0°   60°   120°

대퇴경골관절의 굽히기-펴기에서 넙다리뼈관절융기부위는 정강뼈관절면 위를 구르기(rolling)와 미끄럼(gliding)이 복합된 움직임으로 이동한다. (a-b-c)와 (a´-b´-c´)의 거리차이가 미끄럼을 나타낸다.

그림 6-5 | 무릎관절의 운동

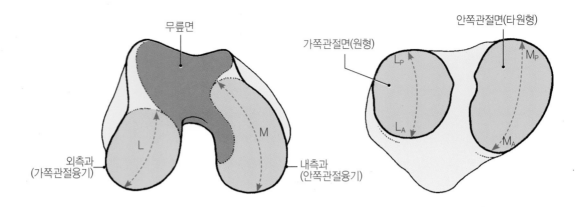

오른무릎의 넙다리뼈관절융기면
만곡면이기 때문에 내측과(medial condyle)의 길이 (M)는 외측과(lateral condyle)의 길이(L)보다 길다.

오른정강뼈위면
안쪽관절면의 길이(MA~MP)는 가쪽관절면의 길이(LA~LP)보다 길다.

 그림 6-6 | 무릎관절 돌리기

발을 바닥에 고정시킨 상태에서 돌리기가 중요한데, 이때 종종 과도하게 고정된 채로 움직이는 경우가 있다. 예를 들어 달리는 도중에 옆(90도)으로 급회전하는 움직임을 보자. 몸통 혹은 윗몸은 방향을 바꾸는 방향으로 움직이게 되고 넙다리뼈도 이에 따라 돌아가지만, 발과 정강뼈는 지면에 고정되어 있으므로 정강뼈의 관절면에 큰 비틀림이 생길 위험이 있다.

몸통을 지지하고 있는 넙다리뼈의 움직임은 지면에 고정된 정강뼈에 대해 가속도 하고 감속도 하므로 경우에 따라서는 무릎관절 주위의 근육과 인대에 커다란 부하가 걸린다. 움직임이 빠른 스포츠일수록 급격한 방향전환에 의해 무릎관절상해가 자주 발생하는데, 그 상해의 발생기전은 이러한 커다란 부하에 의해 어느 정도 설명이 가능하다.

대퇴슬개관절의 운동

대퇴슬개관절(넙다리무릎관절)은 미끄러운 무릎뼈 뒷면과 넙다리뼈의 과간고랑 사이에 있는 관절이다. 계단을 오르거나 앉았다가 일어나는 일상적인 활동은 대퇴사두근에 의한 커다란 무릎관절의 펴기 토크를 필요로 한다. 달리기, 뛰기, 등산 등의 활동에서는 이 무릎관절의 펴기 토크가 무릎뼈에 의해 증대된다. 이 토크는 넙다리뼈(혹은 신체 전체)를 위쪽으로 들어올릴 때 사용된다.

⊙ 무릎의 인대

무릎관절(knee joint)을 안쪽으로 돌릴 때나 가쪽으로 돌릴 때에는 비틀리는 힘을 아무리 많이 받아도 안정상태를 유지해야 한다. 무릎관절은 근육 외에도 앞·뒤십자인대, 안쪽·외측측부인대, 관절주머니의 뒷면구조, 반달 등에 의해 안정상태가 유지된다.

이렇게 중요한 역할을 하는 무릎관절을 이루는 결합조직의 구조와 기본적인 기능은 다음과 같다.

전십자인대와 후십자인대

십자인대(cruciate ligament)는 전십자인대와 후십자인대가 교차되어 만들어진 십자모양의 인대이다. 이 두 인대는 정강뼈와 넙다리뼈를 연결시킨다. 십자인대의 주요 제동방향은 앞뒤방향이며, 보행이나 주행 시에 일어나는 앞뒤방향의 커다란 엇밀림힘(shearing force, 전단력)에 대해 무릎관절을 안정시킨다. 따라서 앞십자인대와 뒤십자인대는 시상면에서 무릎관절을 안정시키는 가장 중요한 장치이다.

전십자인대는 축구·풋볼·스키처럼 커다란 회전력이나 옆쪽으로부터의 힘, 혹은 과도하게 펴는 힘이 무릎관절에 가해지는 스포츠를 할 때 자주 손상을 입는다. 후십자인대는 단독으로는 거의 상해가 없으나, 전십자인대와 함께 단열될 가능성이 높다.

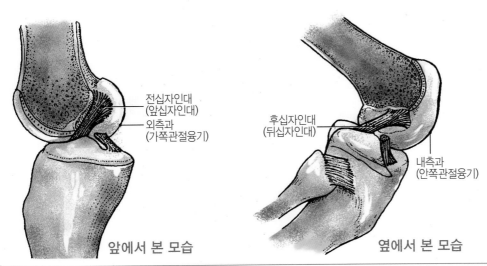

앞에서 본 모습 　　　　　　　　　　　　　　　　　　옆에서 본 모습

그림 6-7 ｜ 무릎의 십자인대

① 전십자인대의 주요기능

⫸ 전십자인대는 고정된 넙다리뼈에 대해 정강뼈가 앞쪽으로 변위되지 않도록 저항한다. 이때 발은 바닥을 접지하지 않은 상태이다.

⫸ 전십자인대는 고정된 정강뼈에 대해 넙다리뼈가 뒤쪽으로 변위되지 않도록 저항한다. 이때 발은 지면을 접지한 상태이다.

② 후십자인대의 주요기능

⫸ 후십자인대는 고정된 넙다리뼈에 대해 정강뼈가 뒤쪽으로 변위되지 않도록 저항한다. 이때 발은 지면을 접지하지 않은 상태이다.

⫸ 후십자인대는 고정된 정강뼈에 대해 넙다리뼈가 앞쪽으로 변위되지 않도록 저항한다. 이때 발은 지면을 접지한 상태이다.

내측측부인대와 외측측부인대

내측측부인대(medial collateral ligament)와 외측측부인대(lateral collateral ligament)는 무릎관절의 관절주머니 안쪽과 가쪽을 강화시킨다. 이 인대는 이마면에서 무릎관절을 안정화시키는 중요한 장치이며, 과도한 외반슬이 되지 않도록 작용한다.

내측측부인대(안쪽곁인대)는 크고 편평한 인대로, 넙다리뼈 내측상과와 정강뼈 속 몸쪽부분 사이(무릎관절의 안쪽)에 있다. 내측측부인대의 주요기능은 무릎관절을 밖굽이시키는 힘에 대항하는 것이다. 내측측부인대의 일부 섬유는 무릎관절의 안쪽반달에도 결합하므로 내측측부인대가 상해를 입으면 안쪽반달을 손상시킬 수도 있다.

외측측부인대(가쪽곁인대)는 넙다리뼈 외측상과와 비골두에 부착되어 무릎관절 가쪽을 넘어간다. 외측측부인대의 주요기능은 무릎관절을 안굽이시키는 힘으로부터 무릎관절을 보호하는 데 있다.

무릎관절은 보행이나 주행 시 스트레스를 거의 받지 않지만, 급하게 방향을 전환하거나 이마면에서 외부로부터 강한 충격을 받으면 곁인대(특히 내측측부인대)가 종종 손상된다. 축구선수가 태클을 몸 옆쪽으로 받을 때 발이 바닥을 제대로 접지하고 있더라도 무릎관절 가쪽에서 안쪽으로 힘이 가해지면 강제적으로 밖굽이무릎이 만들어져 내측측부인대가 단열될 수 있다.

측부인대의 주요역할은 무릎관절의 안쪽과 가쪽을 안정시키는 것이나, 이와 더불어 측부인대는 완전히 편 자세에서는 갑자기 긴장하므로 선 자세에서 펴진 무릎관절을 고정시키는 데 도움을 준다. 나아가 이 메커니즘에 의해 선 자세에서 대퇴사두근을 쉽게 할 수 있다. 그러나 이 인대가 긴장되면 외상을 일으키기 쉽다. 왜냐하면 무릎관절을 완

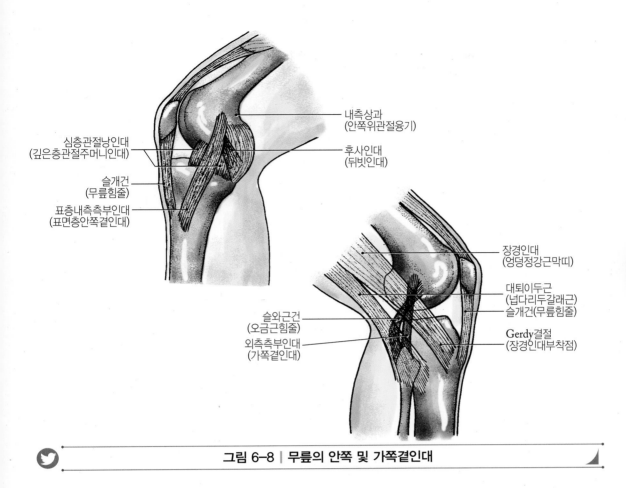

내측상과
(안쪽위관절융기)

심층관절낭인대
(깊은층관절주머니인대)

후사인대
(뒤빗인대)

슬개건
(무릎힘줄)

표층내측측부인대
(표면층안쪽곁인대)

장경인대
(엉덩정강근막띠)

대퇴이두근
(넙다리두갈래근)
슬개건(무릎힘줄)

슬와근건
(오금근힘줄)

Gerdy결절
(장경인대부착점)

외측측부인대
(가쪽곁인대)

그림 6-8 | 무릎의 안쪽 및 가쪽곁인대

전히 편 자세는 내측측부인대가 이미 충분히 늘어나 있어 충격을 받으면 단열되기 쉬운 상태이기 때문이다.

곁인대의 주요기능은 다음과 같다.

◈ **내측측부인대** : 밖굽이에 의해 무릎관절에 생기는 힘에 저항한다.

◈ **외측측부인대** : 안굽이에 의해 무릎관절에 생기는 힘에 저항한다.

◈ **완전히 편 자세에서 두 곁인대의 긴장** : 무릎관절의 고정을 돕는다.

◉ 무릎의 반달

반달(meniscus, 반월, 반월판)은 안쪽 및 가쪽의 정강뼈관절면의 가장자리를 덮는 섬유연골(fibrous cartilage)이다. 반달의 가장자리는 쐐기모양으로 두꺼워져 있어 관절접촉면의 안정성을 높이고 관절면에 더해지는 충격력을 분산·흡수하는 기능을 한다.

　내측반달(medial meniscus)과 외측반달(lateral meniscus)은 반달모양의 섬유연골원판이며, 정강뼈의 내측과와 외측과 위에 있다. 이러한 반달은 체중과 근육수축에 의해 생긴 무릎관절에 걸리는 압박력을 흡수하는 역할을 한다. 보행 중 무릎관절에 걸리는 압박력은 체중의 2~3배에 달한다.

　체중부하에 의해 반달이 가쪽으로 넓어져 관절의 접촉면적이 3배 가까이 커짐으로써 무릎관절에 걸리는 압력을 감소시킨다. 또한 반달은 컵모양을 하면서 무릎관절의 관절면을 덮어 접합을 좋게 한다. 이 때문에 무릎관절의 관절기능이 좋아지며, 나아가 반월에 의해 무릎관절은 좀 더 안정된다.

　내측반달의 일부는 내측측부인대와 결합된다. 이런 이유로 내측측부인대가 과도하게 스트레스를 받거나 변형되면 안쪽반달을 손상시킬 가능성이 있다.

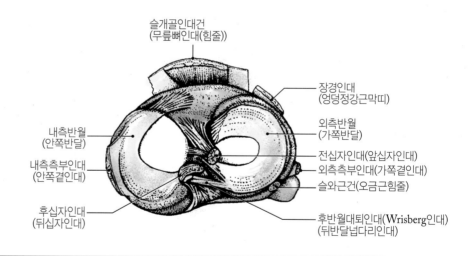

그림 6-9 | 반달(반월, 반월판)

◉ 종아리의 뼈

종아리는 정강뼈(tibia)와 종아리뼈(fib-ula)라는 2개의 뼈로 구성되어 있으며, 발관절(articulations of foot)과 무릎관절(knee joint)을 이어주고 있다. 이 2개의 뼈는 골간막(interosseous membrane, 뼈사이막)으로 불리는 강인한 막에 의해 세로방향으로 결합되어 있다.

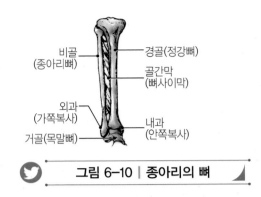

비골
(종아리뼈)

경골(정강뼈)

골간막
(뼈사이막)

외과
(가쪽복사)

내과
(안쪽복사)

거골(목말뼈)

그림 6-10 | 종아리의 뼈

◉ 종아리의 근육

종아리의 근육은 앞면의 폄근육, 바깥쪽의 가쪽근육, 뒷면의 굽힘근육으로 나눌 수 있다.

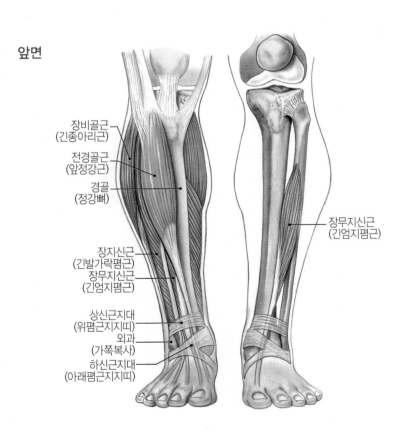

앞면

장비골근
(긴종아리근)

전경골근
(앞정강근)

경골
(정강뼈)

장지신근
(긴발가락폄근)

장무지신근
(긴엄지폄근)

상신근지대
(위폄근지지띠)

외과
(가쪽복사)

하신근지대
(아래폄근지지띠)

장무지신근
(긴엄지폄근)

6

무릎 및 종아리의 구조와 질환별 관리

옆면

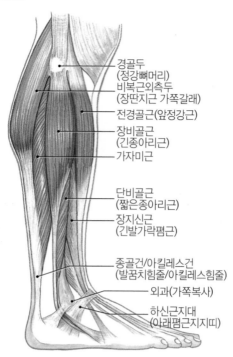

경골두
(정강뼈머리)
비복근외측두
(장딴지근 가쪽갈래)
전경골근(앞정강근)
장비골근
(긴종아리근)
가자미근

단비골근
(짧은종아리근)
장지신근
(긴발가락폄근)

종골건/아킬레스건
(발꿈치힘줄/아킬레스힘줄)
외과(가쪽복사)
하신근지대
(아래폄근지지띠)

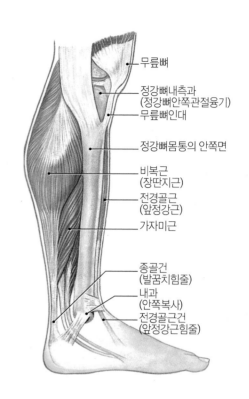

무릎뼈
정강뼈내측과
(정강뼈안쪽관절융기)
무릎뼈인대

정강뼈몸통의 안쪽면

비복근
(장딴지근)
전경골근
(앞정강근)
가자미근

종골건
(발꿈치힘줄)
내과
(안쪽복사)
전경골근건
(앞정강근힘줄)

뒷면

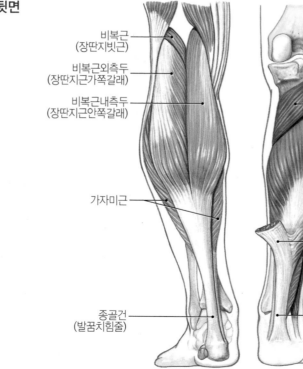

비복근
(장딴지빗근)
비복근외측두
(장딴지근가쪽갈래)
비복근내측두
(장딴지근안쪽갈래)

가자미근

종골건
(발꿈치힘줄)

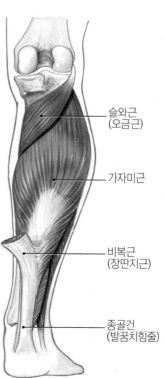

슬와근
(오금근)

가자미근

비복근
(장딴지근)

종골건
(발꿈치힘줄)

그림 6-11 | 종아리의 근육

⊙ 종아리의 근막

종아리의 근막은 종아리의 근육을 둘러싸지만 정강뼈 안쪽면에는 없다. 이 근막은 근간중격(뿌리사이중격)을 형성한다. 그중 전하퇴근간막(앞종아리근육사이막)은 장지신근(긴발가락폄근)과 장비골근(긴종아리근) 사이에 있고, 후하퇴근간막(뒤종아리근육사이막)은 장비골근과 하퇴삼두근(종아리세갈래근, 가자미근) 사이에 있어 종아리의 근육을 3가지로 나눈다.

또 이 근막은 종아리 뒷면에서 표면층과 깊은층으로 나누어지고, 하퇴삼두근과 그 힘줄(아킬레스힘줄)을 둘러싸고 있다. 이 근막은 종아리폄쪽의 외과(가쪽복사)와 내과(안쪽복사) 윗부분에서 두꺼워져 상신근지대(위폄근지지띠)를 형성한다. 내과와 외과에서 발등을 비스듬하게 넘어 발바닥의 양쪽 모서리에 퍼져 하신근지대(아래폄근지지띠)를 만들어 종아리폄근의 힘줄을 덮는다.

⊙ 무릎의 관리지침

다음은 무릎의 기능회복을 위한 기본 관리지침이다.

- ⇒ 경골대퇴관절과 슬개대퇴관절의 가동성 및 관절가동범위 증대를 위한 결합조직과 무릎관절근육군의 신장성 향상
    * 완전히 펴기와 115~120도 굽히기
- ⇒ 대퇴골활차구에서 무릎뼈 운동궤적
- ⇒ 무릎관절의 안정성과 기능을 위한 근력 · 지구력 · 신경근의 반응/제어
- ⇒ 안전한 생체역학, ADL, IADL 및 일과 스포츠활동을 위한 몸통과 사지의 기능조정
- ⇒ 관련한 신체영역 · 시스템의 기능
    * 심폐지구력
    * 고관절과 발목관절의 근력, 안정성, 유연성
    * 팔의 근력과 유연성

⊙ 관절가동범위 증대를 위한 운동

| 관절 모빌리제이션

목적 : 무릎 굽히기 증대
방법
➤ 누워서 정강뼈 몸쪽을 뒤쪽으로
활주시킨다.

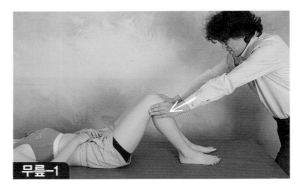
무릎-1

목적 : 무릎 굽히기 증대
방법
➤ 앉아서 정강뼈 몸쪽을 뒤쪽으로
활주시킨다.

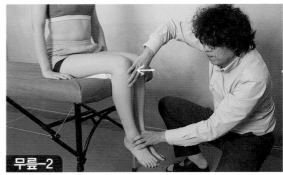
무릎-2

목적 : 무릎 펴기 증대
방법
➤ 엎드려 정강뼈 몸쪽을 앞쪽으로
활주시킨다.
※ 넙다리 먼쪽 밑에 접은 타월을 받쳐
무릎뼈의 압박을 피한다.

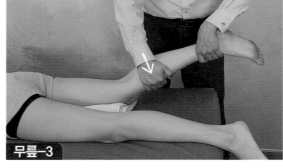
무릎-3

목적 : 무릎 굽히기에 대한 무릎뼈
의 가동성 증대
방법 : 무릎뼈의 아래쪽활주법
➤ 무릎뼈를 넙다리에 평행으로 미
끄러뜨린다.
※ 무릎뼈로 대퇴골관절을 압박하지 않
는다.

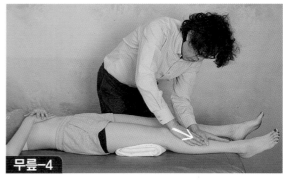
무릎-4

목적 : 무릎뼈 운동궤적 개선

방법 : 무릎뼈의 안쪽활주법

- ·))» 한쪽 손바닥을 무릎뼈 가쪽모서리에 대고, 다른 손을 무릎관절의 안쪽에 두고 대퇴골관절과를 고정시킨다.

- ·))» 무릎뼈를 앞쪽으로 활주시킨다.

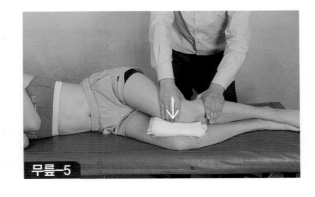

무릎-5

목적 : 외측슬개지대 마사지

방법

- ·))» 무릎뼈의 안쪽면을 뒤쪽에서 압박을 가한다.

- ·))» 동시에 무릎뼈의 가쪽모서리를 강하게 쓰다듬는다.

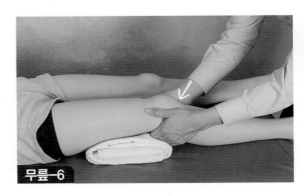

무릎-6

| 운동병용 모빌리제이션

목적 : 정강뼈 안쪽돌리기를 병용한 무릎관절 굽히기 증대

방법

- ·))» 누워서 무릎을 굽힌다.

- ·))» 앞안쪽과 뒤가쪽의 정강뼈정점에 압박을 가하면서 양손으로 정강뼈를 안쪽으로 돌린다.

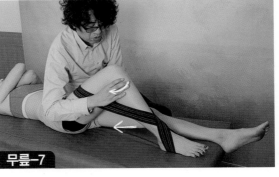

무릎-7

- ·))» 동시에 환자는 발에 두른 세라밴드를 당겨 무릎을 굽힌다.

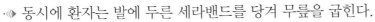

| 스트레칭

목적 : 무릎 굽힘근육군(굴근군) 스
트레치(무릎을 펴는 범위 증대)

방법 : 발꿈치를 올리고 중력을 이
용한 무릎 펴기

  ⠿▶ 다리를 들어올리기 위하여 둥글
    게 만 타월 위에 발목을 올리고
    넙다리를 치료대에서 뗀다.

  ⠿▶ 넙다리 먼쪽(무릎뼈의 몸쪽)를 누르면서 스트레치한다.

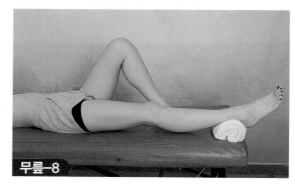

무릎-8

목적 : 무릎관절 굽힘근육군의 스트
레치(무릎을 펴는 범위 증대)

방법 : 누워서 종아리를 치료대 밖
으로 내민다. 중력을 이용한 무릎관절
펴기

  ⠿▶ 종아리 먼쪽에 무거운 추밴드를
    둘러 스트레치 효과를 높인다.

※ 넙다리 밑에 접은 타월을 받쳐 무릎뼈의 압박을 피한다.

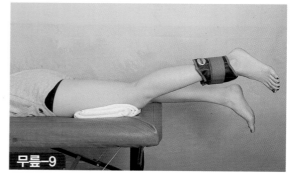

무릎-9

목적 : 무릎관절 폄근육군(신전근)
스트레치(무릎 굽히기 증대)

방법 : 발판 스트레칭

  ⠿▶ 발판에 발을 올리고, 체중을 앞
    으로 이동한다.

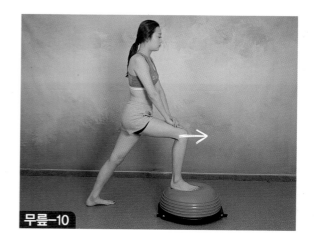

무릎-10

목적 : 무릎관절 폄근육군 스트레치
(무릎 굽히기 증대)

방법

))) 발바닥을 바닥에 붙인 채로 의
자의 앞쪽으로 이동한다.

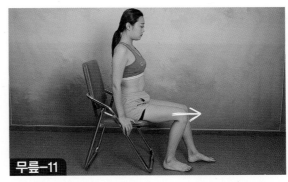

목적 : 무릎관절 폄근육군 스트레치
(무릎 굽히기 증대)

방법

))) 반대쪽 종아리로 정강뼈 먼쪽을
스트레치한다.

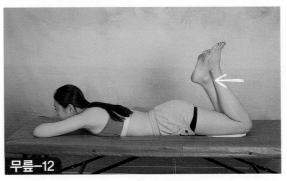

목적 : 장경인대 스트레칭

방법

))) 한 손으로 골반을 고정시킨다.

))) 무릎을 수동적으로 굽히고 고관
절은 벌린 다음 고관절을 편다.
대전자 위에 장경인대가 위치하
도록 한다.

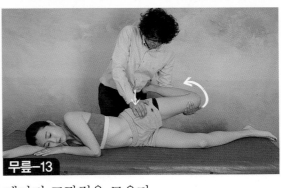

))) 무릎관절 가쪽면에 신장력이 느껴질 때까지 고관절을 모은다.

◉ 종아리의 관리지침

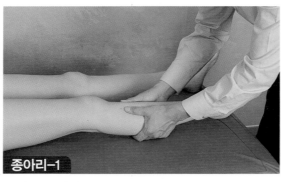

조직의 워밍업_
근막이완, 주무르기, 신전법으로 종아리 앞면을 워밍업
한다.

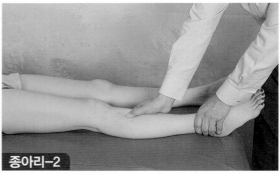

전경골근_
전경골근을 강하게 쓰다듬는다. 과민한 부위에는 트리거
포인트 테라피와 스트레치를 실시한다.

비골근_
경골근을 강하게 쓰다듬는다. 과민한 부위에는 트리거포
인트 테라피와 스트레치를 실시한다.

발목운동_
발목을 관절가동범위 전체로 움직인다. 발목을 중립자세
로 한 상태에서 천천히 견인한다.

종아리 앞면을 강하게 쓰다듬어 정맥환류를 촉진하여 마
무리한다.

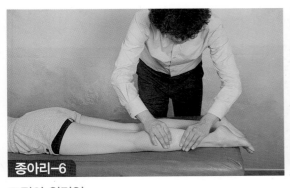

조직의 워밍업_
근막이완, 주무르기, 신전법으로 종아리 뒷면 조직을 워밍업한다.

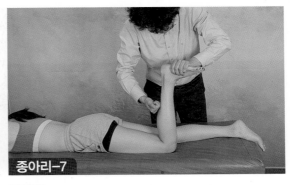

비복근_
비복근을 강하게 쓰다듬는다. 긴장이 항진된 부위에는 압박법을 시술한다. 압박법과 강찰법(강하게 쓰다듬기)을 이용하면서 관절가동범위운동을 실시하여 근육을 늘여준다.

가자미근_
가자미근은 비복근 아래에 있으며, 종아리의 안쪽면과 가쪽면에서 만질 수 있다. 비복근을 옆으로 비켜놓고 강하게 쓰다듬은 다음 손가락을 이용하여 압박법을 시술한다.

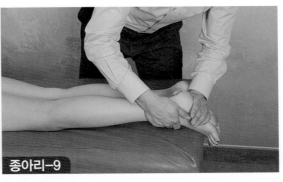

발목의 힘줄과 인대_
발목의 인대와 아킬레스힘줄을 강하게 쓰다듬는다.

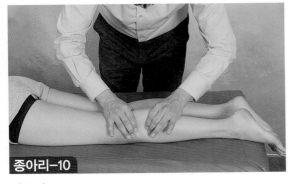

마무리_
근육 쥐어짜기와 강하게 쓰다듬기로 정맥환류를 촉진하여 마무리한다.

6

무릎 및 종아리의 구조와 질환별 관리

31 DISEASE 무릎통증

31-1 무릎통증의 원인

무릎은 넙다리뼈와 종아리(정강뼈와 종아리뼈가 있다)가 맞물리는 곳으로 고(엉덩)관절·무릎관절·발목관절의 3대 관절 중에서 가장 아프기 쉬운 곳이다.

무릎통증 중에서 특히 많은 증상은 변형성 무릎관절염인데, 이것은 젊은 때에 무릎을 혹사한 사람과 50세 전후, 또는 그 이상된 사람이 걸리기 쉬운 병이다. 고령이 되면 대퇴사두근과 비복근이 약해져 무릎에 부담이 가기 때문에 관절의 굳음과 통증을 일으키거나, 물이 고여서 굳는다. 특히 잠자리에서 일어날 때나 앉아 있다가 갑자기 설 때에 강한 통증을 느낀다. 걷고 있는 동안은 통증이 가볍다가도 피곤해지면 다시 통증이 강해진다. 따라서 대퇴사두근과 비복근이 튼튼하여야 무릎통증을 막을 수 있다.

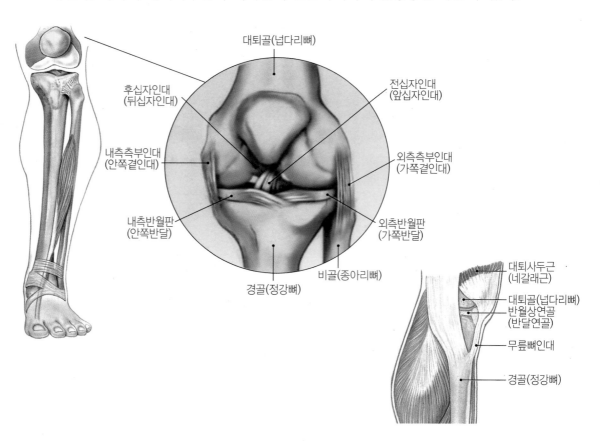

31-2 무릎통증의 관리

◦))) 따뜻한 물수건으로 무릎찜질을 하고, 부었을 때는 찬 물로 찜질을 한다.

◦))) 찜질을 5~10분 정도 해주고, 그림의 경혈 순서에 따라 엄지로 3~5초 정도 지속압을 수시로 실시한다.

◦))) 초기 증상이면 누워서 아픈 다리를 오므렸다 순간적으로 세게 차주는 것을 기회가 있는 대로 실시하면 많은 효과가 있다.

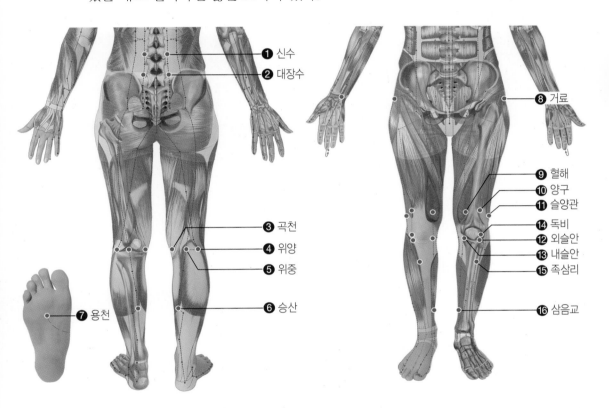

6

무릎 및 종아리의 구조와 질환별 관리

◦))) 양손 검지와 엄지로 무릎 뒤쪽 움푹 패인 곳의 중앙에 있는 위중혈 양옆의 근육을 집어서 주물러준다.

◦))) 한번에 50~60회씩 하루에 2~3회 한다. 위중의 바깥쪽에 있는 위양도 효과가 있으므로 동시에 주물러주면 효과가 있다.

◦))) 발목 뒤쪽도 엄지와 검지를 사용해서 집어서 주무르되, 위중혈과 같은 횟수로 한다.

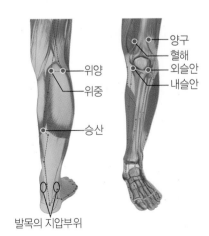

슬내측 압통점

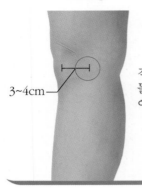

직경 3~4cm 정도
들어가면 아픈 곳
이 있다.

3~4cm

이 곳은 류머티스나 무릎관절통의 경우에 무릎 안쪽에 나타나는 압통점·치료점이다. 무릎뼈의 안쪽 가장자리로부터 무릎 안쪽 3~4cm 들어간 곳에 있으며, 손가락으로 누르면 통증이 있다. 이 맥은 때때로 위치가 바뀌기 때문에 계속해서 압통점을 찾아 지압을 해야 한다. 여러 군데가 아플 때에는 가장 아픈 곳부터 지압한다.

31-3 무릎통증의 자가관리

무릎통증을 일상생활에서 완화시키는 방법은 다음과 같다.

◉ **체중을 줄인다**……무릎통증은 뚱뚱한 사람에게 많은 증상이다. 무릎에 걸리는 부하를 적게 하기 위해서는 감량이 필요하다. 간식과 단음식을 줄이고 편식을 하지 않도록 자기억제를 하는 것이 가장 중요하다.

◉ **따뜻하게 한다**……급하게 또는 심하게 아픈 때에는 우선 차갑게 하는 것이 효과적이지만, 그밖의 경우에는 따뜻하게 해주는 것이 효과가 있다. 보온방법은 핫팩(hot pack)이나 따뜻한 물수건 등 따뜻하게 할 수 있는 것으로 환부를 감싼다.

◉ **운동을 한다**……운동을 할 때에는 무릎에 부담이 가지 않도록 하는 것이 중요하다. 의자에 앉아서 무릎을 쭉 편다. 이때 힘껏 힘을 주어 펴주지만, 급하게 펴지 않도록 하는 것이 핵심이다. 또 정좌 등 무릎을 접어구부리는 자세는 좋지 않으므로 피하도록 한다. 무릎운동은 무릎에 부담이 가지 않도록 의자에 앉아서 한다.

뜨거운 물수건으로 무릎을 따뜻하게 할 때에는 다리를 펴서 온습포를 하고, 뜨거운 팩으로 따뜻하게 할 때에는 걸을 수 있을 정도로 감아주는 것도 좋다.

무릎의 측부인대손상

32-1 무릎 측부인대손상의 원인

무릎의 측부인대(곁인대)손상은 무릎관절주머니 주위에 있는 내측측부인대(안쪽곁인대), 외측측부인대(가쪽곁인대), 슬개인대(무릎인대)의 3개 인대에 발생하는 손상을 가리킨다. 통상적으로 내·외측측부인대의 손상은 자주 발생하지만, 슬개인대가 손상되는 경우도 가끔 있다.

무릎측부인대손상의 가장 큰 특징은 손상이 되면 어느 것이든 외상경력이 확실하게 나타나는 것이다. 일반적으로 염좌인 경우에는 환부에 가벼운 통증이 있으나, 종창이나 관절의 기능장애는 없다. 부분열상인 경우에는 통증이 심하고, 피하어혈·종창·관절 기능제한 등의 증상이 동반된다. 완전파열인 경우에는 통증과 더불어 관절종창, 액체삼출, 아픈 다리의 보행곤란 등이 발생한다.

발증의 원인은 폭력적 손상과 염좌적 손상으로 나누어진다. 폭력적 손상은 대부분 높이뛰기·멀리뛰기·장애물경주 등 강한 외력에 의하여 발생하는 인대의 염좌·부분열상·완전파열인데, 이 경우에는 무릎 굽혔다펴기를 할 수 없다. 염좌적 손상은 관절 안쪽·가쪽의 타박, 종아리의 내·외반동작에 의하여 발생하는 내측·외측측부인대의 손상을 가리킨다.

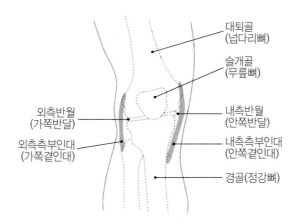

대퇴골
(넙다리뼈)

슬개골
(무릎뼈)

외측반월
(가쪽반달)

내측반월
(안쪽반달)

외측측부인대
(가쪽곁인대)

내측측부인대
(안쪽곁인대)

경골(정강뼈)

| 무릎 측부인대손상의 발생부위(안쪽)

358

관련경혈 : 음릉천, 위중, 혈해, 곡천, 기문, 아시혈(압통점) 등

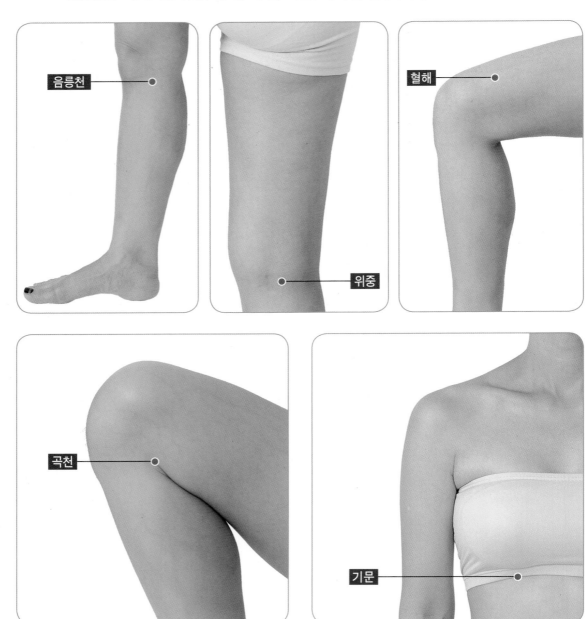

32-2 무릎 측부인대손상의 관리 환자 | 바로 누운 자세 · 옆으로 누운 자세

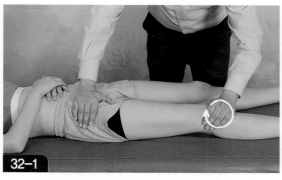

치료사는 환자 옆에 앉아서 한 손으로 대퇴(넙다리)를 짚고, 다른 손의 손바닥으로 무릎관절 안쪽의 환부를 주무른다.

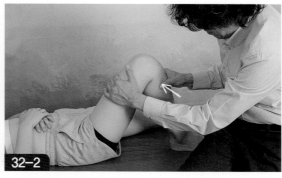

환자의 무릎을 굽혀서 한 손으로 넙다리를 짚고, 다른 손의 검지와 중지를 겹쳐 경골내측과 아래쪽에 있는 음릉천혈을 누르고 주무른다.

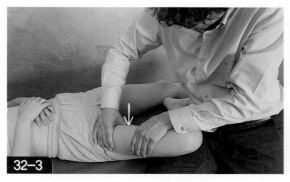

환자의 발을 치료사의 대퇴(넙다리)에 올리고, 양손 엄지를 겹쳐 넙다리 내측광근 융기부에 있는 혈해혈을 누르고 주무른다.

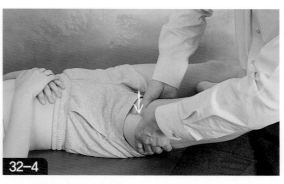

양쪽 엄지를 겹쳐 기문혈을 누르고 주무른다. 그다음 넙다리의 족태음비경 라인(봉공근, 장내전근 등)을 따라 번갈아 누르면서 비벼준다.

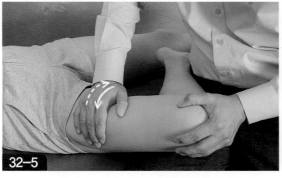

한 손으로 환자의 무릎을 짚고, 다른 손의 손바닥으로 넙다리 안쪽의 근육군을 누르고 주무른 다음 튕겨준다.

이어서 다른 쪽 아래팔의 척골쪽 근육으로 넙다리 안쪽의 근육군을 비벼준다.

환자 발쪽에 서서 한 손으로 발목을 잡고, 다른 손은 가볍게 주먹을 주고 무릎관절 아랫부분부터 넙다리 앞 안쪽근육군(내측광근, 봉공근 등)까지 주먹을 굴린다.

양손으로 무릎부터 넙다리 양쪽의 근육군(내측광근, 외측광근 등)을 따라 끼워서 누르면서 주무른다.

양손 손바닥으로 무릎 양쪽 인대를 따라 따뜻해질 때까지 비벼준다.

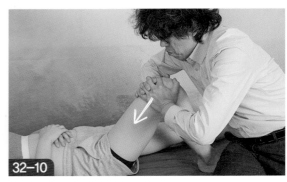

치료사는 시술대에 앉아 환자의 무릎을 굽혀 양쪽 손바닥으로 무릎 양쪽 측부인대에서 넙다리 양쪽 근육군까지 비벼준다.

환자의 발목을 치료사의 겨드랑이에 끼우고, 양손으로 무릎을 잡고 굽혔다펴준다.

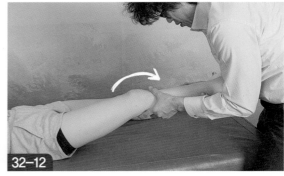

펼 때에는 무리가 없는 범위에서 실시하도록 주의한다.

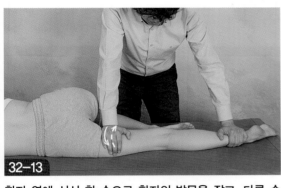

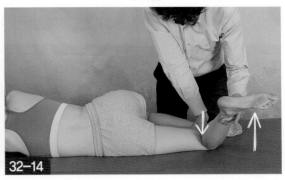

환자 옆에 서서 한 손으로 환자의 발목을 잡고, 다른 손의 손바닥으로 넙다리 안쪽의 근육군(장내전근, 봉공근, 내측광근 등)을 누른 다음 흔들어준다.

한쪽 엄지로 위중혈을 누르고, 다른 손으로 발목을 들고 무릎을 굽혔다펴준다.

6

무릎 및 종아리의 구조와 질환별 관리

33 DISEASE 신스플린트

33-1 신스플린트의 원인

신스플린트(shin splint)는 정강이 앞쪽에서 느껴지는 통증을 총칭하는 말이다. 신스플린트를 호소할 때에는 통상적으로 경골스트레스증후군(tibial stress syndrome), 골막염, 급성구획증후군, 만성구획증후군 중의 하나이다. 이러한 병적 상태는 어느 것이든 증상이 비슷하므로 진단하기 어렵다. 이때에는 의사에게 진단을 요청해야 한다.

(1) 경골스트레스증후군

경골스트레스증후군(TSS : tibial stress syndrome)은 경골골막에 염증이 동반되는 증상이다. 신스플린트, 즉 정강이통증을 호소한다면 사실 경골스트레스증후군의 통증을 호소하고 있을지도 모른다. 이 증후군은 달리는 습관이 있거나 트레드밀로 장시간을 소비하는 사람에게 많이 발생한다.

경골스트레스증후군는 근육의 스트레스나 외상이 원인은 아니다. 이것은 생체역학적인 장애이다. 달릴 때의 충격에 의한 과회내와 신발의 지지가 나쁘면 정강뼈 앞면에 통증이 발생한다. 경골스트레스증후군의 대부분은 운동할 때 발바닥아치를 교정하는 깔창이나 정강뼈의 비틀림을 막는 신발을 사용하면 해결할 수 있다.

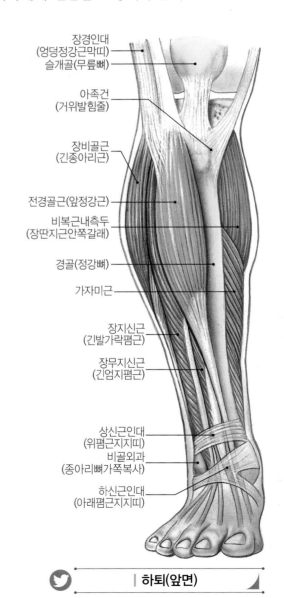

장경인대
(엉덩정강근막띠)
슬개골(무릎뼈)

아족건
(거위발힘줄)

장비골근
(긴종아리근)

전경골근(앞정강근)

비복근내측두
(장딴지근안쪽갈래)

경골(정강뼈)

가자미근

장지신근
(긴발가락폄근)

장무지신근
(긴엄지폄근)

상신근인대
(위폄근지지띠)

비골외과
(종아리뼈가쪽복사)

하신근인대
(아래폄근지지띠)

| 하퇴(앞면)

(2) 골막염

골막염은 골막, 즉 뼈를 뒤덮은 근막에 발생하는 염증이다. 골막은 근육의 부착부로서 중요한 역할을 한다. 골막염에 관계된 대표적인 근육은 전경골근, 후경골근, 가자미근이다. 이러한 근육이 경직되어 경골의 골막이 긴장하기 시작하면 미세파열이 발생하는데, 이 때문에 근육이 뼈로부터 떨어져나갈 수도 있다. 이러한 손상이 수복과 반흔조직을 형성하는 과정에서 경골표면에 특징적인 요철을 만든다.

정상적인 반흔조직의 형성과 조직의 가동성을 촉진하려면 전경골근과 후경골근에서 뭉친 부분을 마사지하는 것이 효과가 있다. 또 가자미근도 골막염에 효과를 줄 수 있는 근육이다. 가자미근이 뭉치면 경골과 비골 사이의 골간막도 뭉쳐져서 움직임이 나빠진다.

(3) 구획증후군

구획증후군(compartment syndrome)은 종아리의 근육에 혈액 등의 체액이 가득 차서 순환이 나빠져 체액이 적절히 배출되지 않게 되었을 때 발생한다. 이 부위의 근막은 비교적 두껍고 항장력이 강하므로 쉽게 퍼지지 않는다. 부종과 수분유지에 의하여 이 부위에 압력이 강해지면 정맥이 압박을 받는다. 이 압박으로 인하여 수분배출이 방해를 받아 조직이 죽게 될 수도 있다. 게다가 조직의 사망은 손상 후 겨우 6~12시간에 발생하기도 한다. 그러므로 구획증후군은 의사의 조기진단과 치료가 필수이다.

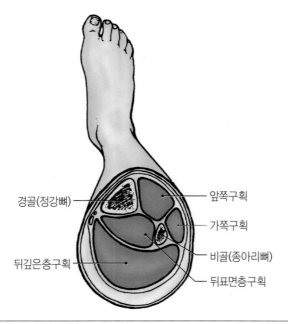

경골(정강뼈) — 앞쪽구획
— 가쪽구획
— 비골(종아리뼈)
뒤깊은층구획 — — 뒤표면층구획

| 구획증후군

종아리에는 구획증후군에 침해받기 쉬운 앞부분, 가쪽, 얕은뒷부분(표층뒤쪽), 깊은 뒷부분(심층뒤쪽)의 4개 구획이 있다.

- ⋙ 앞부분구획은 종아리 앞부분 조금 바깥쪽 경골과 비골 사이에 있다. 여기에 포함되는 근육은 전경골근, 장무지신근, 장지신근, 제3비골근이다.
- ⋙ 가쪽구획은 종아리의 바깥쪽에 있으며, 여기에 포함되는 근육은 장비골근과 단비골근이다.
- ⋙ 얕은뒷부분구획에는 비복근, 가자미근, 족저근이 포함된다.
- ⋙ 깊은뒷부분구획은 가장 손이 닿기 어렵고, 급성구획증후군이 가장 발생하기 쉬운 구획이다. 여기에 포함되는 근육은 장무지굴근, 장지굴근, 후경골근이다.

(4) 급성구획증후군

급성구획증후군은 갑자기 발증하는 심각한 장애로, 대부분 외과수술이 필요하다. 급성구획증후군은 대체로 골절, 구획 내 출혈 등으로 발생한다. 갑자기 발증하므로 수기 치료를 해서는 안 된다. 급성구획증후군은 심각한 손상으로 조직이 사망할 수도 있고, 다리를 절단해야 할 위험도 있다. 신속히 의사의 치료를 받는 것이 필수이다.

(5) 만성구획증후군

만성구획증후군은 근육의 비대, 체액의 증가, 배수능력 저하 등으로 구획 내 압력이 높아짐으로써 발증한다. 급성과는 달리 만성구획증후군은 운동이나 격렬한 활동이 원인인 경우가 많다. 이 장애를 가진 환자가 자주 호소하는 증상은 종아리의 긴장감과 부기, 발의 움직임 제한, 통증 등이다. 대부분의 경우 활동을 당분간 그만두면 증상은 사라진다. 이 종류의 구획증후군은 운동프로그램이나 신발을 바꾸거나, 신발에 깔창을 넣어서 대처할 수 있다.

33-3 신스플린트의 관리

조직의 워밍업_
근막이완, 주무르기, 신전법으로 종아리 앞면을 워밍업
한다.

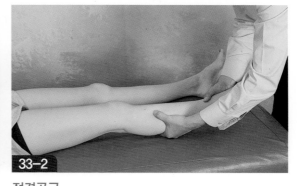

전경골근_
전경골근을 강하게 쓰다듬는다. 과민한 부위에는 트리거
포인트 테라피와 스트레치를 이용한다. 경골 안쪽끝을 따
라 깊은 신전법과 근막이완을 실시한다.

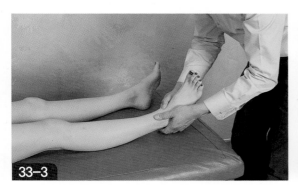

강찰법_
배굴근건을 강하게 쓰다듬는다.

스트레칭_
발을 바닥쪽으로 굽혀서 발의 배굴근(등쪽굽힘근)을 스트
레치한다.

34 DISEASE　O다리와 X다리

34-1 O다리와 X다리의 원인

(1) O다리

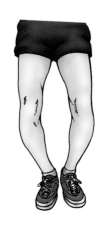

O다리(genu varum, 내반무릎, 밖굽이무릎)는 X다리의 반대형태로, 다리가 가쪽으로 구부러져 있다. O다리는 무릎가쪽의 상해, 특히 장경인대(iliotibial tract, 엉덩정강근막띠)증후군을 일으킨다. O다리는 장경인대를 쭉 펴지게 하기 때문에 무릎가쪽에서 긴장이 심해져 증상을 일으키게 된다. 그러나 O다리 경향이 있는 장거리러너가 어떤 문제도 일으키지 않고 활약하고 있다는 것도 알아둘 필요가 있다.

(2) X다리

X다리(genu valgum, 외반무릎, 밖굽이무릎)는 무릎관절에 심각한 문제를 일으킨다. 넙다리와 종아리가 이루는 각이 안쪽을 향하고 있기 때문에 체중부하가 무릎가쪽에 집중되므로 스포츠활동 시에 정상적인 무릎보다 강한 스트레스가 가해진다. X다리는 슬대퇴(무릎넙다리)통증증후군의 가장 큰 원인이 된다.

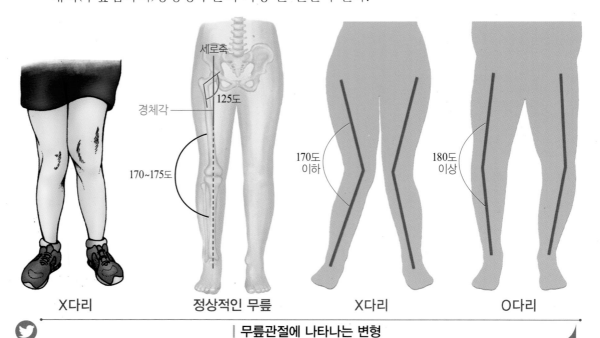

| X다리 | 정상적인 무릎 | X다리 | O다리 |

무릎관절에 나타나는 변형

34-1 O다리와 X다리의 관리

⊙ O다리의 수기치료

O다리에는 다음과 같이 수기치료를 실시하고 스트레치를 실시하면 효과가 있다.

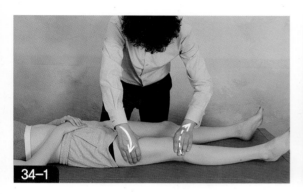

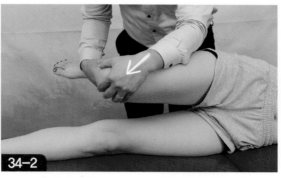

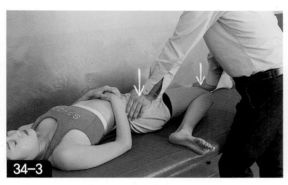

> **주의**
> 갑작스럽게 M자앉기를 여러 번 실시하면 무릎안쪽에 통증을 유발할 수 있으니 무리하지 말고 점진적으로 실시하는 것이 좋다.

⊙ O다리의 테이핑치료

O다리에는 다음과 같이 테이핑을 실시하면 효과가 있다.

34-5

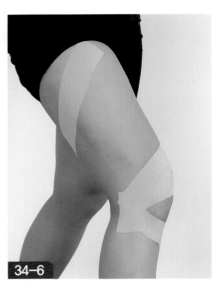

34-6

⊙ X다리의 수기치료

X다리에는 다음과 같이 마사지를 실시하고 스트레칭을 실시하면 효과가 있다.

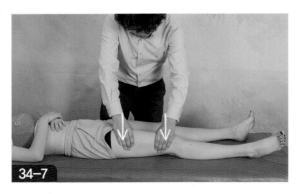

34-7

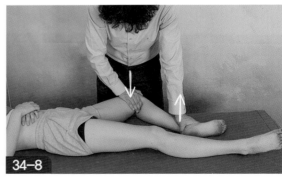

34-8

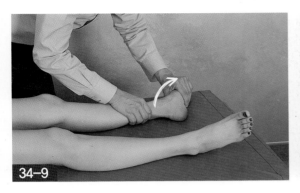

34-9

34-10

⊙ X다리의 테이핑치료

X다리에는 다음과 같이 테이핑을 하면 효과가 있다.

34-11

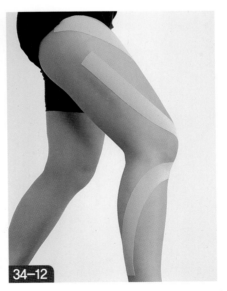

34-12

7

발목 및 발의 구조와
질환별 관리

◉ 발목의 구조

발목과 발은 많은 관절로 구성되는데, 구조적으로는 몸쪽의 관절과 먼쪽의 관절로 분류할 수 있다.

몸쪽의 관절군에는 발목관절(거퇴관절), 거골하관절(목말밑관절), 횡족근관절(가로발목뼈관절)이 있고, 먼쪽의 관절군에는 족근중족관절(발목발허리관절), 중족지절관절(발허리발가락관절), 족지절간관절(발가락뼈사이관절)이 있다. 그밖에 작은 관절들도 있지만, 여기에서는 다루지 않는다.

발목관절(talocrural joint, 거퇴관절)은 경골(정강뼈), 비골(종아리뼈), 거골(목말뼈)로 구성되는 경첩관절이다. 발목관절은 외과(가쪽복사), 내과(안쪽복사), 덮개부로 구성되는 거퇴관절와(발목관절오목 ; mortise, 장붓구멍)에 거골활차(목말뼈도르래 ; tenon, 장부)가 꼭 들어맞아 안정성을 유지하고 있다.

한편 거골활차 윗면과 덮개부의 관절면은 체중의 대부분을 지지하며, 외과와 내과의 관절면은 도르래측면의 외과면(가쪽복사면)과 내과면(안쪽복사면)에 부착되어 발바닥쪽굽히기(plantar flexion)를 유도한다.

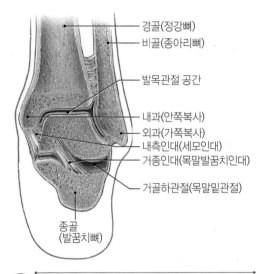

그림 7-1 │ 발목의 구조

- 경골(정강뼈)
- 비골(종아리뼈)
- 발목관절 공간
- 내과(안쪽복사)
- 외과(가쪽복사)
- 내측인대(세모인대)
- 거종인대(목말발꿈치인대)
- 거골하관절(목말밑관절)
- 종골(발꿈치뼈)

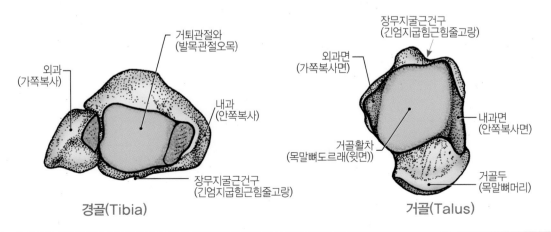

- 거퇴관절와(발목관절오목)
- 외과(가쪽복사)
- 내과(안쪽복사)
- 장무지굴근건구(긴엄지굽힘근힘줄고랑)

경골(Tibia)

- 장무지굴근건구(긴엄지굽힘근힘줄고랑)
- 외과면(가쪽복사면)
- 거골활차(목말뼈도르래(윗면))
- 내과면(안쪽복사면)
- 거골두(목말뼈머리)

거골(Talus)

그림 7-2 │ 경골(정강뼈)과 거골(목말뼈)의 구조

거골활차는 앞쪽은 넓고 뒤쪽은 좁은 사다리꼴을 하고 있다. 이로 인해 발목관절을 등쪽으로 굽힌 자세에서는 넓은 부분이 거퇴관절와(발목관절오목)에 들어맞아 골성으로 고정되지만, 발바닥쪽굽히기 자세에서는 뒤쪽의 좁은 부분이 거퇴관절와에 끼어들어서 불안정해지기 때문에 내외측으로 약간의 여유공간이 발생한다. 바닥쪽굽히기자세, 즉 내외측이 불안정한 위치에서 발의 안쪽번지기(inversion, 내번)가 강제되면 발목관절의 염좌가 발생하기 쉽다.

◉ 발목부위의 뼈와 인대

발목부위를 구성하는 크고 강한 뼈들은 인대와 결합하여 안정성을 유지하고 있다.

발목부위 관절의 안쪽에는 삼각인대(세모인대)가 있어서 내과(안쪽복사)와 종골(발꿈치뼈), 거골(목말뼈), 주상골(발배뼈)을 결합시켜 가쪽번지기(eversion, 외번)를 제어한다.

발목부위 관절의 가쪽에는 비골(종아리뼈)과 거골(목말뼈)을 잇는 전·후거비인대(앞·뒤목말종아리인대)와 비골(종아리뼈)과 종골(발꿈치뼈)을 잇는 종비인대(발꿈치종아리인대)가 있는데, 이것들이 바닥쪽굽히기 자세에서 안쪽번지기를 제어한다.

손상받기 쉬운 인대는 전거비인대(앞목말종아리인대)와 종비인대(발꿈치종아리인대)이다.

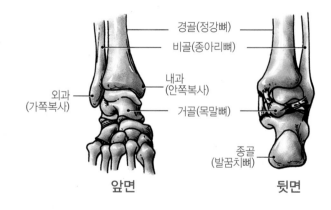

그림 7-3 | 발목부위의 뼈

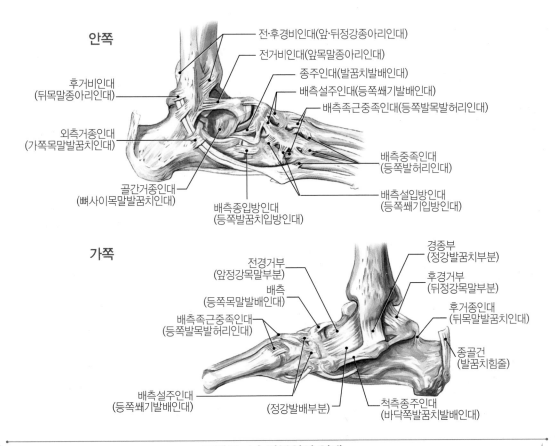

안쪽

후거비인대
(뒤목말종아리인대)

외측거종인대
(가쪽목말발꿈치인대)

골간거종인대
(뼈사이목말발꿈치인대)

전·후경비인대(앞·뒤정강종아리인대)

전거비인대(앞목말종아리인대)

종주인대(발꿈치발배인대)

배측설주인대(등쪽쐐기발배인대)

배측족근중족인대(등쪽발목발허리인대)

배측중족인대
(등쪽발허리인대)

배측설입방인대
(등쪽쐐기입방인대)

배측종입방인대
(등쪽발꿈치입방인대)

가쪽

전경거부
(앞정강목말부분)

배측
(등쪽목말발배인대)

배측족근중족인대
(등쪽발목발허리인대)

배측설주인대
(등쪽쐐기발배인대)

(정강발배부분)

경종부
(정강발꿈치부분)

후경거부
(뒤정강목말부분)

후거종인대
(뒤목말발꿈치인대)

종골건
(발꿈치힘줄)

척측종주인대
(바닥쪽발꿈치발배인대)

그림 7-4 │ 발부위의 인대

외측측부인대(가쪽곁인대)

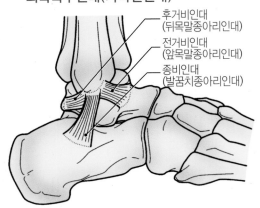

후거비인대
(뒤목말종아리인대)

전거비인대
(앞목말종아리인대)

종비인대
(발꿈치종아리인대)

발엎침자세에서 거골(목말뼈)의 모으기·안쪽돌리기에 의해 외측측부인대(특히 종비인대, 전거비인대)는 과다펴기되어 손상된다.

비골근건(종아리근힘줄)

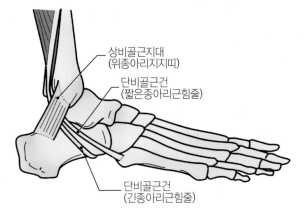

상비골근지대
(위종아리지지띠)

단비골근건
(짧은종아리근힘줄)

단비골근건
(긴종아리근힘줄)

외과의 골절에 의해 외과건구(가쪽복사힘줄고랑)의 파탄, 상비골근지대상해에 의해 비골근건탈구가 생기기 쉽다. 발의 뒤치기에 의해 종아리근 자체가 과신장되어 손상될 가능성도 있다.

그림 7-5 │ 외측측부인대와 비골근건

◉ 발목부위의 근육

발목부위의 근육은 강하지 못하다. 종아리에서 시작되는 강한 근육의 긴 힘줄은 관절면의 모든 부위를 통과하고 발부위의 관절을 옆으로 가르면서 강한 힘을 가지고 있지만, 보호나 지지장치는 거의 없다.

◉ 발목관절의 특징

발목관절(talocrural joint, ankle joint)은 목말뼈의 활차(도르래)와 경골(정강뼈)면쪽부분 및 비골(종아리뼈)로 이루어지는 오목면의 관절이다. 이 오목면은 목조건축에서 사용되는 장붓구멍과 매우 비슷하여 장붓구멍(mortise)이라고도 불린다. 발목관절은 장붓구멍에 확실히 들어맞는 거골(목말뼈)의 적합성 이외에 많은 측부인대와 근육이 지지하고, 강한 원위경비관절 등에 의해 안정성이 높아진다.

◉ 발목관절의 운동

발목관절은 발을 발등쪽과 발바닥쪽으로 굽혀준다. 이 운동은 보행에서 앞으로 나아갈 때 필수이다. 또한 발등쪽굽히기와 발바닥쪽굽히기는 앉기와 서기를 반복하는 스쿼트를 할 때 중요하다.

이 운동에서는 경골(정강뼈)이 발에 맞추어 움직인다는 점에 주목해야 한다. 예를 들어 깊이 쭈그려 앉을 때 발목관절의 발등쪽굽히기를 생각해보자. 발등쪽굽히기의 정상적인 관절가동범위는 0~20도이다. 0도 혹은 중립자세는 제5중족골(다섯째발허리뼈)과 비골(종아리뼈)이 이루는 각도가 90도가 되는 위치이다. 또, 발바닥쪽굽히기의 정상적인 관절가동범위는 0~50도이다.

발목관절에서 발등쪽굽히기와 발바닥쪽굽히기는 내과와 외과의 끝을 연결하는 안쪽-가쪽축에서 일어난다. 이것으로 뼈의 지표를 확인하면서 축을 관찰하면 관절의 움직임을 확인하기 쉬우며, 동시에 이 관절을 넘는 근육의 기능도 이해할 수 있다. 안쪽-가쪽축의 앞쪽을 주행하는 근육은 발등쪽으로 굽혀지고, 뒤쪽을 주행하는 근육은 발바닥쪽으로 굽혀진다.

발목관절의 운동은 오목면의 장붓구멍에 대해 볼록면의 거골활차(목말뼈도르래)가 움직이는 것으로 설명할 수 있다. 이 움직임은 발이 지면에서 떨어질 때 볼록면의 거골활차가 구르고, 오목면의 장붓구멍의 범위 내에서 반대방향으로 미끄러짐으로써 일어난다. 걸을 때는 발이 지면에 고정된 입각기가 유각기보다 길다. 이때에는 오목면의 장붓구멍에서 볼록면의 거골활차로 구르기가 일어나는 동시에 같은 방향으로 미끄러진다.

◉ 발의 구조

발(foot)은 28개의 뼈로 구성되어 있으며, 57개의 관절이 있다. 이들 뼈는 아치형태로 배열되어 체중부하나 보행에 적합한 구조를 이루고 있다. 즉 체중이 부하되면 발의 아치가 낮아지고, 부하가 없어지면 높아진다. 근육·인대 등은 이 아치를 지탱하는 데 도움이 된다. 발의 아치에는 안쪽아치, 가쪽아치, 가로아치의 3개가 있다.

◉ 발의 뼈와 인대

발의 안쪽아치는 종골(발꿈치뼈), 거골(목말뼈), 주상골(발배뼈), 제일설상골(첫째쐐기뼈), 제일중족골(첫째발허리뼈) 등으로 형성되어 있다. 부착되는 중요한 인대는 골간거종인대(뼈사이목말발꿈치인대), 저측종주인대(바닥쪽발꿈치발배인대), 족척건막(발바닥널힘줄) 등이다. 아치를 보강하는 근육은 후경골근·장비골근·장무지굴근이며, 아치를 낮추는 근육은 전경골근·장무지신근이다.

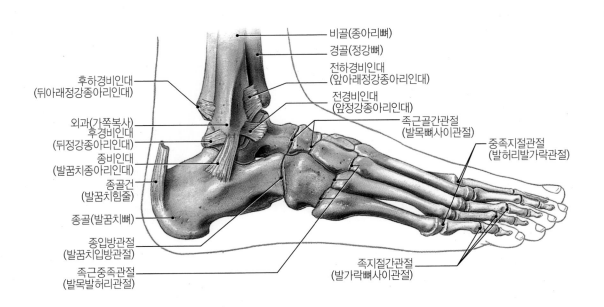

비골(종아리뼈)
경골(정강뼈)
전하경비인대
(앞아래정강종아리인대)
전경비인대
(앞정강종아리인대)
후하경비인대
(뒤아래정강종아리인대)
외과(가쪽복사)
후경비인대
(뒤정강종아리인대)
종비인대
(발꿈치종아리인대)
종골건
(발꿈치힘줄)
종골(발꿈치뼈)
종입방관절
(발꿈치입방관절)
족근중족관절
(발목발허리관절)
족근골간관절
(발목뼈사이관절)
중족지절관절
(발허리발가락관절)
족지절간관절
(발가락뼈사이관절)

그림 7-6 │ 발의 구조

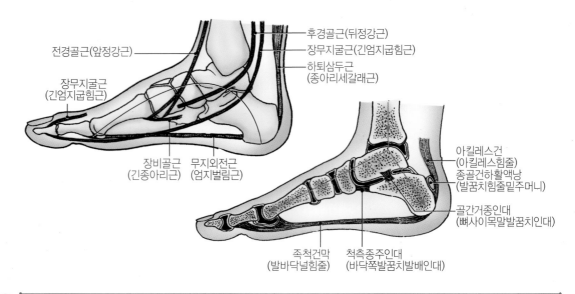

그림 7-7 │ 발의 안쪽아치를 지탱하는 근육, 건막(널힘줄), 인대

◉ 발의 신경

발에 있는 주요한 신경 2개는 경골신경(정강신경)과 비골신경(종아리신경)인데, 이 신경들은 뇌에서 시작되어 좌골신경(궁둥신경)으로 갈라진다.

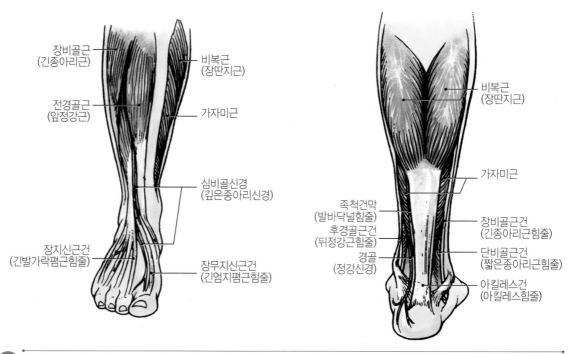

그림 7-8 │ 발과 다리를 잇는 근육과 신경

◉ 발의 근육

강한 압력을 상하로 받는 발의 움직임(걷고, 달리고, 뛰는 데 필요한 움직임)은 다리의 강한 근육에 의해 발생한다. 발의 작은 움직임이나 발가락의 움직임은 근육에 의해 이루어진다.

발의 근육은 발등의 근육과 발바닥의 근육으로 나눌 수 있다. 발등의 근육은 단무지신근(짧은엄지폄근)과 단지신근(짧은발가락폄근)이고, 발바닥의 근육은 무지구(엄지두덩)근육·소지구(새끼두덩)근육·발허리근육으로 나눌 수 있다. 아치를 보강하는 근육은 후경골근(뒤정강근)·장비골근(긴종아리근)·장무지굴근(긴엄지굽힘근)이며, 아치를 낮추는 근육은 전경골근(앞정강근)·장무지신근(긴엄지폄근)이다.

◉ 발의 근막

종아리 폄쪽의 근막과 발등근막(fascia of dorsum of foot)은 외과와 내과 윗부분에서 두꺼워져 상신근지대(위폄근지지띠)를 형성한다. 그리고 양쪽 복사의 앞쪽에서는 발등을 비스듬하게 넘어 발바닥 양쪽 모서리에 붙는 하신근지대(아래폄근지지띠)를 만든다. 종아리폄근육의 힘줄은 이들 인대 아래를 통과하고, 힘줄 주위는 손등과 같이 건초(힘줄집)로 둘러싸여 있다.

족척건막(발바닥널힘줄)은 피부밑에 있고, 발바닥근육을 덮는 표면층과 골간근(뼈사이근육) 아래를 덮는 깊은층으로 나뉜다. 표면층은 발바닥 중앙부에 강인한 건막, 즉 족척건막을 형성하며 발바닥 전체를 덮는다. 이 건막은 손에 있는 수장건막(손바닥널힘줄)에 해당된다. 그밖에 발바닥에는 종아리굽힘근육의 힘줄을 건초가 둘러싸고 있다.

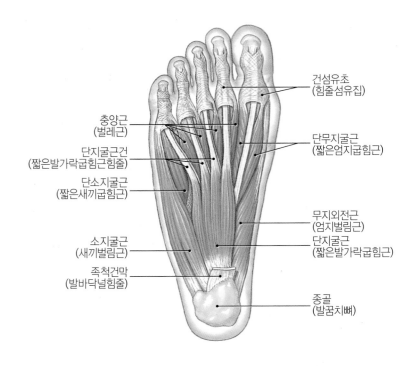

건섬유초
(힘줄섬유집)

충양근
(벌레근)

단지굴근건
(짧은발가락굽힘근힘줄)

단소지굴근
(짧은새끼굽힘근)

단무지굴근
(짧은엄지굽힘근)

소지굴근
(새끼벌림근)

족척건막
(발바닥널힘줄)

무지외전근
(엄지벌림근)

단지굴근
(짧은발가락굽힘근)

종골
(발꿈치뼈)

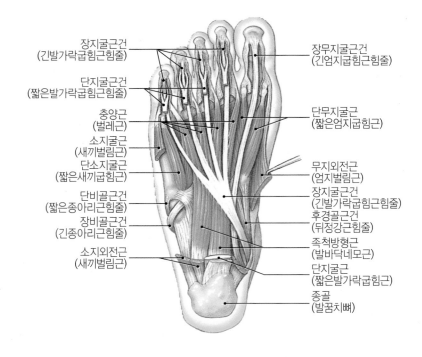

장지굴근건
(긴발가락굽힘근힘줄)

단지굴근건
(짧은발가락굽힘근힘줄)

충양근
(벌레근)

소지굴근
(새끼벌림근)

단소지굴근
(짧은새끼굽힘근)

단비골근건
(짧은종아리근힘줄)

장비골근건
(긴종아리근힘줄)

소지외전근
(새끼벌림근)

장무지굴근건
(긴엄지굽힘근힘줄)

단무지굴근
(짧은엄지굽힘근)

무지외전근
(엄지벌림근)

장지굴근건
(긴발가락굽힘근힘줄)

후경골근건
(뒤정강근힘줄)

족척방형근
(발바닥네모근)

단지굴근
(짧은발가락굽힘근)

종골
(발꿈치뼈)

그림 7-9 │ 발바닥의 근육과 힘줄

◉ 발목 및 발의 관리지침

다음은 발목관절 및 발의 기능회복을 위한 기본 관리지침이다.

⫸ 관절가동범위에 대한 관절과 연부조직의 가동성

　＊ 거퇴관절(발목관절)의 가동범위는 대부분의 운동에서 25~50도의 등쪽굽히기·바닥쪽굽히기이고, 정상 보행주기에서는 7~25도의 등쪽굽히기·바닥쪽굽히기이다.

　＊ 거골하관절(목말밑관절)의 가동범위는 평탄하거나 평탄하지 않은 곳을 걸을 때에는 22~12도의 안쪽번지기(내번)·가쪽번지기(외번)이고, 38~44도의 벌리기·모으기이다.

　＊ 중족지절관절(발허리발가락관절)의 가동범위는 보행의 입각말기 발꿈치 떼는 곳에서 85도의 펴기이다.

⫸ 안전한 생체역학, ADL, IADL 및 일과 스포츠활동

⫸ 심폐지구력

◉ 관절가동범위 증대를 위한 운동

| 관절 모빌리제이션

목적 : 후방변위한 비골두(종아리뼈머리)의 원위치

방법 : 몸쪽 경비관절(정강종아리관절)에서 비골두의 앞쪽활주법

　⫸ 한 손으로 경골(정강뼈)의 몸쪽 부위를 고정시킨다.

　⫸ 다른 손 손바닥은 비골(종아리뼈) 몸쪽의 뒷면에 둔다.

발목-1

목적 : 거퇴관절(발목관절)의 신연

방법 : 장축 견인법

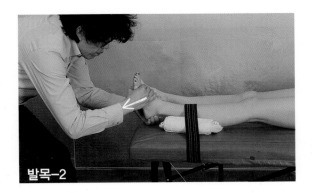

발목-2

목적 : 발목 등쪽굽히기 증대
방법 : 거골(목말뼈)의 뒤쪽활주법

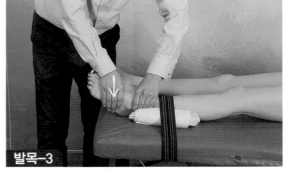

목적 : 발목 바닥쪽굽히기 증대
방법 : 거골(목말뼈)의 앞쪽활주법

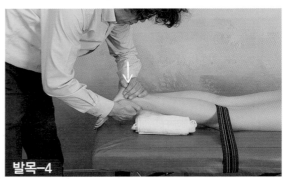

목적 : 거골하관절(목말밑관절)의 신연

방법

➠ 치료사는 고관절로 환자의 발을 지지한 채로 발목을 등쪽으로 굽혀서 거골(목말뼈)을 고정시킨다.

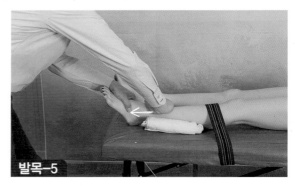

목적 : 발목 안쪽번지기(내번)의 증대

방법

➠ 환자는 옆으로 눕는다.

➠ 치료사는 고관절로 환자의 발을 지지한 채 발목을 등쪽으로 굽혀서 거골(목말뼈)을 고정시킨다.

➠ 치료대면과 수직으로 종골(발꿈치뼈)에 가쪽 활주법을 실시한다.

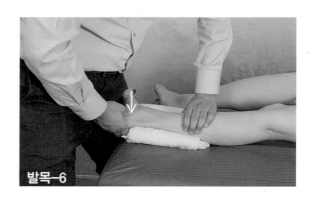

목적 : 발목 가쪽번지기(외번)의 증대
방법

⫸ 거골(목말뼈)을 고정시킨다.

⫸ 치료대면과 평행으로 종골(발꿈
치뼈)에 안쪽활주법을 실시한다.

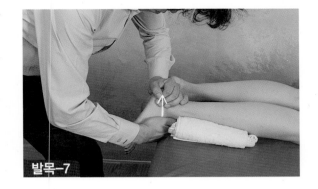

발목-7

| 운동병용 모빌리제이션

목적 : 발목 바닥쪽굽히기 증대
방법

⫸ 누워서 고관절과 무릎을 굽히고
치료대에 발꿈치를 붙인다.

⫸ 거골(목말뼈)을 바닥쪽굽힘방향
으로 움직이면서 경골(정강뼈)
에 뒤쪽활주법을 실시한다.

발목-8

목적 : 발목 등쪽굽히기 증대
방법

⫸ 의자 위에 발을 올린다.

⫸ 밴드를 이용하여 경골(정강뼈)
에 앞쪽활주법을 실시한다.

⫸ 환자는 발목을 등쪽으로 굽히기 위
하여 체중을 앞쪽으로 이동한다.

※ 운동 시에 통증을 일으켜서는 안 된다.

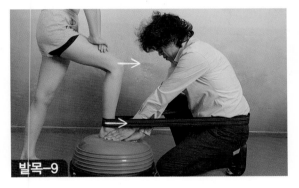

발목-9

| 스트레칭

목적 : 가자미근 스트레치(발목 등
쪽굽히기 증대)

방법 :

⫸ 발꿈치를 바닥에 붙인 채로 발
을 뒤쪽으로 미끄러뜨린다.

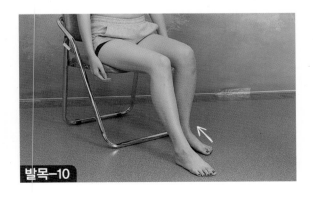

발목-10

목적 : 발목 바닥쪽굽힘근육군(저굴근) 스트레치(발목 등쪽굽히기 증대)

방법

◉》 다리를 펴고 앉는다.

◉》 타월이나 벨트를 이용하여 아킬레스힘줄을 스트레치한다.

◉》 비복근과 가자미근을 스트레치할 때에는 무릎을 펴고, 가자미근을 스트레치할 때에는 무릎을 가볍게 굽힌다.

발목-11

목적 : 서서 벽을 이용한 스트레칭

방법

◉》 손으로 벽을 짚고 한 발을 앞으로 하고 선다.

◉》 벽을 밀면서 발을 교대한다.

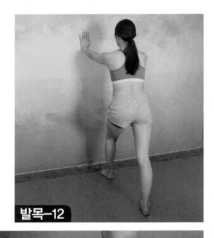
발목-12

목적 : 경사대를 이용한 스트레칭

방법

◉》 경사대 위에 양발을 올린다.

◉》 발꿈치를 들었다내린다.

발목-13

목적 : 발의 가쪽 또는 안쪽 스트레치(내번 및 외번의 증대)

방법

◉》 발바닥 앞쪽에 타월을 건다.

◉》 발을 안쪽번지기(내번)를 위하여 타월의 안쪽을 잡아당기고, 가쪽번지기(외번)을 위하여 타월의 가쪽을 잡아당긴다.

발목-14

목적 : 발가쪽 스트레치(내번 증대)

방법

◦⫸ 의자에 앉아서 경사대에 발을 올린다.

◦⫸ 고관절이 벌어지지 않도록 종아리를 중립위치로 고정시킨다.

◦⫸ 스트레치감을 높이기 위하여 무릎보다 대퇴 먼쪽을 바닥쪽으로 누른다.

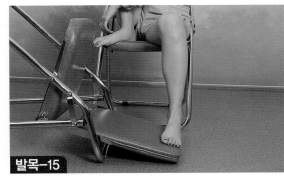

발목-15

목적 : 족저근막 스트레치

방법

◦⫸ 양손으로 무릎을 바닥쪽으로 누른 채 발바닥으로 딱딱한 통(플라스틱 물통이나 캔)을 앞뒤로 굴린다.

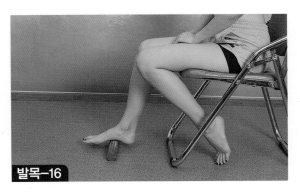

발목-16

목적 : 족지굴근군(발가락굽힘근육군) 스트레치(중족지절관절 펴기 증대)

방법

◦⫸ 의자에 앉아서 바닥에 발가락을 붙인 상태에서 발꿈치를 들어올린다.

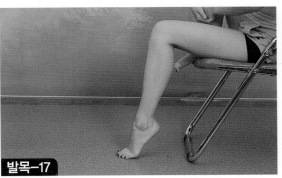

발목-17

목적 : 족지굴근군(발가락폄근육군) 스트레치(중족지절관절 굽히기 증대)

방법

◦⫸ 의자 또는 받침대에 올라가서 발가락을 내민다.

◦⫸ 내민 발가락을 굽힌다.

발목-18

발목 및 발의 구조와 질환별 관리

7

발목관절염좌

35-1 발목관절염좌의 원인

발목관절염좌는 발생빈도가 높은 스포츠상해 중의 하나이다. 불안정한 보행자세, 점프 시 고르지 못한 지면에 착지 등을 하면 발목관절에 과도한 내·외번력이 가해지면 발목관절 주위의 인대에 과신전이나 파열과 같은 손상이 발생한다.

발목관절염좌에는 내번염좌(안쪽번짐염좌)와 외번염좌(가쪽번짐염좌)가 있으나, 내번염좌가 많이 나타난다. 내번염좌는 외과(가쪽복사) 주위의 인대(전거비인대, 후거비인대, 종비인대)를 손상시키기 쉽고, 외번염좌는 내과(안쪽복사) 주위의 인대(삼각인대, 후경골근건, 장지굴근건)도 손상시킨다.

손상을 입은 후 얼마 되지 않아 발목관절의 안쪽·가쪽에 통증이 나타나고, 보행 및 주행 시에 통증이 증가한다. 동시에 환부의 종창·열감, 피하출혈, 운동제한 등이 동반될 수도 있다.

그런데 염좌(뼘, sprain, distortion)와 좌상(타박상, bruise, strain)의 차이를 이해하는 것은 중요하다. 이러한 손상에 대한 접근은 다양하여 무엇을 이용할 것인가는 손상부위의 구조에 따른다.

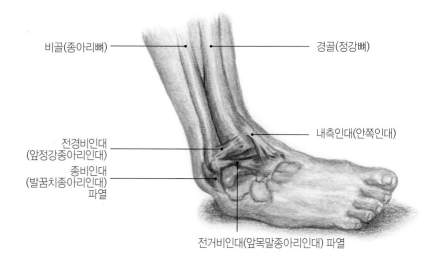

비골(종아리뼈) — 경골(정강뼈)

전경비인대
(앞정강종아리인대)

종비인대
(발꿈치종아리인대)
파열

내측인대(안쪽인대)

전거비인대(앞목말종아리인대) 파열

발목관절염좌의 형태

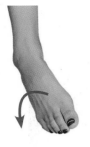

외번(가쪽번짐)

염좌(high ankle sprain)

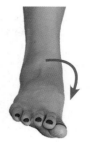
내번(안쪽번짐)

| 발목관절염좌의 원인

7

좌상(挫傷)은 대체로 근육의 과잉수축 또는 급격한 신장(늘어남)으로 발생한다. 좌상은 근복·힘줄이나 근육·힘줄의 연결부위에서 발생한다.

좌상의 중증도에 따라 분류한 등급은 다음과 같다.

- ⫸ 1도좌상은 가벼운 좌상으로, 미세한 파열이다. 1도좌상에서는 강도는 상실되지 않으며, 불쾌감의 정도도 미약하다.
- ⫸ 2도좌상은 근육섬유의 파열과 강도의 상실이다. 이 경우는 분명하게 강도가 상실되어 활동 시에 통증이 있다.

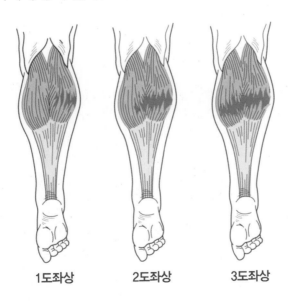

1도좌상　　2도좌상　　3도좌상

| 근육좌상

◟❱ 3도좌상은 더욱 중증으로, 근건(근육힘줄)단위의 완전한 파열이다. 이는 뼈에 부착된 부분 또는 근육 자체에 발생한다. 이 경우에는 근육이 부어서 부풀어 오르므로 그 부위의 피부표면에 확실한 변화가 있다. 3도좌상을 입으면 통증이 심하고 근육이 약해지므로 활동을 계속할 수 없게 된다.

염좌(捻挫)는 인대가 너무 늘어났거나 끊어졌을 때에 발생한다. 인대가 끊어지는 이유는 대체로 비트는 힘 또는 전단력(剪斷力, shearing force)이 갑자기 가해졌기 때문이다. 염좌나 좌상 모두 중증도에 따라 불쾌감, 부기, 열, 색의 변화 등이 나타난다. 인대가 손상되면 관절의 안정에도 영향을 미친다.

염좌의 등급을 중증도에 따라 분류하면 다음과 같다.

◟❱ 1도염좌는 인대가 과도하게 늘어났거나 조금 끊어진 상태이다. 이 상태에서는 활동 시에 가벼운 통증이 있으나 일상활동에 영향은 없으며, 관절의 안정성에도 변화가 없다.

◟❱ 2도염좌는 부기와 통증을 동반하는 인대의 파열이다. 이 경우에는 손상되는 순간에 '똑' 하는 소리가 나기도 한다.

◟❱ 3도염좌에서는 인대가 완전히 파열된 상태이다. 이 상태에서는 관절이 지극히 불안정하고 통증이 있다.

관련경혈 : 곤륜, 양릉천, 구허, 족삼리, 해계, 현종 등

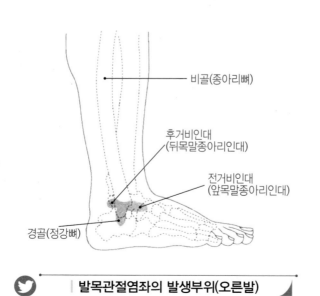

비골(종아리뼈)

후거비인대
(뒤목말종아리인대)

전거비인대
(앞목말종아리인대)

경골(정강뼈)

■ 발목관절염좌의 발생부위(오른발)

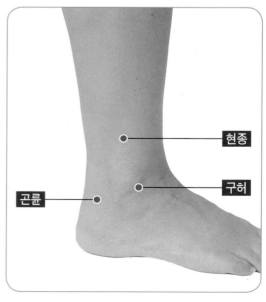

현종

구허

곤륜

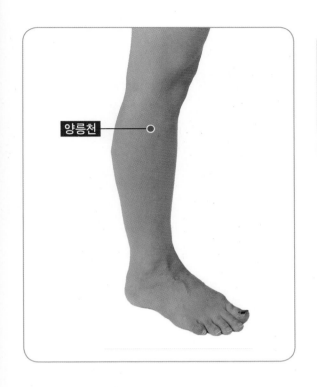

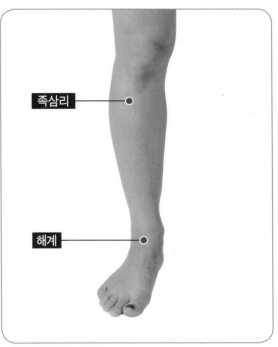

35-2 발목관절염좌의 관리

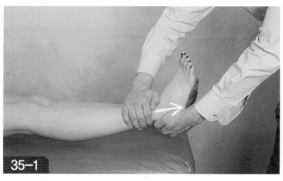

치료사는 환자 발쪽에 앉아 양손으로 발목을 잡고 치료 사쪽으로 천천히 당겼다 천천히 되돌린다.

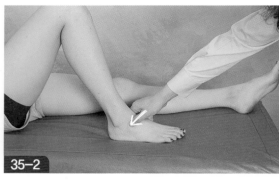

한쪽 엄지로 가쪽복사 앞쪽아래에 있는 구허혈을 누르고 가볍게 주무른다.

한쪽 엄지로 종아리 가쪽, 비골의 앞쪽에 있는 현종혈을 누르고 가볍게 주무른다.

환자 발쪽에 서서 한 손으로 발을 잡고, 다른 손 엄지로 발목 앞면 중앙의 오목부위에 있는 해계혈을 누른다.

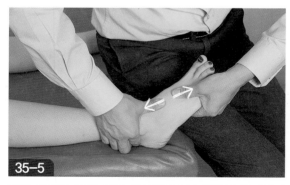

환자 옆쪽에 앉아 양쪽 엄지안쪽으로 발등의 골간근과 힘줄을 밀면서 비벼준다.

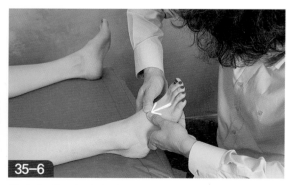

환자의 발쪽에 앉아 양쪽 네손가락으로 발을 잡고, 양쪽 엄지를 겹쳐 발등의 골간근과 힘줄을 밀면서 비벼준다.

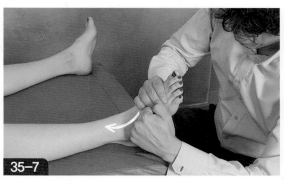

한 손으로 발을 가볍게 짚고, 다른 손으로 주먹을 가볍게 쥐고 손날로 발등을 비벼준다.

한 손으로 발목을 짚고, 다른 손으로 발가락을 비틀면서 하나씩 잡아 늘여준다.

양쪽 손바닥으로 발목을 양쪽에서 잡고, 발목에서 종아리까지 압박해 올라간다.

환자 옆쪽에 앉아 양손으로 발등부터 아픈 곳까지 잡고 압박해 올라간다.

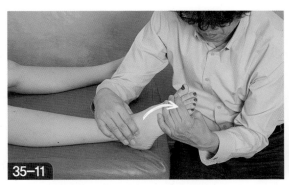

한 손으로 환자의 발목을 잡고, 다른 손으로 발을 잡고 발바닥쪽으로 굽혀준다.

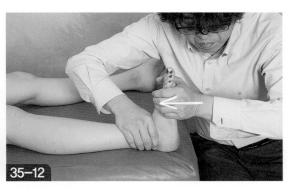

앞의 자세에서 발을 발등쪽으로 굽혀준다.

36 DISEASE 족저근막염

36-1 족저근막염의 원인

족저근막이란 발바닥의 족근골과 족저골을 감싸고 있는 결합조직의 두꺼운 띠이다. 이 띠는 종골(발꿈치뼈)에서 5개의 중족골두(발허리뼈머리)까지 퍼져 있다. 족저근막은 고무밴드와 같이 장력이 있어 보행 시에는 어느 정도 늘어나 발의 아치를 유지하고, 몸을 지지하여 균형을 잡는 데 도움이 된다.

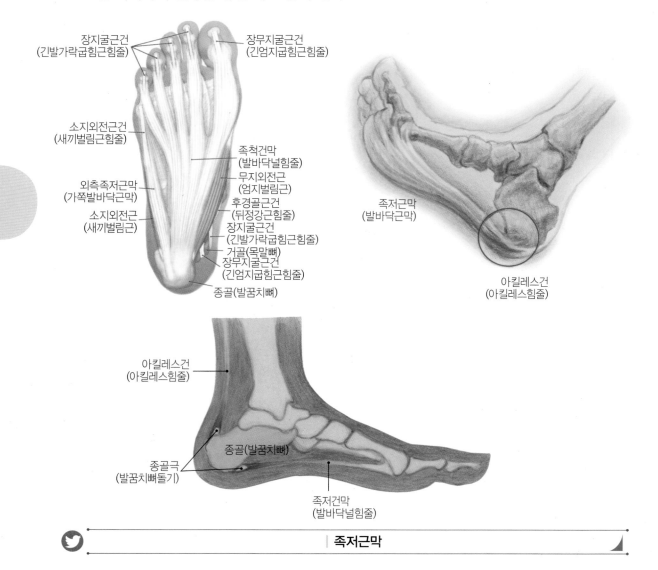

장지굴근건
(긴발가락굽힘근힘줄)

장무지굴근건
(긴엄지굽힘근힘줄)

소지외전근건
(새끼벌림근힘줄)

족척건막
(발바닥널힘줄)

무지외전근
(엄지벌림근)

외측족저근막
(가쪽발바닥근막)

후경골근건
(뒤정강근힘줄)

소지외전근
(새끼벌림근)

장지굴근건
(긴발가락굽힘근힘줄)

거골(목말뼈)

장무지굴근건
(긴엄지굽힘근힘줄)

종골(발꿈치뼈)

족저근막
(발바닥근막)

아킬레스건
(아킬레스힘줄)

아킬레스건
(아킬레스힘줄)

종골(발꿈치뼈)

종골극
(발꿈치뼈돌기)

족저건막
(발바닥널힘줄)

족저근막

족저근막에 생기는 염증을 족저근막염이라 하는데, 이때에는 통증과 보행곤란으로 이어질 수 있다. 평발, 요족(pes cavus : 평발의 반대로, 너무 많이 만곡된 발), 달리기, 격렬한 운동 등은 족저근막염의 위험인자가 된다. 족저근막염을 일으키는 직접적인 원인 중의 하나는 장딴지의 표층뒤쪽구획의 뭉침이다.

비복근·가자미근·족저근은 합동으로 하나의 힘줄을 만드는데, 그것이 '아킬레스건'이라는 힘줄이다. 아킬레스건은 족저근막이 시작되는 종골(발꿈치뼈)에 부착되어 있다.

표층뒤쪽구획이 경직되면 발이 당겨져서 발바닥이 굽혀지고, 결과적으로 보행 시에 족저근막이 과도하게 늘어나게 된다. 이때 족저근막에 뭉침이 있으면 그 당겨지는 힘에 의하여 근막에 미세한 상처가 생기거나 근막이 종골로부터 떨어져나가게 된다. 종골을 당기는 힘에 의하여 종골극(heel spur, 발꿈치뼈돌기)이 생길 수도 있다.

족저근막염을 수기치료하려면 통증과 불쾌감으로 이어지는 모든 부위를 마사지하는 것이 좋다. 부기를 억제하기 위해 냉찜질을 추천하는 사람이 많은데, 이것은 좋지 않은 방법이다. 근막은 차가워지면 굵어지고 유연성이 저하되므로 온수 족욕이나 발을 따뜻하게 하면서 풋롤러(foot roller)를 사용하면 근막을 유연하게 만드는 효과가 있다. 마사지는 장딴지근육과 족저근막의 신장력을 강화시키는 효과가 있다.

가자미근과 비복근의 트리거포인트와 긴장이 항진한 부분을 마사지하는 것도 중요하다. 깊은 슬라이딩을 실시하면서 저항을 이용한 능동적 관절가동범위 운동을 실시하는 것도 효과가 있다. 또 심부의 결합조직에 대한 마사지도 효과가 있다.

발목 및 발의 구조와 질환별 관리

7

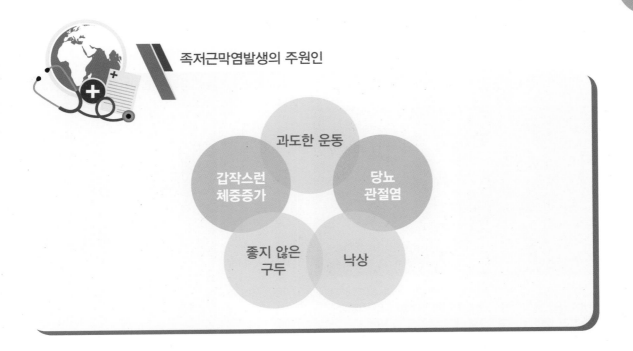

족저근막염발생의 주원인

- 과도한 운동
- 갑작스런 체중증가
- 당뇨 관절염
- 좋지 않은 구두
- 낙상

36-2 족저근막염의 관리

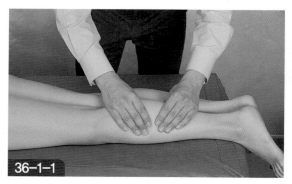

조직의 워밍업_
근막이완, 유념법(주무르기), 신전법으로 종아리 뒷면을 워밍업한다.

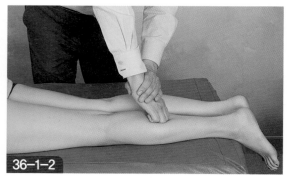

비복근_
비복근과 아킬레스건을 강하게 쓰다듬는다. 비복근·가자미근·족저근에서 발견되는 트리거포인트를 마사지한다.

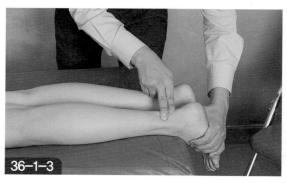

강찰법_
아킬레스건의 종골부착부를 강하게 쓰다듬는다.

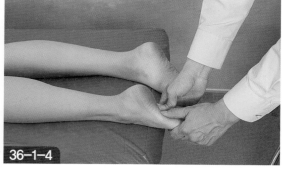

족저근막_
강하게 쓰다듬기와 손가락을 이용한 스트리핑으로 족저근막을 따뜻하게 한다. 종골부터 먼쪽의 중족골까지 강하게 쓰다듬는다. 반대손은 발을 고정시키는 데 이용한다. 중심선에서 양쪽으로 향하는 신전법으로 발바닥을 넓혀준다.

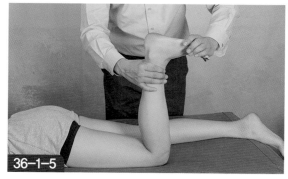

스트레치_
비복근과 발바닥을 스트레치하여 절차를 마무리한다.
종아리 앞면은 쓰다듬어서 정맥환류를 촉진한다.

36-3 족저근막염의 운동요법

타월을 이용한 스트레칭_

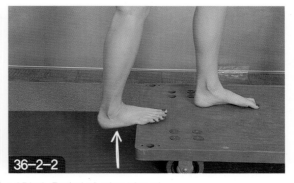

받침에 올라가서 발꿈치들기_

서서 벽밀기_

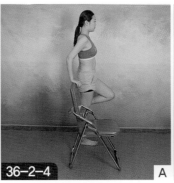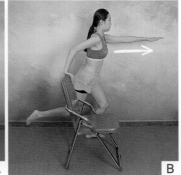

의자를 이용한 운동_

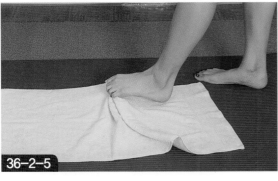

발가락으로 타월잡기_

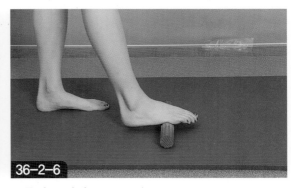

풋롤러 굴리기_

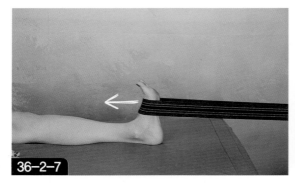

36-2-7

밴드를 이용한 발등쪽 굽히기_

36-2-8

밴드를 이용한 바닥쪽 굽히기_

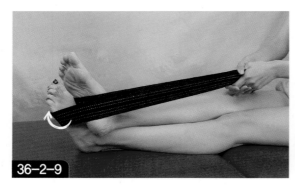

36-2-9

밴드를 이용한 안쪽 번지기_

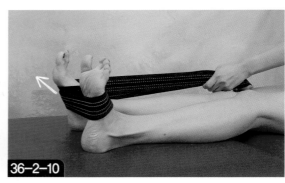

36-2-10

밴드를 이용한 가쪽 번지기_

무지외반증

37-1 무지외반증의 원인

무지외반증(hallux valgus, bunion, 외반엄지발가락, 엄지건막류)은 무지(엄지발가락)가 변형되어 새끼발가락쪽으로 10~15도 이상 기울어진 것이다. 이러한 변형이 심해지면 신발과의 마찰로 연골이나 뼈의 돌출부위가 정점이 되어버린다. 뼈돌출부위에 윤활주머니염(bursitis)이 발생하여 강한 통증이 나타난다.

한편 소지외반증(bunionette, 외반새끼발가락, 소지건막류)도 무지외반증과 비슷한 증상으로, 소지(새끼발가락)에서 생기는 것이다.

① 무지외반의 각도

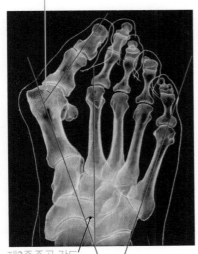

② 제1·제2중족골 각도
1st·2nd metatarsal angle

③ 제1·제5중족골 각도
1st·5th metatarsal angle

① 무지외반 각도(HVA : hallux valgus angle) : 체중부하로 선 자세에서 제1중족골(1st metatarsal bone) 세로축과 첫마디뼈(proximal phalanges)가 이루는 각도. 정상치 : 15°~20°

② 제1·제2중족골 각도(intermetatarsal angle) : 제1중족골 세로축과 제2중족골 세로축이 이루는 각도. 중족골의 모음 평가 시에 유용. 정상치 : 8°~9°

③ 제1·제5중족골 각도(1st~5th metatarsal angle) : 제1중족골 세로축과 제5중족골 세로축이 이루는 각도. 개장족(spread foot, 넓적발)의 평가 시에 유용. 정상치 : 24°~30°

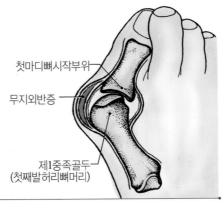

첫마디뼈시작부위

무지외반증

제1중족골두
(첫째발허리뼈머리)

무지외반증(hallux valgus)의 X선계측

발목 및 발의 구조와 질환별 관리

7

무지외반증의 발생원인은 다음과 같다.

◈ 뼈의 변형이 일어나면 꽉 끼는 신발을 신어도 증상이 악화된다.

◈ 꽉 끼는 하이힐 착용이 원인인 경우도 있다.

◈ 평발인 사람은 러닝으로 엎침이 심해지고 무지(엄지발가락)의 각도가 엎침에 의해 틀어지기 때문에 무지외반증이 되기 쉽다.

무지외반증의 증상은 다음과 같다.

◈ 무지(엄지발가락)는 10~15도 이상 가쪽으로 기울어지고, 발끝은 소지(새끼발가락)쪽을 향한다.

◈ 뼈돌출부위에 통증이 있고 붉은색의 염증을 동반한다.

◈ 무지가 둘째발가락 아래로 내려가기 때문에 둘째발가락은 '망치발가락(추상지, hammer toe)'이 된다.

◈ 둘째발가락의 발바닥부위에 굳은살(callosity, 변지)이 생긴다.

◈ 무지외반증이 있는 사람은 신발을 신기도 힘들다.

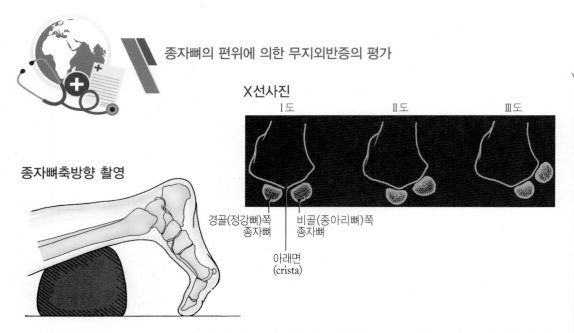

종자뼈의 편위에 의한 무지외반증의 평가

X선사진

I도　　　　II도　　　　III도

종자뼈축방향 촬영

경골(정강뼈)쪽 종자뼈　　비골(종아리뼈)쪽 종자뼈

아래면 (crista)

　무지외반증(hallux valgus)은 안쪽/바깥쪽종자뼈가 모두 가쪽으로 아탈구하는 경향이 있다. 무지의 변형이 심하면 완전탈구상태가 되며, 제1중족골두(1st metatarsal head) 아래면(crista)이 평탄화되는 경우가 있다. 이 그림에서 종자뼈의 편위를 I~III도로 분류한 것은 수술여부의 결정, 수술방식의 선택 및 수술 후 평가에 사용하기 위해서이다.

37-2 무지외반증의 운동요법

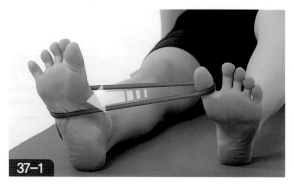

37-1

밴드를 이용한 모음근의 스트레치

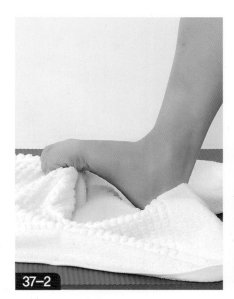

37-2

발가락으로 타월집기

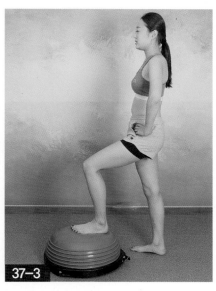

37-3

돔볼을 이용한 발앞부분 운동

8

호흡순환계통 질환 및
비만증의 원인과 관리

고혈압증

38-1 고혈압증의 원인

고혈압은 온몸순환 동맥혈압치가 정상보다 높아지는 증후군이다. WHO의 혈압 식별 표준에 의하면 일반성인의 정상 수축기혈압은 140mmHg 이하, 정상 이완기혈압은 90mmHg 이하이다. 통상 수축기혈압이 160mmHg 이상, 이완기(확장기)혈압이 95mmHg 이상이 되면 고혈압으로 진단한다.

고혈압의 발병원인은 아직 불분명한 점이 많지만, 최근의 연구에서는 유전적인 체질, 연령, 생활습관 등에 의한 것으로 알려져 있다. 고혈압은 본태성 고혈압과 속발성(증후성) 고혈압으로 나뉘며, 90% 이상을 본태성 고혈압으로 보고 있다.

본태성 고혈압은 조기에는 자각증상이 거의 없으며, 병상의 진행에 따라 고혈압이 지속되면 현기증, 두통, 불면, 두근거림, 이명 등의 증상이 나타난다. 고혈압증이 지속되면 동맥경화·뇌출혈·뇌경색 등의 뇌졸중, 협심증·심근경색 등의 심장질환, 신장(콩팥)과 같은 장기이상 등을 초래하고, 다양한 질병으로 진행될 우려가 높다.

속발성 고혈압은 각종 기초질환에 의하여 발생하는 증상을 가리킨다. 신장·뇌 등의 혈압장애에 의한 혈압상승이 여기에 속한다.

호흡순환계통 질환 및 비만증의 원인과 관리

8

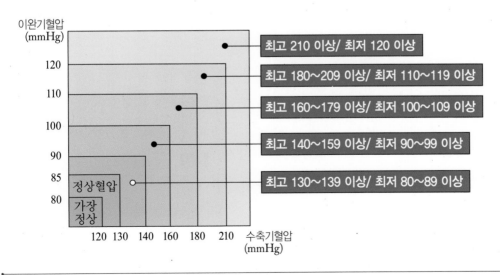

| 혈압측정치

400

관련경혈 : 풍지, 사죽공, 태양, 백회, 곡지, 내관, 족삼리, 행간, 간수, 심수, 신수, 용천 등

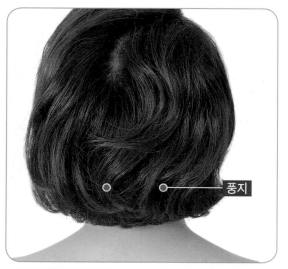

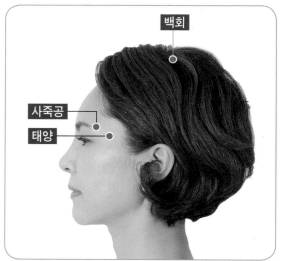

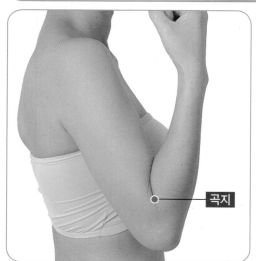

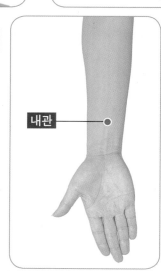

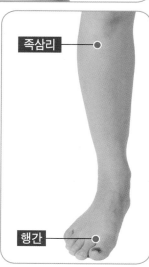

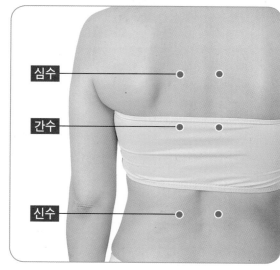

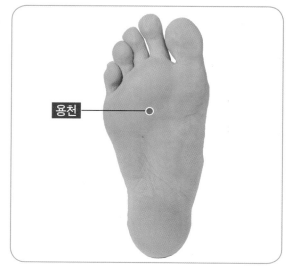

38-2 고혈압증의 관리

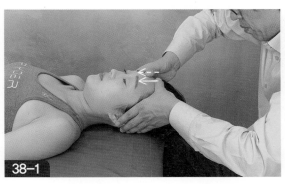

38-1

치료사는 환자의 머리쪽에 앉아 이마의 독맥라인을 양쪽 엄지로 끼우고 문지르면서 밀어간다.

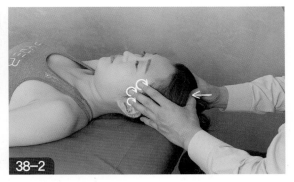

38-2

양쪽 엄지를 겹쳐 백회혈을 가볍게 누른다. 이어서 양쪽 엄지를 백회혈에 댄 채로 네손가락끝을 세워 머리 양쪽 을 두정까지 원을 그리듯이 주무르면서 밀어간다.

38-3

양쪽 엄지로 눈썹 가쪽끝 안쪽 오목부위에 있는 사죽공 혈을 누르고, 머리옆부분을 손가락안쪽으로 비벼준다.

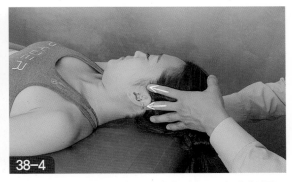

38-4

양손의 중지 · 검지로 귀를 가볍게 끼우고, 손가락안쪽으 로 귀가 붙은 부분의 앞뒤를 가볍게 비벼준다.

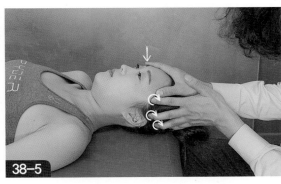

38-5

한 손의 엄지 · 중지로 태양혈을 누르고, 다른 손으로 머 리옆부분을 주무른다.

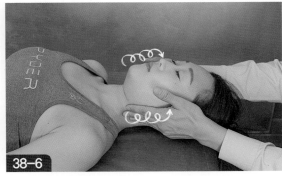

38-6

양쪽 네손가락안쪽으로 목 양쪽의 근육군을 원을 그리듯 이 주물러 올라간다. 이것을 여러 번 반복한다.

호흡순환계통 질환 및 비만증의 원인과 관리

8

양쪽 엄지와 네손가락안쪽으로 어깨의 근육군 전체를 쥐었다놓았다 한다.

한 손으로 머리를 비스듬히 잡고, 다른 손의 엄지안쪽으로 목옆의 근육군을 비벼준다.

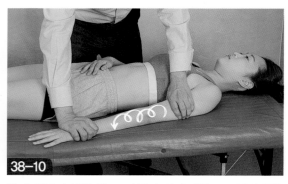

환자의 옆쪽에 서서 양손의 손가락안쪽 또는 손톱끝으로 발제(머리털이 난 가장자리)에서부터 가볍게 두피에 대듯이 미끄러뜨리고 빗질하듯이 쓰다듬는다.

한 손으로 손목을 잡고, 다른 손의 손가락으로 팔의 근육군을 잡고 주무른다.

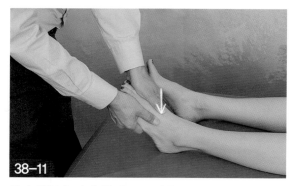

환자 발쪽에 서서 한 손으로 발을 잡고, 다른 손의 엄지끝으로 발등에 있는 행간혈을 누르고 비벼준다.

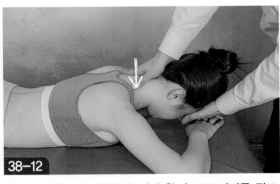

치료사는 환자의 머리쪽에 서서 한 손으로 머리를 잡고, 다른 손의 엄지안쪽으로 경추 옆쪽의 근육군을 문지르면서 밀어간다.

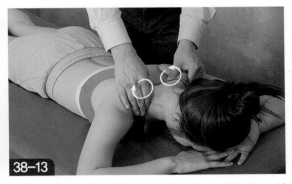

환자의 옆쪽에 서서 양쪽 네손가락으로 어깨를 잡고, 양쪽 엄지로 어깨의 근육군을 주무른다.

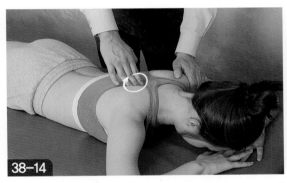

한 손으로 어깨를 잡고, 다른쪽 세손가락안쪽으로 등에 있는 간수혈과 심수혈을 비벼준다.

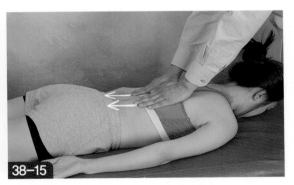

환자의 머리쪽에 서서 양쪽 손바닥으로 등에서 허리엉치 부위를 거쳐 다리까지 비벼준다.

환자 발쪽에 서서 양쪽 엄지로 용천혈을 누른 다음 주물러준다.

호흡순환계통 질환 및 비만증의 원인과 관리

8

39 DISEASE

감기

39-1 감기의 원인

감기(風邪)란 외한풍사(外寒風邪)가 침입하여 코막힘, 콧물, 재채기, 오한발열, 두통, 전신불쾌감 등을 일으키는 질환이다. 어느 때이든 발증하지만, 특히 봄과 겨울에 빈발한다. 같은 시기에 많은 사람에게 유사한 증후가 나타나는 것을 '시행풍사(時行風邪)'라 하는데, 이것은 현대의 유행성감기(인플루엔자)에 해당한다.

한의학에서는 인체의 정기가 부족하여 허약해져 저항력이 떨어질 때 감기가 허를 틈타서 입·코·피부로 침입한다고 생각한다. 감기는 양에 속하고, 움직이기 쉽고 변화하기 쉬운 특징이 있다. 따라서 증상은 머리나 양에 속하는 입과 코에 나타나기 쉽다. '감기는 만병의 근원'이라고 불리는 것처럼 감기는 항상 다른 사기와 연관되어 인체를 덮쳐온다.

한의학의 분류방법에 따르면 감기에는 풍한(風寒)과 풍열(風熱)이 많이 나타나며, 그 밖에 서(暑)·습(濕)·조(燥) 등과 연관된 감기도 있다. 인체의 체질에는 음양편성의 차이가 있어 양성인 자는 풍열을 감수하기 쉽고, 음성인 자는 풍한을 감수하기 쉽다. 발병의 경중(輕重)은 주로 인체 정기의 강약이나 사기감수의 정도에 따라 다르다.

관련경혈 : 백회, 태양, 풍지, 풍부, 천주, 견정, 곡지, 합곡, 대저, 풍문, 폐수, 인당, 대추 등

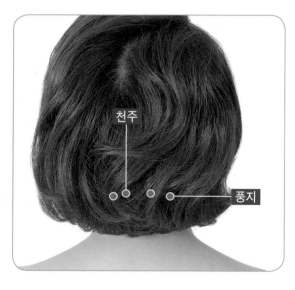

풍부

곡지

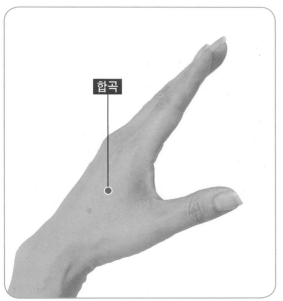

합곡

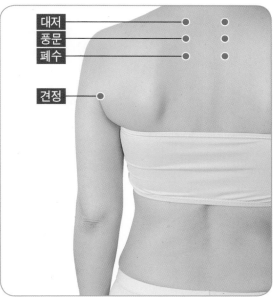

대저
풍문
폐수

견정

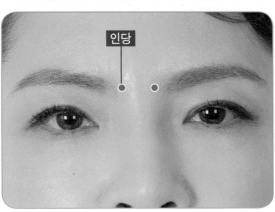

인당

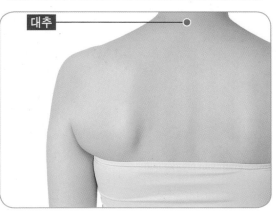

대추

호흡순환계통 질환 및 비만증의 원인과 관리

8

39-2 감기의 원인

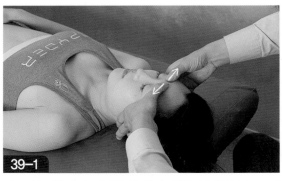

치료사는 환자의 머리쪽에 앉아 양쪽 엄지안쪽으로 이마 한가운데의 독맥 라인을 따라 양쪽으로 누르면서 밀어준다.

양쪽 엄지안쪽으로 태양혈을 누르고 원을 그리듯이 쓰다듬는다.

어깨의 근육군을 양쪽 엄지와 네손가락안쪽으로 끼우듯이 잡고 화살표 방향으로 당긴다.

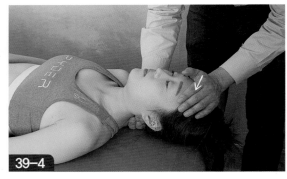

한 손으로 환자의 머리를 지지하고, 다른 손의 손바닥으로 두정부를 누르고 주무른 다음 손바닥으로 흔들어준다.

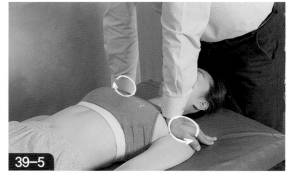

환자의 머리쪽에 서서 양쪽 손바닥으로 어깨에서 위팔까지 누르면서 주무른다.

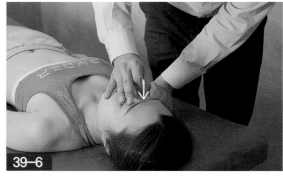

환자의 옆쪽에 서서 한 손으로 어깨를 지지하고, 다른 손 엄지 · 중지를 겹쳐 손가락 윗면으로 인당혈을 가볍게 타격한다.

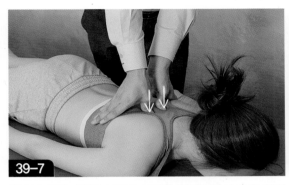

척주와 척주기립근 사이의 라인을 따라가면서 양쪽 엄지로 누르면서 주물러준다.

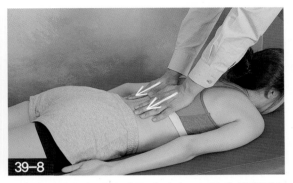

환자의 머리쪽에 서서 양쪽 손바닥으로 등의 근육군(승모근, 광배근 등)을 손바닥으로 비벼준다.

환자 | 앉은 자세

환자 앞쪽에 서서 한 손으로 위팔을 지지하고, 다른 손의 검지 · 중지로 인두부를 잡고 떼어내는 듯한 움직임을 리드미컬하게 실시한다.

환자 뒤쪽에 서서 한 손으로 머리를 조금 대각선으로 받치고, 다른 손의 손바닥으로 목 옆부분의 근육군을 손바닥으로 비벼준다.

양쪽 네손가락으로 어깨를 가볍게 짚고, 양쪽 엄지손가락으로 어깨와 등위쪽의 근육군 전체를 잡고 주물러준다.

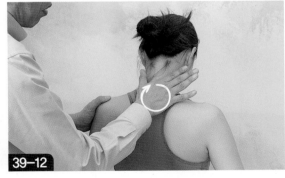

한 손으로 어깨를 잡고, 목뒷부분에 있는 대추혈이 따뜻해질 때까지 비벼준다.

호흡순환계통 질환 및 비만증의 원인과 관리

8

비만증

40-1 비만증의 원인

비만(肥滿)증은 체중이 과잉하게 증가하여 몸에 축적된 지방이 생리적 기능을 유지시키는 정상적인 범위를 넘은 상태를 가리킨다. 통상 체지방이 성인 남성이라면 체중의 25% 이상, 여성이라면 30% 이상을 차지하고, 체질량지수(BMI)가 25%를 넘고, 또 배둘레가 남성이라면 90cm 이상, 여성이라면 85cm 이상이 되면 비만으로 간주한다.

비만은 단순성 비만, 병적 비만, 증후성 비만, 피하지방형 비만으로 나누어지며, 발증 원인은 다음과 같다.

- **단순성 비만**……폭음·폭식에 의한 칼로리의 섭취와 소비의 불균형, 운동부족, 정신적 긴장, 식생활습관 등 영향을 받는다.
- **병적 비만**……중대한 질병이 있어 호흡이나 보행 등에 곤란을 초래할 정도로 고도화된 비만을 말한다. 의학적 감량, 때때로 수술을 필요로 하는 병태가 나타나며, 고혈압, 지질이상증, 심장병, 당뇨병 등의 합병증이나 건강장애를 동반하기 쉬운 고도위험 비만이다.
- **증후성 비만**……대사이상이나 내분비질환에 의한 것으로 시상하부질환, 부신피질 스테로이드의 과잉, 갑상샘기능저하증, 약물의 부작용 등에 의한 비만이다.
- **피하지방형 비만**……여성에게 많은 비만인데, 볼기나 허리 주위에 붙는 비만으로, 생활습관병과 깊은 관계가 있다.

한의학에서는 비만을 담(痰)·습(濕)·수(水)에 관계되며, 비허(脾虛), 습허(濕虛), 담습(痰濕)에 의하여 발생하는 것으로 본다. 치료는 화습(化濕), 거담(祛痰), 이수(利水)를 원칙으로 한다. 치료기간 중에는 음식의 억제, 운동의 증강이 중요하다.

관련경혈 : 구미, 천추, 관원, 비수, 신수, 곡지, 족삼리 등

구미

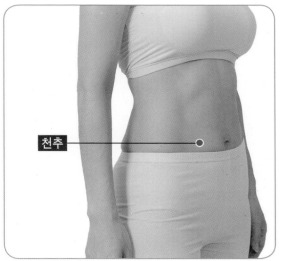

천추

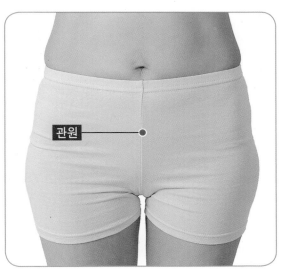

관원

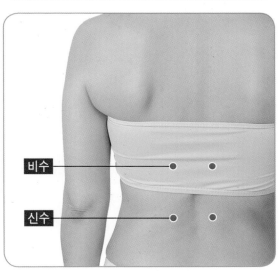

비수

신수

곡지

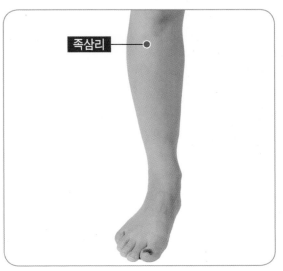

족삼리

호흡순환계통 질환 및 비만증의 원인과 관리

8

40-2 비만증의 관리

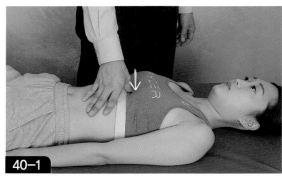

치료사는 환자의 옆쪽에 서서 한 손 엄지로 흉골 아래모서리에 있는 구미혈을 누른다.

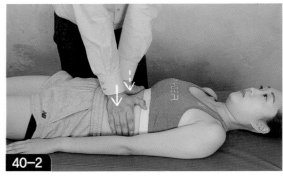

아랫배에서 윗배까지 양손바닥으로 번갈아가며 가볍게 눌러준다.

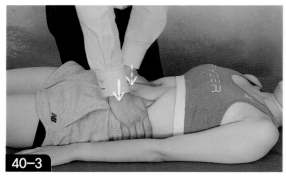

복부에서 좌우로 이동하면서 양쪽 엄지로 번갈아 가볍게 눌러준다.

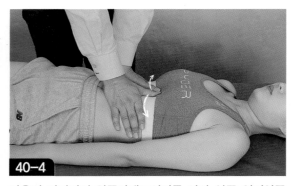

좌우의 갈비뼈의 안쪽아래모서리를 따라 양쪽 엄지안쪽으로 비벼준다.

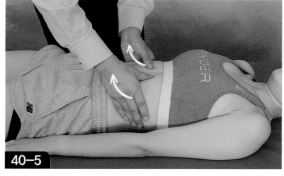

양손바닥으로 갈비뼈 양쪽(외복사근)의 근육을 잡아서 아래에서 복부쪽으로 여러 번 들어올려준다.

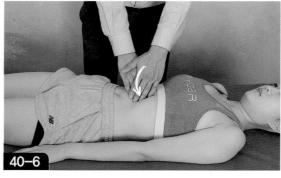

양손을 겹쳐 복부(복직근)를 약 2초 잡는다. 그다음 배를 가볍게 들어올리면서 가볍게 진동시킨다.

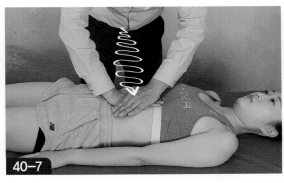

40-7

양손 손바닥을 겹쳐 복부를 여러 번 잘게, 점차적으로 넓게 진동시킨다.

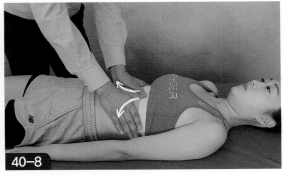

40-8

흉골 아래모서리에서 복부 양쪽을 양손바닥으로 비벼준다.

환자 | 엎드린 자세

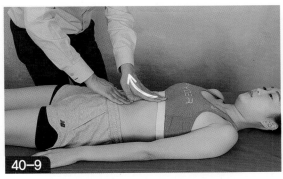

40-9

복부 위쪽부터 아래까지 양손바닥으로 번갈아가면서 매끄럽게 문지르면서 밀어나간다.

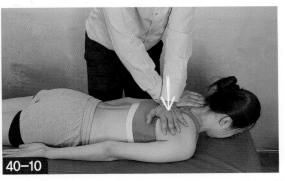

40-10

척주 양쪽(등근육) 라인을 따라 등에서부터 허리까지 눌러준다.

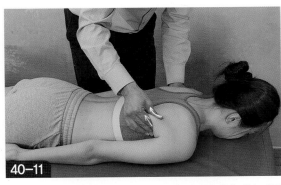

40-11

한 손으로 어깨를 가볍게 잡고, 다른 손 엄지와 네손가락으로 겨드랑이 밑의 근육군(견갑하근, 대원근, 광배근 등)을 잡고 쥐었다놓기를 반복한다.

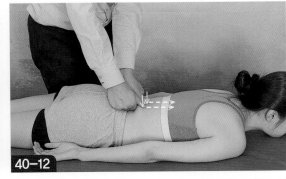

40-12

양쪽 손가락으로 등허리부위의 근육을 잡아올려 척주 양쪽의 족태양방광경 라인을 따라 주물러준다.

호흡순환계통 질환 및 비만증의 원인과 관리

8

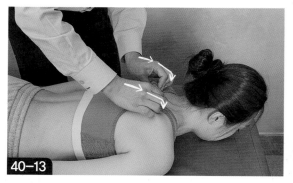

양쪽 손목과 네손가락으로 등 양쪽의 근육을 가볍게 잡고 요부까지 누르면서 비벼준다.

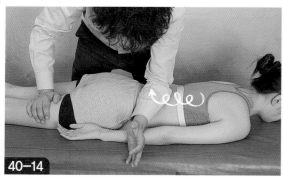

한 손으로 환자의 넙다리를 짚고, 다른쪽 아래팔 척골쪽으로 등근육을 쓰다듬는다.

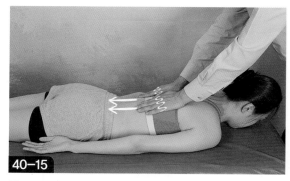

환자의 머리쪽에 서서 양손바닥으로 등의 족태양방광경 라인을 따라 비벼주면서 진동시킨다.

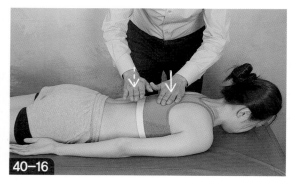

등허리부위를 양손바닥으로 번갈아 두드려준다.

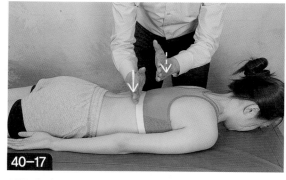

양쪽 손날로 등부터 다리까지 번갈아가며 타격한다.

│ 참고문헌 │

권영미 외 공역(2015). Structure & Function of the Body. 대경북스.

김강련 등 역(2010). 무어 임상해부학. 신흥메드싸이언스.

김건도, 김청훈, 정동춘 역(2009). 운동 종목별 스포츠상해 예방과 재활. 메디컬코리아.

김건도, 이광수(2006). 홈 케어 운동요법. 대경북스.

김경수 외 역(2004). Netter's 근골격계 간결해부학. 도서출판 정담.

김명일, 김영빈(2007). 운동처방 에센스. 대경북스.

김복현(2007). 경락마사지와 손발반사요법. 대경북스.

김복현, 김용수, 오유성(2010). 근·골격·신경계 해부학 엑서사이즈. 대경북스.

김용수, 정락희, 김복현, 한승호, 김현희(2009). 비주얼 아나토미. 대경북스.

김용수 외(2011). Anatomical Chart & Exercise Book of Neuromusculoskeletal System. 대경북스.

김창국 역(2016). 생체역학(제7판). 대경북스.

김창국, 김용수, 박창열, 서영환(2015). 인체해부학 아카데미. 대경북스.

대한의사협회 의학용어실무위원회(2009). 의학용어집(제5판). 대한의사협회.

박성순, 추건이, 손진수(2003). 밸런스 스트레칭. 대경북스.

박찬후(2004). 카이로프랙틱 임상테크닉. 대경북스.

박찬후(2008). SOT. 대경북스.

서영환, 손진수, 신춘선(2007). 아이 러브 스포츠 마사지. 대경북스.

신원범 외(2017). 실전 임상근육학. 대경북스.

신원범(2017). 인체경혈경락학. 대경북스.

윤 호 외 역(2008). 인체해부학(Ⅰ), (Ⅱ), (Ⅲ). 서울의학사.

이석인 등(2009). Total 피트니스 바이블. 대경북스.

이성일, 신순철 역(2008). 스포츠 카이로프랙틱. 대경북스.

이우주 편(1993). 표준 의학사전. 아카데미서적.

이원재, 손진수(2007). 마사지 세라피스트 핸드북. 대경북스.

이원택 외 역(2009). 인체해부생리학. 도서출판 정담.

이윤관(2014). 비만과 체중관리. 대경북스.

이창현, 김영임, 이강옥 역(2004). Best 여성건강의학. 대경북스.

재활체조연구회(2008). 피트니스 스트레칭과 재활체조요법. 대경북스.

정일규(2011). 휴먼퍼포먼스와 운동생리학(전정판). 대경북스.

정훈교, 홍미령, 손진수(2008). 클리니컬 마사지 세라피. 대경북스.

조성연 외(2016). 운동재활총론-원리편-. 대경북스.

조성연 외(2016). 운동재활총론-사례 및 적용-. 대경북스.

조혁태, 장지훈, 정의윤, 박종원, 고경현(2010). 모션테이핑-약한 근육을 찾아서-, 대경북스.

천길영, 배영대, 송낙훈(2009). 테이핑 세라피 바이블. 대경북스.

체육과학대사전 편집포럼 (2009). 체육과학대사전. 대경북스.

편집부 역(2008). 그림으로 보는 우리몸의 해부학·조직학·병리학. 도서출판 정담.

편집부(2003). 생생원색해부학(Ⅰ), (Ⅱ), (Ⅲ). 현문사.

한국해부생리학교수협의회(2003). 인체해부학. 현문사.

홍관이, 장재훈, 허선(2008). 체력 트레이닝론. 대경북스.

張軍(2010). 実用中国手技療法 -臨床編-. ガイアブックス.

張軍(2009). 実用中国手技療法 -基本編-. ガイアブックス.

山下敏彦, 武藤芳照(2008).スポーツ傷害のリハビリテーション.金原出版.

杉岡洋一,岩田久, 武藤芳照, 伊藤晴夫(2004).変形性股関節症の運動・生活ガイド—運動療法と日常生活動作の手引き,第3版. 日本医事新報社.

中川貴雄(1986).関節の痛み 手技による診断と治療法. 科学新聞社出版局.

中川貴雄(2005).四肢のモーション・パルペーション.科学新聞社出版局.

中川貴雄(1986). 脊柱モーション・パルペーション—脊柱可動性検査法 (カイロプラクティック講座), 第3版. 科学新聞社.

中図健(2013).上肢運動器疾患の診かた・考えかた. 医学書院.

小倉毅(2006).症状別カイロプラクティックハンドブック—腰椎部・胸椎部・頸椎部疾患編—. 科学新聞社出版局.

小倉毅, 田中稔久(2004).部位別カイロプラクティックハンドブック.科学新聞社出版局.

堀尾重治(2007). 骨・関節X線写真の撮りかたと見かた,第7版. 医学書院.

竹内義享, 沢田規(2004).写真で学ぶ四肢関節のキャスト法.医歯薬出版.

整形外科リハビリテーション學會 編(2010).關節機能解剖學に基づく整形外科運動療法ナビゲーション-上肢. 株式會社メジカルビュー社.

整形外科リハビリテーション學會 編(2010). 關節機能解剖學に基づく整形外科運動療法ナビゲーション-下肢・體幹. 株式會社メジカルビュー社.

北田 力(1995). 北田法のよゐ踵骨骨折の治療. MB Orthop, 8:55-63.

Agur, A. M. R. Dalley, A. F.(2009). *Grant's Atlas of Anatomy, 12th ed.* Baltimore : Lippincott Williams & Wilkins.

Backhouse, Kenneth and Hutchings, Ralph(1986). *Color Atlas of Surface Anatomy*, Willliams & Wilkins.

Benjamin, P. J.(2009). *Tappan's Handbook of Healing Massage Techniques, 5th eds.* Prentice Hall.

Calais-Germain, Blandine(1993). *Anatomy of Movement*, Eastland Press.

Cartmill, Hylander and Shafland(1987). *Human Struture*, Harvard University Press.

Clemente, Carmine(1985). *Grays Anatomy*, 30th edition, Lea & Febiger.

Edmond, S. L.(2006). *Joint Mobilization/Manipulation: Extremity and Spinal Techniques, 2nd eds.* Mosby.

Finando, D. & Finando, S.(2005). *Trigger Point Therapy for Myofascial Pain: The Practice of Informed Touch.* Healing Arts Press.

Gotlin, R.(2007). *Sports Injuries Guidebook.* Human Kinetics.

Griffith, H. W.(2004). *The Complete Guide to Sports Injuries.* Perigee Books.

Hamill, J. & Knutzen, K. M.(2008). *Biomechanical Basis of Human Movement, 3rd eds.* Lippincott Williams & Wilkins.

Hole, John(1992). *Essentials of Human Antomy and Physiology*, 4th edition, Wm. C. Brown.

Houglum, P(2010). *Therapeutic Exercise for Musculoskeletal Injuries, 3rd eds.* Human Kinetics.

Kapanji, I. A.(1982). *The Physiology of the Joints, vol1*, pp.72-129, Churchill Livingstone, Edinburgh.

Kendall, F. P., McCreay, E. K., Provance, P. G. (1993). *Muscles: Testing and Function*, 4th edition, Williams & Wilkins.

Levangie, P. & Norkin, C.(2005). *Joint Structure and Function: A Comprehensive Analysis, 4th eds.* F. A. Davis Company.

Liebenson, C.(2006). *Rehabilitation of the Spine: A Practitioner's Manual.* Lippincott Williams & Wilkins.

Maitland, J.(2001). *Spinal Manipulation Made Simple: A Manual of Soft Tissue Techniques.* North Atlantic Books.

Masten F. A.(1990). *Subacrominal impingiment.* The Shoulder, WB Saunders.

Melloni, John, Melloni(1998). *Illustrated Dictionary of the Musculoskeletal System*, Parthenon Publishing.

Moore, K. L., Persaud, T. V. N. Shiota, K.(2000). *Color Atlas of Clinical Embryology, 2nd ed.* Philadelphia, Saunders.

Morrey B. F.(2000). *The Elbow and Its Disorders 3rd ed.*, pp.341-364. WB Saunders, Philadelphia.

Mostofsky, D. I. & Zaichkowsky, L. D.(2001). *Medical and Psychological Aspects of Sport and Exercise.* Fitness Information Technology.

Netter, Frank(1989). *Atlas of Human Anatomy*, CIBA-GEIGY, Summit.

O'sullivan, S. & Schmitz, T.(2006). *Physical Rehabilitation, 5th eds.* F. A. Davis Company.

Prentice, W. E. & Voight, M. L.(2001). *Techniques in Musculoskeletal Rehabilitation.* McGraw-Hill Medical.

Salter, R. B.(1999). *Textbook of Disorders and Injuries of the Musculoskeletal System, 3rd eds.* Lippincott Williams & Wilkins.

Sanders R.(1992). Intra-articular fractures of the calcaneus;present state of the art. *J Orthop Trauma, 6*:252-265.

Shumway-Cook, A. & Woollacott, M. H.(2006). *Motor Control: Translating Research into Clinical Practice, 3rd eds.* Lippincott Williams & Wilkins.

Simancek, J. A.(2013). *Deep Tissue Massage Treatment, Second Edition.* Elesrier.

Thompson, Clem(1989). *Manual of Structual Kinesiology,* 11th edition, Times Mirror/Mosby College.

Tortora, Gerald(1989). *Principles of Human Anatomy,* 5th edition, Harper & Row.

Voight, M., Hoogenboom, B. & Prentice, W.(2006). *Musculoskeletal Interventions: Techniques for Therapeutic Exercise.* McGraw-Hill Medical.

Werner S. L., et al.(1993). Biomechanics of the elbow during baseball pitching. *J Orthop Sports Phys Ther, 17(6)*:274-278.

참고문헌